MOBILITÄT IN DER »OFFENEN« GESELLSCHAFT

STUDIEN-BIBLIOTHEK

Helga Recker

Mobilität in der »offenen« Gesellschaft

Zur theoretischen Orientierung der vertikalen sozialen Mobilitätsforschung

Studien-Bibliothek
Kiepenheuer & Witsch

Gesamtherstellung F. L. Wagener Lemgo
Printed in Germany 1974
Broschiert ISBN 3 462 01017 4
Leinen ISBN 3 462 01032 8

Inhalt

Vorwort

Die vorliegende Veröffentlichung wurde unter Prof. Dr. K. M. Bolte als Dissertation verfaßt und im Sommer 1972 der Staatswirtschaftlichen Fakultät der Universität München vorgelegt. Die ursprüngliche Fassung ist inhaltlich nur sehr wenig verändert worden, lediglich die Anmerkungen wurden auf Wunsch des Verlages in den Anhang übernommen. Aus diesem Grunde erschien es notwendig, die Fußnoten teilweise in den Text einzubeziehen, da andernfalls die Argumentation streckenweise nicht mehr verständlich gewesen wäre. Das führte zu gewissen Schwierigkeiten. Unter der Perspektive, das Buch vor allem Studenten im Grundstudium als eine Einführung in diese spezielle Soziologie zu empfehlen, erscheint diese Änderung sinnvoll. Die zahlreichen, jetzt eingefügten Originalzitate – vorwiegend im ersten Teil – und das umfangreiche Tabellenmaterial können damit dem besseren Verständnis dienen. Eine allzu abstrakte Darstellung wirkt auf Anfänger häufig verwirrend und schreckt sie ab, sich mit dem Thema intensiver zu beschäftigen.

Unseres Wissens liegt eine problemorientierte Einführung in die Mobilitätsforschung bisher nicht vor. Das ist um so erstaunlicher, weil dieser spezielle Forschungsbereich der Soziologie in den vierziger und fünfziger Jahren sowohl in den Vereinigten Staaten als auch in Europa außerordentlich forschungsintensiv war. Die Zahl der empirischen Studien – vor allem in den vierziger und fünfziger Jahren – ist unübersehbar. In der letzten Zeit sind jedoch nur sehr vereinzelt Veröffentlichungen auf dem Markt erschienen (wie das Literaturverzeichnis belegt), die sich mit den Ursachen und Folgen vertikaler Mobilitätsbewegungen beschäftigen, obgleich in allen industriellen Staaten die Expansion des Bildungssektors laufend »Mobilität« produziert. So kann vermutet werden, daß eine ständig steigende Zahl von Schülern und Studenten sich nur deshalb einer langwierigen und kostspieligen Ausbildung unterzieht, weil sich damit die Erwartung verbindet, sozial »aufsteigen« zu können; denn der Erwerb bestimmter Qualifikationen wurde bisher von der Gesellschaft durch die Zuweisung privilegierter Positionen »belohnt«, lange Ausbildungszeiten nahezu immer durch ein hohes Einkommen und Prestige kompensiert. Es erstaunt deshalb, daß trotz der außerordentlichen Aktualität des Themas diese Problematik von der Forschungspraxis in gewisser Weise vernachlässigt wird.

Der Verfasserin erschien es im Rahmen einer Einführung in den Bereich der Mobilitätsforschung nicht notwendig, einen Überblick über alle bekannten Studien zu geben. Die Beschränkung auf die wesentlichen Studien aus dem Westdeutschland der Nachkriegszeit sollte nicht als Mangel empfunden werden. Obgleich von Studenten, die Schichtung und Mobilität als spezielle Soziologie wählen, die Kenntnis der Veröffentlichungen aus dem anglo-amerikanischen Bereich im allgemeinen vorausgesetzt wird – vor allem die Studien von Glass, Rogoff, Blau-Duncan, Goldthorpe –, sind diese bewußt nicht mit einbezogen worden. Das vorliegende Buch soll Interesse am Mobilitätsphänomen wecken und in einen wichtigen Problemzusammenhang einführen, jedoch nicht die Aufgaben eines Readers oder Repetitoriums erfüllen. Studierenden, die ein weiterführendes, vertieftes Studium anstreben, steht ein umfangreiches Literaturverzeichnis zur Verfügung.

Einleitung

Demokratische Industriegesellschaften mit wachsendem Surplus[1] stehen unter einem ständigen Rechtfertigungszwang, die postulierte und verfassungsmäßig garantierte »Gleichheit«[2] aller Mitglieder der Gesellschaft mit der tatsächlich vorhandenen Ungleichheit der Lebenschancen und Lebensbedingungen in Einklang zu bringen.

Mobilitätsuntersuchungen, die Aufschluß über die Modalitäten geben, nach denen in »offenen« demokratischen Gesellschaften die Positionszuweisung erfolgt, analysieren einen Vorgang, durch den der einzelne »Status« und »Rang«, seine soziale Stellung in der Gesellschaft erwirbt, mit der zugleich die »Teilhabe« an den verfügbaren Gütern und Belohnungen verbunden ist. Mobilitätsuntersuchungen haben aus diesem Grunde eine politische Relevanz für das demokratische Selbstverständnis, die über eine deskriptive Analyse von Positionswechseln im intra- und intergenerationellen Bereich hinausreicht[3].

Annahmen über die Häufigkeit von Auf- und Abstiegsprozessen und Generalisierungen ihrer Auswirkungen sind Teil der Konzeption westlicher Demokratien, durch eine Veränderung institutioneller Regelungen das System der ungleichen Verteilung von »Privilegien« im weitesten Sinne auf die Dauer zugunsten größerer »Gleichheit« umzuformen. »Mobilität« versteht sich in diesem Zusammenhang als Schlüsselbegriff zur Verwirklichung jenes demokratischen Ideals, durch die Schaffung von »chancengleichen« Bedingungen jedem die Möglichkeit zu geben, seine Lebenssituation zu verbessern. So gilt im besonderen die Berufsmobilität als ein Maß für die beruflichen Chancen[4], die »zu den wichtigsten Bestandteilen einer demokratischen industrialisierten Gesellschaft«[5] gerechnet werden. Die Kategorie des sozialen Aufstiegs wird dabei stets auf das einzelne Individuum bezogen, das die gebotenen Möglichkeiten zur Verbesserung seiner Lebenslage zu nutzen weiß und abstrahiert weitgehend von jenen gesellschaftlichen Kräften, durch die das bestehende System sozialer Ungleichheit bedingt und erhalten wird.

Allgemein kann die Untersuchung vertikaler sozialer Mobilitätsprozesse als dynamischer Ansatz[6] zur Analyse von Ungleichheitssystemen betrachtet werden, um Aussagen über die Persistenz und den Wandel gesellschaftlicher Rangordnungen zu ermöglichen, durch die der Zugang zu Macht, Prestige und materiellen Vergütungen geregelt wird. Im einzelnen können die Ergebnisse der Mobilitätsforschung darüber Aufschluß geben, in welchem Umfang auch in demokratischen Gesellschaften der Positionserwerb in Abhängigkeit von der sozialen Herkunft erfolgt und welche Auswirkungen die fortschreitende Industrialisierung auf die Häufigkeit von Auf- und Abstiegsprozessen hat. Die Annahme, daß zwischen Industrialisierungsgrad und Mobilitätsfrequenz eine »innere Logik« besteht, führte zu der These von der ökonomischen Determiniertheit der sozialen Mobilität[7]: danach war die rapide technische Entwicklung der letzten hundert Jahre nur durch eine laufend steigende Mobilitätsrate zu bewältigen. Das trifft in gewisser Weise zu, wie ein Überblick über die Ergebnisse der Mobilitätsforschung bestätigen wird[8]. Als Folge der zunehmenden Arbeitsteilung und der dadurch bedingten Ausdehnung der Berufsbereiche erhöhte sich für den einzelnen Erwerbstätigen die Chance, »mobil« zu werden und in höher bewertete und besser entlohnte Tätigkeiten aufzusteigen. Die empirische Forschung stützt jedoch nicht die Annahme, die Mobilitätsrate, d. h. der Umfang der Mobilität, sei schlechthin als Maßstab für die »Offenheit« einer Gesellschaft zu betrachten, eine gedankliche Assoziation, die sich u. E. sehr häufig mit den »hohen« Mobilitätsraten in unserer Gesellschaft verbindet[9]. Die Zugangschancen zu den verschiedenen gesellschaftlichen Positionen können trotz zahlenmäßig »häufiger« Mobilitätsbewegungen extrem ungleich sein, da die mit besonderen Gratifikationen ausgestatteten Positionen nicht unbedingt in den Austauschprozeß mit einbezogen werden müssen.

Es ist das erklärte Ziel dieser Arbeit, den Aussagewert des Begriffes der vertikalen sozialen Mobilität theoretisch zu überprüfen. Vor allem der in der Mobilitätsforschung verbreitete »subjektive« Mobilitätsbegriff soll einer kritischen Analyse unterzogen werden. Dabei kann davon ausgegangen werden, daß die bisherige Mobilitätsforschung[10] bei der Untersuchung von Auf- und Abstiegsprozessen vorwiegend Bewegungen in der Prestigedimension berücksichtigte, in der nur die »subjektiven«, für den einzelnen wahrnehmbaren Aspekte sozialer Ungleichheit reflektiert werden, strukturelle Ursachen jedoch unberücksichtigt bleiben. Die Gründe für jene Beschränkung der Mobilitätsforschung auf die »einseitige« Perspektive, Mobilitätsprozesse lediglich als Statuswechsel zu begreifen, läßt sich als Folge der Auseinandersetzung »bürgerlicher« Soziologen mit Marx und seiner Revolutionstheorie interpretieren, durch die eine Umdeutung des »objektiv« definierten Klassenbegriffs in eine »subjektiv« zuzuordnende soziale Wertschätzung vollzogen wurde.

Im Rahmen einer theoretischen Neuorientierung wird der Versuch unternommen[11], einen mehr strukturbezogenen »objektiven« Ansatz zu entwickeln, der es ermöglicht[12], unter »Mobilität« nicht nur eine Statusänderung, sondern einen umfassenderen Vorgang zu verstehen, durch den das Individuum seine »Lebenslage« insgesamt verbessert oder verschlechtert. Gemessen an einem solcherart erweiterten Mobilitätsbegriff dürften sich alle jene Untersuchungen in ihren Ergebnissen als Trugschluß erweisen, die aus einer »hohen« Mobilitätsfrequenz ein hohes Maß an »Chancengleichheit« ableiten.

I

Zur Problematik des Mobilitätsbegriffs

Unter »Mobilität« beziehungsweise »sozialer Mobilität« wird nach Bolte[1] in allgemeinster Formulierung »die Bewegung von Personen aus einer Position in eine andere Position innerhalb jeder möglichen Gliederung der Gesellschaft« verstanden. Da unter »Mobilität« allgemein ein Positionswechsel von Personen zu verstehen ist, werden unter diesem Oberbegriff zahlreiche spezielle Bewegungsprozesse subsumiert[2]. So unterscheidet man zwischen Berufsmobilität und Arbeitsmobilität, Mobilitätsarten, bei denen »horizontale« Bewegungen ohne die Berücksichtigung wertender Aspekte untersucht werden. Demgegenüber wird als »vertikale Mobilität« stets eine Bewegung zwischen rangverschiedenen Positionen einer Analyse unterworfen. In beiden Fällen kann es sich jedoch um den gleichen Bewegungsvorgang handeln, d. h., wenn von »sozialer Mobilität« gesprochen wird, kann darunter sowohl ein Berufswechsel als auch eine Statusänderung im Sinne eines sozialen Auf- oder Abstiegs verstanden werden. Die umgangssprachliche Verwendung des Begriffs »Mobilität« trennt die verschiedenen Bedeutungen nicht immer explizit, und auch die Unterscheidung der wissenschaftlichen Terminologie in »horizontale« und »vertikale« Mobilität, die auf Sorokin[3] zurückgeht, ist häufig nur formal, da beide Bewegungsvorgänge miteinander verknüpft sind. Jedoch erfolgte die Differenzierung des Mobilitätsbegriffes durch Sorokin aus einem besonderen Interesse an vertikalen Mobilitätsprozessen, was sich aus seinen terminologischen Überlegungen ableiten läßt, in denen er die »horizontale Mobilität« als Residualkategorie aller nicht durch Statusänderungen bedingten Bewegungen charakterisierte[4]. Warum allerdings der Umfang »vertikaler« Mobilitätsbewegungen seit den dreißiger Jahren häufiger als andere Mobilitätsarten empirisch untersucht wurde[5], erklärt sich vermutlich nicht allein aus Sorokins Veröffentlichung, die ohne Frage bahnbrechend war. Durch den von Sorokin bereitgestellten theoretischen Bezugsrahmen wurde es in der empirischen Forschung möglich, das Mobilitätsphänomen in Verbindung mit gesamtgesellschaftlichen Prozessen[6] zu analysieren und zu interpretieren. Denn Mobilitätsvorgänge werden im allgemeinen nicht isoliert[7], sondern im Zusammenhang mit bestimmten Fragestellungen untersucht[8] und verknüpfen Analysen über die »Herkunft« verschiedener Bevölkerungsgruppen: der Arbeiter, der Angestellten, der wirtschaftlichen und politischen Eliten, mit Veränderungen der »Klassenstruktur«, der Berufsstruktur, dem Wahlverhalten sowie den Wirkungen von Mobilitätsprozessen auf die Stabilität politischer Systeme.

DIE BEDEUTUNG UMFASSENDER SOZIALER MOBILITÄTSSTUDIEN

Umfassende Mobilitätsuntersuchungen, die Rückschlüsse auf die strukturelle Beschaffenheit von Gesellschaften erlauben, sind deshalb verhältnismäßig neuen Datums[9]. In der Auseinandersetzung mit dem Marxismus[10] entwickelte sich in der Soziologie ein spezifisches Interpretationsmuster sozialer Ungleichheit, nach dem »Mobilität« als rationaler und zugleich positivfunktionaler Selektionsmechanismus betrachtet wird, der unter den Bedingungen sozialer Chancengleichheit eine optimale Auslese der für die Gesellschaft notwendigen Fähigkeiten garantiert. Diese Annahmen über die Wirkungsweise von Mobilitätsprozessen in demokratischen Gesellschaften entwickelten sich erst relativ spät – etwa seit den dreißiger Jahren – und deuten auf eine veränderte Betrachtungsweise des Ungleichheitsphänomens im Vergleich zu früheren Vorstellungen hin. Während für den Marxismus eine Ablösung aus der Klassenlage nur als kollektive Aktion denkbar war[11], kannte der Liberalismus die Begriffe »Chancengleichheit« und »Aufstieg« im heutigen Sinne durchaus. Nur waren in der liberalistischen Sichtweise die Möglichkeiten zur individuellen Standortverbesserung so groß, daß »Mobilität« kein der Erforschung bedürftiges Problem darstellte, eine Annahme, die durch spätere Untersuchungen gestützt wird. Denn tatsächlich weisen die Mobilitätsdaten für den Beginn der Industrialisierung – von 1830 bis etwa 1870 – höhere Raten auf als für die Folgezeit[12]. Erst der empirische Befund von »Klassenbarrieren« als Symptom für nicht überwindbare Ungleichheiten auch in sogenannten »klassenlosen« Gesellschaften wie den Vereinigten Staaten führte zu jenem umfassenden Deutungsversuch, nach dem »Ungleichheit« als ein durch soziale Mobilität änderbares und aufhebbares Phänomen interpretiert wurde, »Mobilität« verstanden als einen für die Gesellschaft notwendigen Umverteilungs- und Selektionsprozeß. In einer auf Arbeitsteilung basierenden Gesellschaft schienen die trotz Chancengleichheit und Wettbewerb vorhandenen Ungleichheiten weitgehend durch die individuelle Verschiedenartigkeit der Begabungen bedingt zu sein. Die existierende Ungleichheit bedeutete in diesem Sinne keine Ungerechtigkeit, denn sie war ein aus den »Funktionsbedingungen« der menschlichen Gesellschaft abzuleitendes Strukturmerkmal. Da jedoch die Inhaber privilegierter Positionen in Demokratien ihre Stellung gesamtgesellschaftlich legitimieren müssen[13], bedarf es spezifischer Deutungsmuster, »die die bestehenden sozialen Ungleichheiten mit dem prinzipiellen Gleichheitsanspruch versöhnen sollen. Durch sie erhält die Ungleichheit ... einen auf die Ordnung der Gesamtgesellschaft projizierten Sinnbezug ...«[14]

DER HISTORISCHE HINTERGRUND DER MOBILITÄTSFORSCHUNG

Die Vorstellungen über die Wirkungsweise von Mobilitätsprozessen lassen sich aus den spezifischen Strukturbedingungen des frühen Kapitalismus und der aus einer Feudalordnung sich entwickelnden »civil society« ableiten, die um die Schaffung eines Selbstbildes bemüht war, das sich mit den Idealen der Aufklärung von Freiheit und Gleichheit verbinden ließ. Dem Bild der ständischen Gesellschaft, in dem die Stellung des einzelnen in einer vorgegebenen Hierarchie qua Geburt festgelegt und deren Änderung kaum erlaubt und selten möglich war, wurde der Entwurf einer gesellschaftlichen Ordnung entgegengesetzt, in der die Chancengleichheit allerooberstes Prinzip war und die Möglichkeit, jede Position in der gesellschaftlichen Rangordnung einzunehmen, zum mindesten theoretisch existierte. Die bürgerliche Gesellschaft wurde im Gegensatz zur bisherigen »geschlossenen« ständischen Ordnung als ein »offenes« System von variablen Möglichkeiten und Risiken begriffen, in dem, ähnlich dem wirtschaftlichen Marktmechanismus, ein Austausch der Positionen nach Angebot und Nachfrage im freien Wettbewerb möglich war. Diese Gegenüberstellung von »ständischer« versus »bürgerlicher« Gesellschaft bildet sozusagen die Bezugsebene jeder Mobilitätsanalyse und liefert die Vergleichsbasis, an der sich die Untersuchungen über vertikale Auf- und Abstiegsbewegungen orientieren. Speziell der Begriff der »offenen« Gesellschaft ist ohne einen Rückblick auf die Strukturveränderungen der liberalistischen Ära des

Frühkapitalismus und der Dynamik jener Epoche kaum verständlich und erklärt sich aus der für die Menschen anfangs geradezu überwältigenden Erfahrung, welche Möglichkeiten durch die Erfindung der mechanischen Produktion eröffnet wurden[15]. Der Aufstieg des Bürgertums, durch die Entwicklung der Produktivkräfte bedingt, vermittelte allgemein ein geradezu »metaphysisches Vertrauen in die evolutionäre Selbstdurchsetzungskraft des Fortschritts«[16].

Das Mobilitätskonzept hat diese Synthese von aufklärerischen Ideen, sozialer Eigengesetzlichkeit und ständigem Fortschritt in sich aufgenommen und Vorstellungen über die Wirkung von Mobilitätsprozessen entwickelt, die jene Widersprüchlichkeiten in sich vereinen: die Verbindung von Gleichheit und Ungleichheit in einer Gesellschaft des ständigen Wandels, die »offen« infolge des Fehlens formeller Standesunterschiede, »frei« aufgrund der individuellen Möglichkeiten des Auf- und Abstiegs und zunehmend »gleich« als Resultat des wachsenden materiellen Wohlstandes zu verstehen ist.

DIE FRAGESTELLUNGEN DER MOBILITÄTSFORSCHUNG

Die Fragestellungen der Mobilitätsforschung entwickelten sich innerhalb dieser verschiedenen Perspektiven und erklären zugleich den ambivalenten Charakter des theoretischen Ansatzes[17] ebenso wie die Schwierigkeiten, ohne einen zuverlässigen Vergleichsmaßstab[18] konkretisieren zu können, was »hoch« und »niedrig« in bezug auf Mobilitätshäufigkeiten[19] überhaupt bedeuten soll. Das gilt insbesondere für die sogenannten *umfassenden* Mobilitätsuntersuchungen, die Aussagen über die soziale Struktur von Gesellschaften sowie ihrer Veränderungstendenzen ermöglichen sollen. Vorwiegend drei Arten von Vergleichen wurden angestellt:

1. *Ein Vergleich mit der Vergangenheit:* Ist die Mobilität allgemein oder in bestimmten Bereichen höher als in früherer Zeit?

2. *Ein Vergleich zwischen verschiedenen Gesellschaften:* Ist die Mobilität in den Vereinigten Staaten höher als in Westeuropa? Welche Unterschiede bestehen in dieser Hinsicht zwischen den Ländern verschiedener Gesellschaftsordnungen?

3. *Ein Vergleich mit einem Modell, das gleiche Chancen vorgibt.* Dabei läßt sich die Frage, inwieweit in einer Gesellschaft die Chancengleichheit verwirklicht ist, nur relativ zu den strukturellen Gegeben-

heiten beantworten, d.h., in Gesellschaften mit 90 % Agrarbevölkerung müssen unter ceteris-paribus Bedingungen die meisten Kinder Bauern bleiben. In Gesellschaften mit 50 % Agrarbevölkerung müßte die Hälfte der Kinder zu manuellen Berufen »aufsteigen«, um das Kriterium der »Chancengleichheit« zu erfüllen[20].

Überwiegend durch einen Vergleich der Berufspositionen von Vater und Sohn wird der Umfang der Auf- bzw. Abstiegsmobilität in der Generationsfolge gemessen, wobei diesem Verfahren eine grobe Einteilung von »manual«-, »non-manual«- und »farm«-Kategorien oder eine differenzierte Berufsprestigeskala zugrunde gelegt wird. Grundsätzlich wird in Mobilitätsuntersuchungen der *Statuswechsel* untersucht, meist wird jedoch der Berufsstatus als »Schlüsselstatus« (»key-status«) für ausreichend erachtet.

Vertikale soziale Mobilitätsuntersuchungen befassen sich also mit Veränderungen der sozialen Rangzugehörigkeit, beschränkt auf Berufswechsel, die zugleich eine Statusänderung mit sich bringen. Die sogenannte Berufsprestigemobilität wurde vor allem unter drei Aspekten analysiert:

1. *Inter-Generationen-Mobilität*: Zahlreiche Studien untersuchen die Möglichkeiten des Zuganges zu bestimmten Positionen in Beziehung zum Vaterberuf und der sozialen Herkunft[21].

2. *Intra-Generationen-Mobilität*: Ein Teil der Studien beschäftigt sich mit den Veränderungen des beruflichen Status (Karrieremobilität), die ein Individuum im Laufe seines beruflichen Lebens erfährt, indem die erreichte Berufsposition in verschiedenen Lebensabschnitten und zu fixierten Zeitpunkten (etwa im 20., 40. und 60. Lebensjahr) miteinander verglichen wird. Damit erhoffte man sich zugleich Aufschluß über bestimmte Berufsentwicklungen im Zeitverlauf[22].

3. *Elitemobilität*: Weiterhin wird der Zugang zu den höchsten Positionen in der Gesellschaft einer Analyse unterzogen. Diese Studien versuchen aufzuzeigen, in welchem Umfange Personen aus den oberen Gesellschaftsschichten, verglichen mit der Berufsposition des Vaters, bereits diesen Schichten entstammen[23] oder aus welchen Gründen es ihnen gelang, Spitzenpositionen zu erreichen.

Diese drei Bereiche der vertikalen Mobilitätsforschung sind mit unterschiedlicher Gründlichkeit und variablem technischen Aufwand untersucht worden; die Liste der Veröffentlichungen umfaßt sowohl zahlreiche Detailstudien als auch umfassende nationale Erhebungen[24]. Eben jene umfassenden Mobilitätsuntersuchungen, die sich mit den Mobilitätsraten von Gesamtgesellschaften befassen, bestimmen weitgehend die Vorstellungen über den Umfang und die Bedeutung von »Mobilität« in modernen Industriegesellschaften, in denen man im Vergleich zu früheren Perioden »hohe« Mobilitätsraten glaubte feststellen zu können.

DIE ABGRENZUNG DER VERTIKALEN MOBILITÄT VON ANDEREN MOBILITÄTSARTEN

Der spezielle Begriff der »umfassenden« Mobilitätsuntersuchung ist erst relativ spät in jener komplexen Art definiert worden, wie er heute in der Alltagssprache verstanden wird, d. h., »umfassend« bedeutet die Erstellung von Mobilitätsraten für ganze Gesellschaften[25].

Ursprünglich war »Mobilität« ein Sammelbegriff für unterschiedliche Bewegungsvorgänge. Die terminologische Abgrenzung in vertikale und horizontale Mobilität wurde, wie bereits erwähnt, erst 1927 von Sorokin[26] vorgenommen. Bis dahin verstand man unter »Mobilität« sowohl regionale Bewegungen und Wanderungen als auch Untersuchungen über die Zusammensetzung neu entstandener Bevölkerungsgruppen (Herkunftsstudien) und analysierte damit im Zusammenhang stehende Veränderungen der sozialen Lage (Arbeitsmobilität, Berufsmobilität), die heute allgemein als »horizontale Mobilität« bezeichnet werden[27].

Der Begriff »vertikale« Mobilität bezeichnet insofern eine spezielle Mobilitätsart, als die Bewegungen von Individuen in einem Stratifikations- oder Ungleichheitsgefüge untersucht werden und dadurch zwei Dinge miteinander verbunden werden: die Stratifikation, d. h., die existenten Ungleichheitsrelationen werden mit der Häufigkeitsverteilung von Auf- und Abstiegsbewegungen in Zusammenhang gebracht, um Aussagen über die Sozialstruktur und ihre Veränderungstendenzen zu erhalten. Statische und dynamische Analyse stehen sozusagen in ergänzender Beziehung. »Das bedeutet, daß soziale Mobilität erforscht wird als Bewegung von Individuen zwischen sich wandelnden Schichten in einer Gesellschaft von einer sich wandelnden Struktur.«[28]

Wie bereits erwähnt, wird soziale Mobilität im Sinne von Auf- und Abstieg vornehmlich als Veränderung des sozialen Status begriffen[29], so unter anderen von Glass, Svalastoga, Lipset, Bendix, Zetterberg, Tumin, K. B. Mayer, Geiger, Bolte, Carlsson, Parsons, Janowitz, Barber[30].

»The term social mobility is here used to refer to the change of status or rank. Hence it is equated with vertical social mobility and excludes references to phenomena included under the term horizontal social mobility (change of social position without change of social status).«[31]

Das Forschungskonzept der vertikalen sozialen Mobilität ist im Grunde genommen äußerst simpel: Es setzt voraus, daß durch den Erwerb oder Verlust bestimmter, sozial positiv bewerteter Charakteristika das Prestige und damit die soziale Stellung des Individuums innerhalb der Gesellschaft verändert wird. Dieses Forschungskonzept weist in sich jedoch gewichtige Differenzierungen auf. Es ist ein Unterschied, ob die Veränderung des Sozialprestiges lediglich in der Statusdimension untersucht wird oder ob durch die Analyse von Mobilitätsbewegungen zugleich Aussagen über den Wandel gesamtgesellschaftlicher Strukturen gemacht werden sollen. Einige Forscher, wie Svalastoga[32] und Glass[33], die vornehmlich an einer Untersuchung von Statusänderungen interessiert sind und diese mit Hilfe eines oder mehrerer Merkmale bestimmen, leiten aus ihren Ergebnissen keine Aussagen über Veränderungstendenzen von Schichtstrukturen insgesamt ab, sondern beschränken sich auf Bewegungsvorgänge in der Prestigedimension. Andere dagegen, so Lipset und Zetterberg[34] sowie Kahl[35] versuchen, die Statusmobilität als Bewegung zwischen Rängen oder Schichten zu erfassen, um die Auswirkungen von »Mobilität« auf die Durchlässigkeit des Schichtsystems und die Statuszuweisungsprozesse zu analysieren.

Nur der letztgenannte Forschungsansatz läßt sich als »umfassende« Mobilitätsuntersuchung bezeichnen und ist in dem hier diskutierten Zusammenhang relevant. Denn erst auf der Basis eines *erweiterten Mobilitätsbegriffes* können Hypothesen formuliert werden, die Aussagen über die Interdependenz von Mobilitätsraten mit der technisch-ökonomischen Entwicklung ermöglichen, um daraus den Grad der Demokratisierung und der politischen Stabilität von Industriegesellschaften abzuleiten[36], die u. E. über die Aussagefähigkeit von Mobilitätsstudien hinausführen und zu problematischen Vorstellungen über die »Funktion« von Mobilitätsprozessen in der Gesellschaft führen müssen.

Die Mobilitätsforschung entfernte sich mit der Erstellung von Mobilitätsraten einzelner Länder weitgehend von der Betrachtung individuell bedingter Auf- und Abstiege und näherte sich einer gesamtgesellschaftlichen Analyse der Sozialstruktur und des sozialen Wandels. Hier findet sich gelegentlich eine Bezugnahme auf die Strukturtheorie von Marx und auf die mehrdimensionale Betrachtung sozialer Ungleichheit Webers, obgleich die soziale Mobilitätsforschung sonst weitgehend a-historisch verfährt und ohne theoretischen Bezugsrahmen auskommt. Sowohl Lipset und Zetterberg[37] als auch Kahl[38] beziehen sich explizit auf den Marxschen Klassenbegriff[39] sowie auf Webers[40] dreidimensionales Machtkonzept und differenzieren vor allem in Anlehnung an Weber verschiedene Ränge der Sozialstruktur, zwischen denen Mobilitätsbewegungen stattfinden. So unterscheiden Lipset und Zetterberg[41] zwischen »occupational«, »prestige«, »class« und »power-rankings«, während Kahl[42] differenziert nach »personal-prestige«, »occupation«, »possessions«, »interaction«, »class-consciousness« und »value-orientations«. Diese theoretischen Orientierungen wurden in der empirischen Forschung jedoch nicht hinreichend berücksichtigt. Die Mobilitätsforschung verwendete, wie bereits mehrfach erwähnt, das Statuskonzept zur Untersuchung von Mobilitätsprozessen und leitete aus der Häufigkeit von Bewegungen in der Prestigedimension Aussagen über Veränderungstendenzen der Sozialstruktur ab, d. h., es wird – wie im einzelnen zu zeigen sein wird – die Aussageabsicht einer an den Strukturbedingungen von Industriegesellschaften orientierten Fragestellung in einen anderen Argumentationszusammenhang mit übernommen.

DIE THEORETISCHE RELEVANZ VON MOBILITÄTSSTUDIEN

Die Vorstellungen über den Einfluß von Mobilitätsprozessen auf die Funktionsweise von Gesellschaften geraten dadurch außerordentlich komplex. Die Frage nach der Bedeutung von »Mobilität« für das »Funktionieren« der Gesellschaft und die Rückschlüsse, die aus bestimmten Mobilitätsraten hinsichtlich ihrer strukturellen Beschaffenheit abzuleiten sind, lassen sich vorwiegend in zwei Hypothesen fassen:

1. Mobilitätsprozesse werden als Instrument der Positionszuweisung verstanden und sollen
2. zugleich als Mechanismus der Verminderung sozialer Konflikte dienen.

1. »Mobilität« als Instrument der gesellschaftlichen Positionszuweisung ist vorwiegend unter dem Aspekt der adäquaten Besetzung von

meist beruflichen Positionen gesehen worden. Unter dem Einfluß funktionalistischer Schichtungstheorien[43] wurde dem durch »Mobilität« gesteuerten Selektionsprozeß eine positiv-funktionale Bedeutung in dem Sinne unterlegt, daß dadurch der »beste Mann ... den richtigen Platz«[44] einnimmt. Untersuchungen über die soziale Herkunft stellten eine hohe Selbstrekrutierungsquote der Berufsgruppen fest, neben einem Zustrom von »unten«, was als Bestätigung der Aufstiegshypothese gedeutet wurde. Wiederum konnte aus der engen Beziehung zwischen Schulbegabung und sozialer Herkunft geschlossen werden, daß die existente Positionszuweisung zu Recht bestehe, da durch den Faktor Vererbung tatsächlich der »Bessere« in die höheren Stellungen gelangt[45]. Dieser gewiß sehr anfechtbare Deutungsversuch verwendet den Begriff »Vererbung« in ähnlicher Weise zur Rechtfertigung der gesellschaftlichen Hierarchie, wie die funktionalistische Erklärung der sozialen Ungleichheit auf den Begriff der »Leistung« rekurriert[46].

2. Die Bedeutung der »Mobilität« als Mechanismus zur Verminderung sozialer Konflikte[47] bezieht sich auf jene »Prozesse«, »durch die das Klassensystem sich erhält und ändert«[48]. Diese soziologische Fragestellung wertet individuelle Auf- und Abstiegsbewegungen als Zeichen für die »Offenheit« und »Durchlässigkeit« gesellschaftlicher Strukturen. Hier findet sich eine Beziehung des Mobilitätsbegriffs zur Strukturtheorie des Marxismus, indem zur Abwendung sozialer Konflikte der »Mobilität« die Rolle eines Ausgleichsmechanismus attestiert wird, durch den die Ungleichheitstrukturen »fluid« gehalten werden. Das Argument ist sogar ein doppeltes: Einmal wird durch eine »durchlässige« Sozialstruktur die Konfliktmöglichkeit vermindert, da der Druck von unten durch die Aufstiegschancen kompensiert wird, zum anderen kann die weitere technische Entwicklung nur durch eine Ausschöpfung der Begabungsreserven bewerkstelligt werden[49], so daß eine Mobilisierung der Unterschichten als erforderlich erachtet wird. Eine Vorstellung, die vor einiger Zeit auf dem Bildungssektor den Anstoß zu einer Neuorientierung gab.

Um es noch einmal zusammenzufassen: ursprünglich lediglich als Änderung der beruflichen Position oder horizontaler Bewegung in Herkunftsstudien untersucht, werden Mobilitätsuntersuchungen seit den dreißiger Jahren über den Vergleich von Vater- und Sohn-Position hinaus erweitert, indem Berufswechsel als Statusänderung in einer Rangordnung klassifiziert und seitdem als »vertikale Mobilität« bezeichnet werden. Was die eindeutige Argumentation etwas erschwert, ist die Tatsache, daß einmal selbstverständlich nicht alle Mobilitätsuntersuchungen »umfassende« Mobilitätsuntersuchungen sind; der »horizontale« Berufswechsel wird ebenso weiterhin analysiert wie der Statuswechsel in der Prestigedimension. Letztlich verbindet sich aber mit dem Begriff »Mobilität« in der Vorstellung der Betroffenen überwiegend die Annahme von einer Verbesserung des Status, auch wenn diese nach den Kriterien der Mobilitätsforschung gar nicht stattfindet. Das drückt sich auch in der vernachlässigten Untersuchung der »downward-mobility« aus, die zwar formal unter der »vertikalen Mobilität« mit erfaßt wird, jedoch selten speziell untersucht wird. Das wird auch deutlich, wenn man die Vorstellungen betrachtet, die sich über die Funktion von Mobilitätsprozessen bilden[50], aus denen eine Reihe von Hypothesen über den Zusammenhang von »Mobilität« mit anderen Variablen abgeleitet werden. »Mobilität« wird dabei fast ausnahmslos als individuelle Bewegung in einem »System strukturierter Ungleichheit«[51] analysiert, für das sich unterschiedliche Termini finden wie Klassenstruktur, Schichtung, Stratifikation. Diese drei Bezeichnungen werden häufig synonym gebraucht, obgleich, wie im weiteren gezeigt wird, »Klassenstruktur« und »Schichtung« zueinander in einem ambivalenten Verhältnis stehen[52].

II

Die soziale Stratifikation als Bezugsrahmen der vertikalen Mobilitätsforschung

Ohne die Einbettung in eine umgreifende soziologische Theorie vermitteln Mobilitätsuntersuchungen leicht den Eindruck, eine bestimmte Mobilitätshäufigkeit sei aus sich heraus als »positiv« zu bewerten. »Mobilität« kann jedoch nur im Rahmen eines Bezugssystems sozialer Ungleichheit erfaßt werden, woraus sich die Notwendigkeit ergibt, Mobilitätsvorgänge stets im bewußten Zusammenhang mit der gesellschaftlichen Stratifikation zu sehen. Dabei ist beachtenswert, daß zwar, vor allem in einleitenden Erörterungen, von den zahlreichen Möglichkeiten der sozialen Stratifizierung gesprochen wird[1], realiter sich die Untersuchungen der sozialen Ungleichheitsbeziehungen weitgehend auf eine Analyse vertikaler Gruppierungen nach Maßgabe der sozialen Wertschätzung reduzierten, ein Vorgehen, das Warner[2] in seinen Gemeindeuntersuchungen praktiziert hatte und das in der Folgezeit fast allgemein übernommen wurde, obgleich grundsätzlich keine Notwendigkeit besteht, »Mobilität« lediglich als Statuswechsel zu erfassen und andere Positionswechsel zu vernachlässigen[3].

Ein Stratifikationsmodell stellt den Versuch dar, mit Hilfe klassifikatorischer Kriterien die Ungleichheitsrelationen in einer Gesellschaft deutlich zu machen. In diesem Sinne umfassen Klassen oder Schichten »Bevölkerungsgruppen, die nach einer klassifikatorischen Konstruktion des Forschers künstlich unterschieden werden«[4]. Wenn man durch Befragung diese Relationen konkretisieren will, muß vorausgesetzt werden, daß die Stratifikation im Bewußtsein der Befragten ein reales Phänomen darstellt, das von den Mitgliedern der Gesellschaft in gleicher Weise oder ähnlicher Art perzipiert wird.

Diese Annahme wird zum mindesten zweifelhaft, wenn man die verschiedenen Schichtungsmodelle betrachtet[5], die im Laufe der Zeit entwickelt wurden und die stark voneinander abweichende Muster sozialer Privilegierung ausweisen. Ohne hier im einzelnen darauf einzugehen, mit welchen Methoden diese Modelle konstruiert wurden[6] und ob sie überhaupt vergleichbar sind, wird durch diese Gegenüberstellung deutlich, daß man die soziale Stratifikation in verschiedene Anordnungen vertikaler Gruppierungen auflösen kann, ohne die Ungleichheit in derselben Weise sichtbar zu machen[7]. Die Schärfe der »Klassengrenzen« tritt in Abhängigkeit vom Klassifikationsmuster verschieden deutlich in Erscheinung[8]. In bezug auf die »Durchlässigkeit« der Sozialstruktur und hinsichtlich der »Häufigkeit« von Mobilitätsbewegungen wirkt sich weiterhin die Zahl der Schichten entscheidend auf das Untersuchungsergebnis aus: Je größer die Anzahl der Schichten, desto zahlreicher sind die möglichen Auf- und Abstiege.

Nun ergibt sich die Zahl der »Klassen« oder »Schichten« und ihre Abgrenzung untereinander nicht zufällig und willkürlich, sondern aus den zu ihrer Erfassung verwandten Kriterien[9]. Den verschiedenen Auffassungen entsprechend kann man von einem eindimensionalen Ansatz sprechen, wenn ein Merkmal die Stratifikation bestimmt, von einem mehrdimensionalen, wenn mehrere Merkmale zusammengefaßt werden. Eindimensionale Schichtungssysteme sind theoretisch und empirisch relativ unproblematisch, wenn sie sich an quantitativen Merkmalen ausrichten, deren Eigenschaften unilinear angeordnet sind, z. B. das Einkommen. Erfolgt die Orientierung an qualitativen Merkmalen, dann kann die unilineare Anordnung nur noch in Verbindung mit einer Bewertung erreicht werden[10]. »Eine etwa allein auf das Merkmal Beruf bezogene Schichtung setzt eine Bewertung einzelner Berufe oder Berufsgruppen voraus ...«[11] und bezieht damit ein »subjektives« Moment in die Bestimmung von Schichtung mit ein.

DIE KONSTRUKTION DES STRATIFIKATIONSGEFÜGES NACH »SUBJEKTIVEN« KRITERIEN

Schichtungsversuche nach Kriterien wie Beruf, Einkommen und Besitz werden im allgemeinen unter der Bezeichnung »soziale Schichtung« oder »soziale Stratifikation« subsumiert; im engeren Sinne versteht man unter sozialer Schichtung jedoch eine vertikale Gruppierung der Bevölkerung nach dem sozialen Ansehen oder dem sozialen Status – wie in den Arbeiten von Warner, Parsons, Bolte und anderen –, indem der »Status« als differenzierendes Merkmal der sozialen Stratifikation aufgefaßt wird. Die Frage, inwieweit eine Orientierung der sozialen Stratifikation am Statusbegriff sinnvoll ist, muß hier unberücksichtigt bleiben, wichtig erscheint die Feststellung, daß eine Stratifizierung nach dem sozialen Ansehen immer ein »subjektives« Vorgehen bezeichnet[13], denn die Einschätzung der rangmäßigen Unterschiede ergibt sich aus den Vorstellungen der Befragten und nicht aus den differenzierenden Kriterien. Wird der Status durch die Bewertung einzelner Faktoren wie berufliche Stellung, Ausbildung, Vermögen usw. vorgenommen, kann im allgemeinen von einem »objektiven« Ansatz gesprochen werden[14]. Hierbei darf jedoch nicht übersehen werden, daß auch sogenannte »objektive« Kriterien immer in Abhängigkeit von »subjektiven« Bewertungen in den Statusindex eingehen. Das hier als »objektiv« bezeichnete Verfahren ist verhältnismäßig einfach anzuwenden, solange ein Kriterium als ausreichend erachtet wird. Das Vorhandensein mehrerer »objektiver« Merkmale führt zu der Annahme einer »Multidimensionalität der Stratifikation«.

»Damit ist das Vorhandensein mehrerer Schichtungen in der gleichen Gesellschaft gemeint, die nicht konvergieren und von denen auch keine allen anderen gegenüber ausgesprochen dominiert.«[15] Da die verschiedenen Teilstrukturen der Stratifikation, wie die Rangordnungen der Berufe, der Bildung oder des Prestiges jedoch keineswegs kongruent verlaufen, wurde in der empirischen Forschung auf das Prestige als Indikator[16] zurückgegriffen, um die Stellung des einzelnen in den verschiedenen Teilstrukturen der Gesellschaft zusammen mit seiner Wertschätzung unter dem Statusbegriff subsumieren zu können. »Als sozialen Status könnte man dann die Resultante aus den verschiedenen Stellungen plus ihrer Wertschätzung bezeichnen, die der einzelne in Personalunion in sich vereinigt.«[17]

Eine Ordnung der Gesellschaft nach dem sozialen Status ergibt eher Rangfolgen oder ein Kontinuum als abgrenzbare »Klassen« oder »Schichten«. Dabei ist zu beachten, daß zur Untersuchung vertikaler Mobilitätsprozesse lediglich Rangfolgen zwingend notwendig sind, für »umfassende« Mobilitätsuntersuchungen jedoch eine Schichtkonstruktion unerläßlich ist. Mobilitätsbewegungen werden sich nur dann mit genügender Deutlichkeit erfassen lassen, wenn die Abgrenzungen einfach vorzunehmen sind, indem lediglich die Prestigedimension als Resultante aller Ungleichheitsrelationen oder ein vereinfachtes Schema einiger Hauptkategorien wie Ober-, Mittel- und Unterschicht zur Verdeutlichung der »Übergänge« angenommen werden. Nun ist es durchaus denkbar, bei der Analyse der Klassenstruktur die Prestigedimension als jene Rangordnung zu betrachten, in der sich die Vorstellung der Bevölkerung über die Einschätzung verschiedener Merkmale wie Einkommen, Beruf oder die Bewertung statusrelevanten Verhaltens niederschlägt[18]. Die Prestigeschichtung ist jedoch ein »Bewußtseinsprodukt«[19] und reflektiert lediglich die strukturellen Muster der gesellschaftlichen Organisation, d. h., die Prestigeschichtung abstrahiert u. U. außerordentlich weitgehend von den anderen Dimensionen sozialer Ungleichheit, so daß man von einem »Oberflächen«-Phänomen[20] sprechen kann.

Amerikanische Autoren[21] haben schon vor Jahren die Einseitigkeit der Statusschichtung unter Hinweis auf Marx und Weber kritisiert. Die Möglichkeit, in Anlehnung an Weber eine »objektive« Stratifikation nach einem dreidimensionalen Modell zu versuchen, in dem die Statusschichtung eine Dimension neben der Klassenschichtung und der Machtschichtung darstellt, ist u. W. bisher jedoch nicht versucht worden[22].

DIE VERWENDUNG DES STATUSBEGRIFFES IN DER VERTIKALEN MOBILITÄTSFORSCHUNG

Schichten der Rangfolgen, verstanden als Differenzierung nach dem sozialen Status, finden in nahezu allen Untersuchungen zur Feststellung von Mobilitätshäufigkeiten Verwendung. Als Status wird dabei die soziale Stellung eines Menschen in der gesellschaftlichen Hierarchie bezeichnet, »die er aufgrund der ihm – im Hinblick auf die ihn charakterisierenden Merkmale – zugeordnete soziale Wertschätzung im Verhältnis zu anderen Menschen einnimmt«[23]. Der Status bezeichnet in diesem Sinne die Summe aller Wertschätzungen, die der einzelne auf sich vereinen kann[24]. »Prestige is a sentiment in the minds of men that is expressed in interpersonal interaction ...«[25] Dabei wurde der »Sozialstatus« weitgehend als »Berufsstatus« definiert, da die berufliche Stellung in modernen Gesellschaften als besonders wichtig (key-status) anzusehen ist. Die hohen Korrelationen, die sich zwischen dem Beruf und anderen Indikatoren sozialen Ansehens, wie Einkommen und Ausbildung, feststellen ließen[26], schienen auf eine sehr weitgehende Übereinstimmung von Prestigeschichtung und Berufsprestigeschichtung hinzudeuten, so daß letztere als Ausdruck der gesellschaftlichen Rangordnung interpretiert werden konnte.

Berufsprestigeskalen[27] sind mittlerweile ein so geläufiges Instrument in der Mobilitätsforschung geworden, daß häufig vergessen wird, was für eine relativ große Zahl von Kriterien bei der Ermittlung des Berufsprestiges[28] eine Rolle spielen. Empirisch läßt sich das »Berufsprestige« verhältnismäßig einfach durch eine Ordnung der Berufe entsprechend ihrem Ansehen auf einer Vertikalen vornehmen. Die in den verschiedenen Ländern erstellten Berufsprestigeskalen[29] ergaben dabei ein so hohes Maß an Übereinstimmung[30], daß an der Zuverlässigkeit dieses Instrumentes hinsichtlich seiner Verwendung in Mobilitätsuntersuchungen nicht gezweifelt werden konnte. Trotzdem bleibt das »Berufsprestige« eine Kategorie hohen Abstraktionsgrades[31], durch das u. E. keine eindeutige Bestimmung im einzelnen möglich ist, da die verschiedenen »Einflußkonstellationen«[32], die bei der Bewertung wirksam werden, sich nur ungenau erfassen lassen. Reiss[33] gibt als Hauptgrund für den unbestimmten Charakter des Berufsprestigebegriffes die Art des technischen Vorgehens bei empirischen Untersuchungen an.

»While there are theoretical reasons for speaking of variation in the prestige-status component of occupations, a principal fact in accounting for the use of the term in empirical research has been the nature of the procedure for obtaining data to rankorder occupations.«[34]

Bedingt durch die Einordnung der Berufe in eine bestimmte Rangskala wird vorwiegend der »Prestigeaspekt« und weniger der »Berufsaspekt« bei der Bewertung hervorgehoben, d. h., die Einstufung der Berufe erfolgt mehr unter dem Gesichtspunkt »of the most desirable«[35] als unter Beachtung von Kriterien, die mit der Ausübung des Berufes zusammenhängen.

Es ist vielleicht sinnvoll, darauf hinzuweisen, daß die Fragestellung in der NORC-Studie[36] so formuliert war, daß die Aussagen sich auf eine Einordnung der Berufe entlang der »better-worse« Dimension bewegten[37]. Diese Interpretation der »prestige rankings as general goodness of occupations«[38] ist jedoch nicht unbestritten. Zwar argumentiert Rossi[39], daß die Korrelationen zwischen den verschiedenen Bezugsebenen des Berufsprestiges außerordentlich hoch sind, wie z. B. der Vergleich der NORC-Daten mit der für diese Berufe erforderlichen Ausbildung und dem Einkommen ergab[40], so daß in gewissem Sinne der »Prestigeaspekt« den »Berufsaspekt« durchaus mit umfaßt. Demgegenüber engt Goldthorpe[41] die Aussagen, die mit Hilfe von Berufsprestigeordnungen möglich sind, stark ein und unterscheidet drei Bereiche:

1. Prestigeabstufungen können als Indikator für den Schwierigkeitsgrad, die Verantwortung u. a. mehr des Berufes gelten;

2. Prestigeabstufungen sind als Maßstab für den sozio-ökonomischen Status bestimmter Berufe in der Gesellschaft zu bezeichnen;
3. Prestigeabstufungen stellen Indikatoren für die »goodness« (Beliebtheit) bestimmter Berufe dar, die sich aus einer Reihe von Kriterien herleiten lassen[42].

Folgt man Goldthorpe, dann wird die Relevanz von Berufsprestigeabstufungen auf jene Bereiche eingeengt, die durch die Vorstellung der Befragten erfaßt werden können, ohne daß sie als Indikatoren für die Stellung des einzelnen in der gesellschaftlichen Hierarchie gelten können. Werden Berufsprestigeskalen dagegen »zuverlässig« unter Beachtung mehrerer Dimensionen konstruiert, wie Ausbildung, Einkommen, Einfluß u. a., dann erlauben Prestigedifferenzierungen keine Rückschlüsse mehr auf statusspezifisches »soziales Verhalten« und seiner Einschätzung durch andere.

»The general – and rather pessimistic – conclusion which one is led is therefore the following: that to the extent that the meaning of occupational prestige ratings is correctly construed, the less useful they appear to be as a basis for mobility studies which pursue the ›classical‹ sociological interest in mobility research.«[43]

DAS VERHALTENSELEMENT IM STATUSBEGRIFF

Betrachtet man die Verwendung des Statusbegriffes in der vertikalen sozialen Mobilitätsforschung, dann erscheinen die Schwierigkeiten, die sich bei der Erfassung des sozialen Status ergeben können, zunächst einmal unwichtig. Unabhängig davon, mit welchen Methoden[44] der Status festgestellt wird, und in welchem Umfange die Skalierung als »zuverlässig«[45] anzusehen ist, erweist sich der Sozialstatus als ein für die empirische Forschung im besonderen Maße geeigneter Indikator, Auf- und Abstiegsbewegungen zueinander in Beziehung zu setzen. Gerade unter dem Aspekt der »Chancengleichheit« in demokratischen Gesellschaften ermöglicht ein Vergleich der Statuszugehörigkeit des Vaters mit der seines Sohnes zweifelsohne, Aussagen über die Modalitäten des Statuserwerbs oder den Wandel von Statuszuweisungsprozessen zu machen. Die Verlagerung des Statusbegriffes auf einen Teilstatus, nämlich das Berufsprestige[46], ergibt sich dabei aus der häufig benutzten Methode der Statusfeststellung, der sogenannten »ranking-method« oder dem Berufsrangordnungsverfahren[47], bei dem mehr oder weniger bewußt angenommen wird, daß der Berufsstatus den Gesamtstatus entscheidend bestimmt[48]. Die Probleme, die sich aus einer auf den Status oder das Berufsprestige »verengten«[49] Perspektive in der Mobilitätsforschung ergeben, sind deshalb nur teilweise in den Methoden der Statusfeststellung begründet[50], sondern liegen vorwiegend in der inhaltlichen Beschreibung von Ungleichheiten des sozialen Status oder des sozialen Ranges, die mittels des Statusbegriffes möglich sind. Eine durch »subjektive« Kriterien konstruierte Statusschichtung kann nur den Teil der existenten Ungleichheitsrelationen erfassen, der den Befragten »bewußt« ist, d. h., lediglich die in der Bevölkerung nachweisbaren Vorstellungen über die Rangunterschiede von Status- oder Berufspositionen sind empirisch überhaupt faßbar. Damit soll gesagt werden, daß alle Rangunterschiede, die den Individuen »bewußt« sind, zwar verhaltensrelevant sind, jedoch nicht alle vorhandenen Unterschiede »bewußt« wahrgenommen werden. Aufgrund der in dem soziologischen Statusbegriff enthaltenen doppelten Definition, unter »Status« sowohl die Stellung in einem differenzierten sozialen System, einschließlich des mit dieser Stellung verbundenen sozialen Prestiges, zu verstehen, wie auch die an diese Stellung gebundenen Verhaltenserwartungen mit einzubeziehen[51], ergeben sich für den Statusbegriff zwei Begriffselemente. Bezogen auf den Verhaltensanteil im Statusbegriff erscheint eine Schichtung nach Maßgabe der sozialen Wertschätzung durchaus adäquat. Prestige und Verhaltenserwartungen stehen in einem inneren Zusammenhang, »da die Wertschätzung sich immer (auch) auf die zu einer Stellung gehörenden Pflichten bezieht«[52] und Vorstellungen über soziale Rangunterschiede das Verhalten der Menschen untereinander wesentlich beeinflussen. Wenn das Prestige einer beruflichen Stellung jedoch als Resultante ihrer verschiedenen sozialen Korrelate, wie Einkommen, Ausbildung u. a., gelten soll, wie es durch Indexkonstruktionen erreicht wird[53], können die verschiedenen Ränge der Berufsstruktur, die gemäß dem unterschiedlichen Berufsprestige auf einer Vertikalen übereinander geordnet sind, keine verhaltensrelevanten Abgrenzungen darstellen[54]. Die Berufsprestigeskala oder jede andere synthetische Bewertung von Statuspositionen abstrahiert in jedem Falle weitgehend von identifizierbaren Bevölkerungsgruppen, so daß ein Verhaltenselement im Statusbegriff nicht mehr existent ist. Trotzdem werden »Schichten« weitgehend als verhaltensrelevante Gruppierungen begriffen. Auf die Ursachen dieser Problematik soll im folgenden eingegangen werden.

DIE SOZIALE STRATIFIKATION ALS PSYCHOLOGISCHES PHÄNOMEN

In der Mobilitätsforschung werden jene Statusgruppen als »Schichten« bezeichnet, die irgendein erkennbares Merkmal gemein haben und als Träger dieses Merkmals einen gewissen Status in der Gesellschaft und im Verhältnis zu anderen Schichten einnehmen[55].

»Verbinden sich mit den Abstufungen des jeweiligen Merkmals Wertungen im Sinne von höherer oder geringerer sozialer Wertschätzung und liegt den Abstufungen nicht eine mehr oder weniger willkürliche »statistische« Gliederung zugrunde, sondern handelt es sich um wirklich verhaltensrelevante Abgrenzungen, dann soll von ›Schichten‹ gesprochen werden.«[56]

Mit dem Terminus »Schicht« verbindet sich ganz offensichtlich die Vorstellung von identifizierbaren Gruppen in der Gesellschaft, die sich aufgrund ihrer Stellung im Produktionsprozeß auch in ihrem Verhalten unterscheiden. Das Problem z. B. der Statusinkonsistenz[57] in seiner Bedeutung für das Verhalten des einzelnen als Folge seiner Schichtzugehörigkeit, muß dabei vernachlässigt werden, da die Unterscheidung der »Schichten« lediglich nach dem erkennbaren Prestigestatus erfolgt.

»A *social* class, or a ›stratum‹ as Max Weber called it, consists of a set of families that share equal or nearly equal prestige according to the criteria of evaluation in the system of stratification.«[58]

Die Erfassung der statusrelevanten Merkmale und ihre Einordnung in »Schichten« kann in sehr unterschiedlicher Weise vorgenommen werden: z. B. nach der Warnerschen »ranking-method«[59], einer Anordnung von Prestigestufen auf der Grundlage einer Berufsprestigeskala[60] oder durch die Unterscheidung von Ranggruppen[61] aufgrund bestimmbarer Gruppierungen oder typischer »Einschnürungen«[62] der Berufsprestigeordnung wie auch durch Indexberechnungen[63]. Vertikale Mobilitätsbewegungen werden vorwiegend als Berufswechsel in der Prestigedimension analysiert. Das bedeutet, daß jedem Beruf ein in einer Rangordnung identifizierbares Prestige zugeordnet werden kann. Berufe gleichen Prestiges befinden sich auf der Skala in gleicher Höhe. Nun bedeutet ein Wechsel der beruflichen Stellung im allgemeinen Verständnis zwar einen Vorgang beruflicher oder »horizontaler« Mobilität, jedoch nur unter bestimmten Bedingungen, nämlich *bei einem*

Wechsel zwischen Berufen unterschiedlicher Wertung, auch einen sozialen Auf- oder Abstieg, d. h., »vertikale« Mobilität. Bei genauer Betrachtung scheint es sich um eine methodische Unterscheidung zu handeln, die sich auf zwei verschiedene Ansätze zurückführen läßt, worauf bereits hingewiesen wurde.

1. Vertikale Mobilitätsuntersuchungen entwickelten sich einmal aus den sogenannten Herkunftsstudien[64] und aus der Analyse von Berufswechseln im Sinne horizontaler Bewegungsvorgänge.

2. Zum anderen haben vertikale Mobilitätsuntersuchungen ihren Ursprung in der Analyse von Berufsrangordnungen, die in England und in den Vereinigten Staaten schon in der Zeit vor 1930 durchgeführt wurden[65].

Beide Untersuchungsbereiche werden seit Ende der zwanziger Jahre zunehmend miteinander verbunden, ein Vorgehen, das in dem sogenannten zweistufigen Vorgehen in der vertikalen Mobilitätsforschung seine Entsprechung findet. Inwieweit ein personeller Wechsel zwischen Berufsranggruppen oder Prestigestufen als vertikale *soziale* Mobilität im Sinne eines den Gesamtstatus von Individuen betreffenden Vorganges bezeichnet werden kann, wird in der Literatur unterschiedlich und äußerst vorsichtig beantwortet. Bolte geht davon aus, »daß die Berufsstruktur in unserer Gesellschaft eine stark dominante ist«, d. h., daß die für die »soziale Schichtzugehörigkeit relevanten Komponenten primär dadurch geprägt werden«[66], während Mayntz feststellt, daß die Ranggruppen nicht »vollgültig mit sozialen Schichten identifiziert werden können«[67]. Die Ergebnisse von vertikalen Mobilitätsuntersuchungen werden jedenfalls als Mobilität zwischen Schichten interpretiert[68]. Die Frage, ob statistisch erfaßbare Sozialkategorien existierende soziale Kollektive umfassen, d. h., ob »Schichten« reale Phänomene sind, deren Mitglieder aufgrund ihrer ähnlichen »Lebenslage« ein verwandtes soziales »Bewußtsein« besitzen, das als verhaltensrelevant zu bezeichnen ist, führt in die nicht nur terminologische Auseinandersetzung um die Begriffe »Klasse« und »Schicht«. Die Annahme, Schichten seien psychologische Phänomene[69], die sich durch die Identifikation ihrer Mitglieder bestimmen lassen, impliziert einen Zusammenhang zwischen Schichtzugehörigkeit und Lebenslage der betroffenen Individuen. Die hypothetische Verbindung zwischen dem sozialen Status von Gruppen »in gleichartiger (verwandter) Soziallage«[70] und der Struktur der umgebenden Gesellschaft, zielt über eine bloße Beschreibung und Klassifikation hinaus und rechnet gewisse soziale Haltungen, Vorstellungen und Mentalitäten dem Schichtphänomen zu. Das führt letztlich zu einer Definition von »Schichten« als Bevölkerungsgruppen, die sich ihrer sozialen Lage »bewußt« sind. Geigers Definition, »Schichten« als »die Gesamtheit jener« zu bezeichnen, »die ein objektives Merkmal der Lage gemein haben und sich in Anbetracht dieser Gemeinsamkeit miteinander verbunden fühlen«[71], nähert sich dem »objektiven«, von Marx geprägten Klassenbegriff, obgleich im Verständnis des Marxismus »Klassenbewußtsein« nicht das psychologische Bewußtsein einzelner Proletarier oder das massenpsychologische Bewußtsein ihrer Gesamtheit, sondern der bewußtgewordene Sinn der geschichtlichen Lage der Klasse ist[72]. Es würde zu weit führen, die verschiedenen Fassungen von Klassen bzw. Schichtdefinitionen vorzuführen. In der deutschen Literatur werden die Bezeichnungen »Klasse« oder »Schicht« häufig synonym verwandt, meist scheint erstere jedoch mit der marxistischen Geschichtsphilosophie belastet zu sein, während der Schichtbegriff sich weitgehend an der Prestigedifferenzierung orientiert. Das gilt nicht für die amerikanische Sozialforschung, in der das Wort »Schicht« zwar mit »stratum« übersetzt, jedoch vorwiegend als »social class« bezeichnet wird; dasselbe gilt für die Bezeichnung von »Klassenstruktur« oder »Schichtung«, die entweder neutral »stratification« oder »class-structure« genannt wird. Das Wort »class« ist in den meisten Fällen mit dem Marxschen Klassenbegriff nicht annähernd definitionsgleich[73]. Das »Schichtbewußtsein« als psychologische Kategorie, von dem hier zur Bestimmung von »realen« Schichten wie »Mittelschicht« oder »Unterschicht« gesprochen wird, hat mit dem Klassenbewußtsein Marxscher Prägung jedoch nur die Bezeichnung »Bewußtsein« gemeinsam. Denn für Marx waren gerade »objektive« Kräfte, die außerhalb des Individuums operierten, für die Bestimmung der Klassenlage verantwortlich, die, als direkte Folge der kapitalistischen Produktionsweise, aus der »Klasse an sich« die »Klasse für sich« entstehen ließen[74]. In der psychologischen Betrachtungsweise dagegen wird die »Schicht« erst durch die »subjektive« Identifikation ihrer Mitglieder als verhaltensrelevante Einheit identifizierbar. Das »Bewußtsein« ist demnach einmal die Folge einer »objektiv« bestimmbaren Lebenslage, so »Klasse« bei Marx, während zum anderen die »Schicht« nur dann als verhaltensrelevantes Phänomen zu betrachten ist, wenn die Gruppenzugehörigkeit durch ein gemeinsames Bewußtsein belegbar ist (»class« bei Centers)[75]. Worauf hingewiesen werden soll, ist die Tatsache, daß die Auseinandersetzung mit der Klassentheorie von Marx die Beschäftigung mit dem

Thema der sozialen Schichtung sehr weitgehend beeinflußt hat, und zwar teils direkt, teils in dem Bemühen, Marx zu widerlegen[76]. Marx und Centers stellen in dieser Auseinandersetzung sozusagen die beiden Extrempositionen in der Diskussion um die »objektive« oder »subjektive« Bestimmtheit des Klassen- oder Schichtbegriffes dar und sollten auch als solche verstanden werden.

DIE VERENGUNG DER UNTERSUCHUNGSPERSPEKTIVE AUF DIE PRESTIGEDIMENSION: EINE KRITIK DES MOBILITÄTSKONZEPTS

Die Diskussion, inwieweit »objektive« oder »subjektive« Kriterien für die Klassen- oder Schichtbildung entscheidend sind, nimmt in der Stratifikationsforschung einen breiten Raum ein und läßt sich, wie bereits erwähnt, auf die Auseinandersetzung mit Marx und seiner Klassentheorie zurückführen. »This prolonged discussion has left the unfortunate impression that one had to emphasize *either* the economic *or* the subjektive aspect of class.«[77] Eine Beschränkung auf den »subjektiven« Aspekt sozialer Ungleichheitsphänomene führt zu einer gleichermaßen »einseitigen« Perspektive wie die Annahme, lediglich »objektive«, d. h. ökonomisch determinierte Faktoren bestimmten das Verhältnis der »Klassen« zueinander. Diese Reaktion gegen Marx und seine Klassentheorie wirkte sich auf die Uminterpretation[78] des Klassenbegriffes in den Prestigebegriff in zweierlei Hinsicht aus:

1. Die Untersuchungsperspektive der Schichtungs- und Mobilitätsforschung verschob sich nahezu ausschließlich auf eine »subjektive« Betrachtung des Ungleichheitsphänomens. Warner[79] und seine Nachfolger hielten die Vorstellungen des einzelnen *über* seine Stellung und die Stellung anderer, das Ansehen oder das Prestige entscheidender für das Verhalten als z. B. die Stellung im Produktionsprozeß.

2. Die Aussageabsicht des Marxschen Klassenbegriffes wurde jedoch in die Schichtdefinition mit übernommen, wenn auch in einem veränderten Argumentationszusammenhang. Die Übereinstimmung von Schichtzugehörigkeit und Lebenslage orientiert sich weitgehend an der Vorstellung abgrenzbarer sozialer »Klassen« oder »Schichten«, allerdings nicht als Folge ökonomischer Ursachen, wie des Besitzes von Produktionsmitteln, sondern durch das Medium »subjektiver« Identifikation.

Die Konstruktion eines sozialen Stratifikationsgefüges nach dem »subjektiven« Kriterium der »Wertschätzung« oder des »Prestiges« bildet die Grundlage fast der gesamten vertikalen Mobilitätsforschung; vertikale Mobilitätsbewegungen werden nahezu ausnahmslos als Veränderungen des Sozialstatus oder des Sozialprestiges analysiert, wobei das Kriterium Sozialprestige durch Berufsprestige ersetzt wird. Diese Perspektiveverengung auf einen Teilbereich der sozial relevanten Faktoren von Ungleichheitsbeziehungen ist durch die Forschungspraxis von Warner entscheidend mitbestimmt worden[80].

Warner entwickelte seinen Forschungsansatz aus einem ökonomisch definierten Klassenbegriff, der seine Orientierung an Marx nicht verleugnete[81], sich in der Feldforschung jedoch als unpraktikabel erwies und durch den psychologischen Statusbegriff ersetzt wurde. Obgleich Warner die Schriften von Weber wahrscheinlich gar nicht kannte[82], kam er wie dieser zu demselben Ergebnis, daß der soziale Status von Individuen nicht ausschließlich durch ökonomische Kriterien zu bestimmen ist[83]. Der durch Prestige und Lebensstil ausgedrückte »Status« schien in der kapitalistischen Gesellschaft die wesentlichste schichtbildende Kategorie geworden zu sein[84]. »Diese Auffassung kommt der Weberschen Verwendung des Statusbegriffes nahe, wenn man davon absieht, daß sie mehr Gewicht auf den Status legt und dazu neigt, Klasse und Macht ganz aus der Betrachtung auszuschließen.«[85] Durch Warners Gemeindestudien erhielt der Statusbegriff jene Popularität, die ihn zu einer zentralen Kategorie der empirischen Sozialforschung seit etwa Mitte der dreißiger Jahre machte[86]. Die von ihm »entdeckte« Stratifikation der amerikanischen Gemeinden mit ihren verschiedenen Schichten und die Bezeichnungen »obere Oberschicht« oder »untere Mittelschicht« u. a. sind umgangssprachliche Vokabeln geworden, die auch von anderen Disziplinen übernommen wurden und spezifische Vorstellungen über Art und Umfang sozialer Ungleichheit in der Gesellschaft vermitteln[87]. Durch den Statusbegriff war auch die vertikale Mobilitätsforschung immer eng mit der Schichtungsforschung verknüpft. Das Konzept der vertikalen Mobilitätsforschung, unter »Mobilität« vorwiegend den Erwerb oder Verlust von Berufsprestige zu verstehen, stellt eine ganz spezielle Variante der Möglichkeiten dar, Mobilität in einem Sozialsystem zu untersuchen. Man hätte mit derselben Berechtigung eine Differenzierung nach dem Einkommen, der Ausbildung oder der Stellung im Produktionsprozeß vornehmen können. Bolte weist darauf hin, daß es keine Mobilität schlechthin gibt, sondern eine Vielzahl von Mobilitätsarten[88]. Man wählte die Berufsprestigemobilität im intergenerationalen Vergleich unter der Annahme, daß die Modalitäten des Statuserwerbs in modernen Gesellschaften weitgehend unabhängig vom Herkunftsstatus erfolgen und demzufolge die Mobilitätshäufigkeiten gegenüber der vorindustriellen Zeit zugenommen haben[89]. Diese historische Bezugsebene der Mobilitätsforschung hat jedoch an Bedeutung verloren, einmal, weil wir nicht wissen, in welchem Umfange sich die Mobilitätshäufigkeiten gegenüber der Zeit vor 1800 tatsächlich verändert haben, zum anderen, weil der Statuserwerb noch heute in hohem Maße durch die Herkunftsfamilie bestimmt wird[90]. Auch in modernen Industriegesellschaften, in denen das Recht auf freie Berufswahl gesetzlich verankert ist[91], wird der Zugang zu den verschiedenen Berufspositionen weitgehend durch den von der Familie vermittelten Sozialisationsprozeß gesteuert[92].

Die Vorstellung, daß moderne Industriegesellschaften sich im Vergleich mit vorindustriellen Gesellschaften zunehmend von »geschlossenen«, die Mobilität beschränkenden, zu weitgehend »offenen«, die Mobilität fördernden Gemeinwesen entwickeln, wie es das bekannte Modell von Svalastoga[93] ausweist, macht besonders deutlich, in welchem Umfang sich die Mobilitätsforschung auf Vergleiche mit der Vergangenheit bezieht. Warum in hochentwickelten Industriegesellschaften mit steigender Berufsdifferenzierung, öffentlicher Schulbildung und wachsendem Sozialprodukt trotz umfangreicher Mobilitätsbewegungen die Positionszuweisung sich weitgehend nach dem strukturellen Muster der vorhergehenden Generation richtet[94] und damit weder den funktionalen noch den demokratischen Erfordernissen unserer Gesellschaft gerecht wird, läßt sich mit dem vorliegenden Mobilitätskonzept nur schwer beantworten.

Das Vorgehen, unter Mobilität die Veränderung des sozialen Status zu verstehen, führte in der Forschungspraxis zu einer stärkeren Betonung der Konsequenzen gegenüber den Ursachen von Mobilitätsbewegungen. »The study of social mobility has been obsessively concerned with consequences rather than causes.«[95]
Der Status- und Prestigebegriff orientiert sich an sichtbaren oder symbolischen Differenzierungen, die das Verhalten von Individuen bestimmen, d. h., er rekurriert sozusagen auf den Ist-Zustand der Gesellschaft, beschreibt identifizierbare Unterschiede, die bewußt wahrgenommen werden. In Anwendung dieses Vorgehens ist es kaum möglich, die Verursachungsfaktoren des unterschiedlichen Sozialprestiges auf-

zudecken und die strukturell bedingten Beschränkungen zu erfassen, um unter »Mobilität« das Überwinden von »Barrieren«, Klassenschranken oder Schichtgrenzen zu begreifen[96]. Es lohnt sich deshalb, die an den Produktionsbedingungen der industriellen Gesellschaft orientierte Fragestellung der marxistischen Klassentheorie daraufhin zu untersuchen, wie sich die Umdeutung des Klassenbegriffes in den Prestigebegriff vollzog, welche Elemente ausgeblendet wurden und welche Veränderung des Aussagezusammenhanges damit verbunden war, um zu einem mehr auf die Strukturbedingungen industrieller Gesellschaften bezogenen Verständnis zu gelangen[97], nach dem »Mobilität« als ungleichheitsverringender oder ungleichheitserhaltender Mechanismus interpretierbar wäre.

»Moreover, mobility may be seen as the ›moral‹ side of stratification, for insofar as inequality is considered to be unfair, at least to some degree, mobility, – or the chance to improve one's position (and disimprove it as well) – is seen as the counterbalancing moral weight.«[98]

Diese Interpretation von »Mobilität« würde allerdings eine inhaltlich neue Definition des Mobilitätskonzepts und ein andersgeartetes methodisches Vorgehen notwendig machen.

III

Aspekte sozialer Ungleichheit: Die Uminterpretation des Klassenbegriffs in den Prestigebegriff

Soziologische Theorieansätze entstehen nicht in einem Vakuum, sondern sind Teil der Kultur, Ausdruck gesellschaftlicher Konstellationen und politischer Zielvorstellungen. Zugleich sind theoretische Konzepte mehr als nur ein Reflex auf soziokulturelle Bedingungen, da in diesem Falle »Wissenschaft« lediglich eine Anhäufung von Meinungen und Interpretationen sozialer Zustände und keine Zunahme des »Wissens« bedeuten würde. Die Entstehung bestimmter Forschungsperspektiven ist jedoch ohne die Berücksichtigung historischer Zusammenhänge, in denen sich die soziologischen Fragestellungen entwickelten, nur schwer verständlich.

Es kann kein Zweifel daran bestehen[1], daß der Schock der Weltwirtschaftskrise das Interesse der amerikanischen Sozialwissenschaftler zur Erforschung der »Klassenunterschiede« nachhaltig stimulierte.

»Among the things that strike the European visitor to the United States not the least remarkable, is the obsession of articulate Americans with the subject of class. There can hardly be an extended conservation that does not branch out into this topic, usually with a side-glance at the rising flood of literature devoted to the complexities of social status in an allegedly classless society.«[2]

Die Tatsache, daß in der sich egalitär verstehenden amerikanischen Gesellschaft ein erkennbares Ausmaß an »Klassenunterschieden« überhaupt feststellbar war, beschäftigte die Sozialforschung der Vereinigten Staaten seit den dreißiger Jahren zunehmend. Dafür bieten sich mehrere Erklärungen an. Einmal war das Vertrauen in die Möglichkeiten einer kapitalistischen Produktionsweise und damit der Glaube an den Erfolgsmythos liberalistischer Prägung durch die Wirtschaftskrise 1929/30 entscheidend erschüttert worden. Die große Depression galt nicht nur marxistisch orientierten Publizisten als Symptom eines drohenden Zusammenbruchs der kapitalistischen Wirtschaftsordnung, sondern wurde allgemein als Zeichen für die zunehmende Verschärfung des Klassengegensatzes interpretiert[3].

Eine Periode der Ernüchterung und Neuorientierung folgte den Erschütterungen der »great depression«, die in der Politik des *»New Deal«* ihren Ausdruck fand. Durch erhebliche staatliche Eingriffe wurde die Wirtschafts- und Sozialordnung der Vereinigten Staaten wieder »funktionsfähig« gemacht, ohne daß fundamentale Strukturveränderungen in Angriff genommen wurden. Der »American Dream«, eine spezielle Variante des amerikanischen Glaubens an die uneingeschränkten Chancen des Individuums, sozial aufzusteigen[4], geriet zunehmend in Mißkredit, als die Lynds in ihrer ersten Middletown Studie[5] nachweisen konnten, daß die tatsächlichen Verhältnisse den Annahmen über eine »Klassenlosigkeit« der Vereinigten Staaten keineswegs entsprachen. Der »American Dream« wurde damit als schönes Trugbild entlarvt.

Die weitgehend ideologischen Implikationen[6] der amerikanischen »Klassenforschung« und damit zugleich der Schichtungs- und Mobilitätsforschung sind deshalb nicht schwer aufzuzeigen, denn eine Analyse der »Klassenstruktur« der Vereinigten Staaten war vor allem eine Untersuchung über den Umfang der sozialen Ungleichheiten in einem Land, dessen Verfassung seinen Mitgliedern zum mindesten »Chancengleichheit« versprach und diese realisiert glaubte. »The reason for this nexus between class and ideology is not hard to find. The study of class is perforce a study in social inequality.«[7]

Die Hoffnung, den Glauben an den »American Dream« wiederherzustellen, indem die existierende »Klassenstruktur« als notwendige Voraussetzung für ein funktionierendes Sozialsystem interpretiert wurde[8], erklärt u. a. das außerordentliche Interesse an dem Problem der »Klassen« in den Vereinigten Staaten.

Was diese Forschungsperspektive jedoch so eindrucksvoll macht, ist die Verwendung des von Marx revolutionär verstandenen Klassenbegriffs zur Identifizierung sozialer Ungleichheit im Sinne einer Differenzierung nach dem Sozialprestige, ohne die politische Relevanz von Klassenunterschieden für die Verteilung gesellschaftlichen Reichtums zu artikulieren. Die Entdeckung der sozialen »Klassen« durch Warner in *»Yankee City«*[9], ihre Kategorisierung nach dem sozialen Ansehen oder Prestige, entsprach ohne Frage dem Selbstverständnis der sich egalitär verstehenden amerikanischen Gesellschaft weit besser als der Marxsche Klassenbegriff, dessen »simple economic hypothesis«[10] Warner ungeeignet schien, die soziale Schichtung der amerikanischen Gesellschaft zu beschreiben[11].

Die Beschreibung der sozialen Ungleichheit mittels einer Prestigehierarchie, die sich aus der »Wertschätzung« der Gesellschaftsmitglieder untereinander konstruieren ließ, konnte mit anderen Vorstellungen über soziale Ungleichheiten besser in Verbindung gebracht werden, die besonders in der amerikanischen Gesellschaft Symbolcharakter besaßen: dem Aufstieg durch Leistung, dem Prestige aufgrund von Lebensstil und Konsumaufwand u. a. mehr.

Die inhaltliche Umdeutung des Klassenbegriffs in den Prestigebegriff ohne eine terminologische Änderung[12] ergab sich für Warner und seine Mitarbeiter offensichtlich weitgehend ohne theoretische Reflexion während der empirischen Untersuchung. Der Prestigebegriff hätte jedoch niemals eine so »erfolgreiche« Kategorie[13] in der gesamten Schichtungs- und Mobilitätsforschung werden können, wenn er nicht im Gegensatz zum Klassenbegriff Ungleichheitsphänomene in einer Art beschrieben hätte, die das amerikanische Selbstverständnis weniger tangierte als eine Betonung von Klassenkampf und Klassenkonflikt. Denn »Class within the Marxian context is hardly a dispassionate or polite type of social category«[14].

Die Verengung der Perspektive in der Schichtungs- und Mobilitätsforschung auf die Prestigedimension ist deshalb seiner Konzeption nach durchaus als Versuch einer Widerlegung marxistischer Orientierungen zu verstehen[15], wie sie von anderen Richtungen der amerikanischen Soziologie in den dreißiger Jahren vertreten wurden. Die Verwendung des Prestigebegriffs in der sozialwissenschaftlichen Forschung Westeuropas läßt sich erst nach 1945 feststellen, als zusammen mit den empirischen Methoden die Forschungsperspektiven teilweise mit übernommen wurden[16]. Auch lebte die Diskussion um Marx und Weber wieder auf, in der sich bereits in den zwanziger Jahren, »zugleich in hohem Maße politischer Ideologienkampf, eine Auseinandersetzung politischer Parolen und Gesinnungen«[17] artikuliert hatte. Der Prestigebegriff wurde also nicht, wenigstens in Deutschland, »a-historisch«, sondern durchaus im Bewußtsein seiner in der Auseinandersetzung mit Marx gewonnenen Begrifflichkeit verwandt. Die Annahme, die Verwendung des Prestigebegriffs in der Schichtungs- und Mobilitätsforschung lasse sich aus dem Weberschen Statusbegriff ableiten, erleichterte lediglich die Übernahme einer Forschungsperspektive, die ursprünglich in einem anderen Argumentationszusammenhang entwickelt worden war.

Ohne den Anspruch zu stellen, eine ideologiekritische Analyse leisten zu können, soll in den folgenden Kapiteln an der Uminterpretation des Klassenbegriffs in den Prestigebegriff die Veränderung des Aussagenzusammenhangs dargestellt werden, in den zwar die Erkenntnisabsicht von Marx, jedoch unter Ausblendung der Konfliktthese in die Fragestellungen der Schichtungs- und Mobilitätsforschung übernommen wurde[18]. Die vergleichsweise gründliche Darstellung, die auch Erkenntnisabsicht und Methode der Autoren Marx, Weber und Warner mit einbezieht, versucht an einem Stück soziologischer Ideengeschichte vorzuführen, welche theoretischen Orientierungen das Konzept der Schichtungs- und Mobilitätsforschung geprägt haben.

»If there is some degree of consensus as to the definition of social stratification as a system of inequality, there is almost none on the question: Inequality with respect to what?«[19]

DIE ERKENNTNISABSICHT DES KLASSENBEGRIFFS VON MARX

Vor etwa hundert Jahren wurde die wegen ihres Einflusses auf das Denken und Handeln der Menschen wirkungsvollste Prognose über die zukünftige Entwicklung kapitalistischer Gesellschaften aufgestellt: die Revolutionstheorie von Marx. Seine Lehre von Klassenherrschaft, Klassenkampf und Revolution bestimmt seitdem sowohl die politische Auseinandersetzung als auch die Diskussion in den Sozialwissenschaften.

Marx entwarf das Bild einer klassenlosen Gesellschaft[20], ohne Herrschaft, ohne Ungleichheit, in der die freie Entwicklung aller Menschen möglich wird. Diese zukünftige gesellschaftliche Ordnung, nach Marx die endgültige Ordnung der Menschheit überhaupt[21], soll durch die proletarische Revolution, den Aufstand der unterdrückten und ausgebeuteten Menschheit, verwirklicht werden. Neben der Aufhebung des Privateigentums an den Produktionsmitteln, der Abschaffung des Geldkapitals und der »entfremdeten« Arbeit, verliert die öffentliche Gewalt als Ausdruck der Klassenherrschaft ihren politischen Charakter und schafft die Bedingungen für die freie Entwicklung der Individuen[22].

Das Werkzeug zur Realisierung dieser zukünftigen Gesellschaftsordnung sind die »Klassen«, deren Konzeption für die gesamte Marxsche Theorie von grundlegender Bedeutung ist. Die Klassentheorie, als Universaltheorie der kapitalistischen Gesellschaft konzipiert, ist eine konkrete historische Analyse, durch die Marx sich bemühte, das neuartige Phänomen der industriellen Produktionsweise in seinen Auswirkungen auf die zukünftige gesellschaftliche Entwicklung zu untersuchen. Obgleich Marx und Engels in ihren Aussagen über die zukünftige kommunistische Gesellschaft mit gutem Grund äußerst vage waren[23], vor allem auch keine Angaben über den Zeitpunkt machten, bis zu dem sie verwirklicht sein würde, blieb die Prognostizierung des revolutionären Umschlags als Folge eines sich verschärfenden Klassengegensatzes das entscheidende Faktum, mit dem sich die Sozialwissenschaften auseinanderzusetzen hatten.

DIE ENTSTEHUNG DES KLASSENGEGENSATZES

Marx hat eine Klassentheorie in seinem umfangreichen Werk nirgends eindeutig ausgeführt – das 52. Kapitel im dritten Band des *Kapitals*, »Die Klassen«, bricht bekanntlich nach wenigen Sätzen ab – so daß der Interpretation ein weiter Spielraum gegeben ist[24]. Das berühmte *Kapital*-Fragment ist allerdings überbewertet worden, denn bereits im Vorwort *Zur Kritik der politischen Ökonomie*[25] aus dem Jahre 1859, in dem er die »Klassen« expressis verbis nicht erwähnt, ist im Ansatz eine Klassentheorie des Kapitalismus bereits enthalten. Marx vollzog durch Hegel[26] den Anschluß an jene Theoretiker der »civil society«, die im 18. Jahrhundert den Begriff der »Bürgerlichen Gesellschaft«[27] geprägt und in der »Politischen Ökonomie« zugleich die materielle Grundlage dieser neuen Gesellschaftsform analysiert hatten[28]. An diese Gesellschaftstheorie aus der revolutionären Epoche der Bourgeoisie hat Marx bewußt angeknüpft und sie als das fortgebildet, was sie auch bei den bürgerlichen Theoretikern bereits gewesen war: eine Untersuchung der Struktur der kapitalistischen Gesellschaft. Marx interessierte sich nicht nur für ihre Gesetze, sondern er erforschte den gesamten geschichtlichen Prozeß ihrer Entstehung und Entwicklung mit den darin enthaltenden Tendenzen einer revolutionären Umwälzung. Die Umwandlung der Produktionsformen in die technisch zerlegbaren Verrichtungen fabrikmäßiger Herstellungsweisen, brachte die Menschen in eine neuartige »entfremdete« Beziehung zu ihrer Arbeit, die Marx als eine der Bestimmung des Individuums zuwiderlaufende und zutiefst entwürdigende Lebenssituation bezeichnete[29].

Nach Marx sind deshalb die Beziehungen der Menschen in der bürgerlichen Gesellschaft nicht durch persönliche Verhältnisse und Abhängigkeiten bestimmt, denn in rechtlicher Beziehung sind sich alle Menschen gleich; der einzige, aber fundamentale Unterschied besteht darin, ob sie in einer arbeitsteiligen produzierenden Gesellschaft über jene Einrichtungen verfügen, mit denen Waren hergestellt werden können oder ob sie lediglich ihre Arbeitskraft besitzen. Dadurch zerfällt die bürgerliche Gesellschaft in zwei einander gegenüberstehende Klassen: in die Besitzer von Produktionsmitteln, die Kapitalisten, und in die Nichtbesitzer von Produktionsmitteln, die Proletarier. Marx nahm die Produktionsverhältnisse der Gesellschaft zum Ausgangspunkt seiner Analyse[30], indem er von der Aneignung der Natur durch menschliche Arbeit innerhalb gesellschaftlicher Verhältnisse ausging.

»In der gesellschaftlichen Produktion ihres Lebens gehen die Menschen bestimmte, notwendige, von ihrem Willlen unabhängige Verhältnisse ein, Produktionsverhältnisse, die einer bestimmten Entwicklungsstufe ihrer materiellen Produktivkräfte entsprechen. Die Gesamtheit dieser Produktionsverhältnisse bildet die ökonomische Struktur der Gesellschaft, die reale Basis, worauf sich ein juristischer und politischer Überbau erhebt, und welcher bestimmte gesellschaftliche Bewußtseinsformen entsprechen. Die Produktionsweise des materiellen Lebens bedingt den sozialen, politischen und geistigen Lebensprozeß überhaupt. Es ist nicht das Bewußtsein der Menschen, das ihr Sein, sondern umgekehrt ihr gesellschaftliches Sein, das ihr Bewußtsein bestimmt.«[31]

Aus der Verbindung von Arbeitsmethoden und Arbeitsmitteln ergeben sich die jeweiligen Produktionsverhältnisse, jene Formen der Zusammenarbeit von Individuen, durch die das Produkt geschaffen wird. Durch die Erzeugung eines ständigen Mehrprodukts an Nahrungsmitteln, welches über den Subsistenzbedarf der Produzierenden hinausgeht, wird die gesellschaftliche Arbeitsteilung möglich.

»Braucht der Arbeiter alle seine Zeit, um die zur Erhaltung seiner selbst und seiner Race nötigen Lebensmittel zu produzieren, so bleibt ihm keine Zeit, um unentgeltlich für dritte Personen zu arbeiten.«[32]

Wie immer die gesellschaftlichen Formen der Produktion beschaffen sind, erst wenn der Produzent die Verfügung über seine Produktionsmittel verliert, entsteht jener Konflikt, der die Grundlage jeder antagonistischen Klassengesellschaft ist: der Besitz von Produktionsmitteln, verstanden als die legalisierte Verfügung über die sachlichen Produktionsbedingungen.

»... gerade aus der Naturbedingtheit der Arbeit folgt, daß der Mensch, der kein andres Eigentum besitzt als seine Arbeitskraft, in allen Gesellschafts- und Kulturständen der Sklave der anderen Menschen sein muß, die sich zu Eigentümern der gegenständlichen Arbeitsbedingungen gemacht haben. Er kann nur mit ihrer Erlaubnis arbeiten, also nur mit ihrer Erlaubnis leben.«[33]

Weil der Arbeiter mehr »Ware« herstellt, als er selbst zur Wiederherstellung seiner Arbeitskraft nötig hat, ergibt sich die Herrschaft der einen Klasse über die andere durch die Anhäufung akkumulierten Mehrprodukts in den Händen der Kapitalisten. Der Arbeiter schafft sich, da die Vergütung seiner Arbeit hinter dem Preis der Ware zurückbleibt, zudem die Instrumente zu seiner Ausbeutung immer wieder selbst und fördert damit das Wachstum und die Konzentration der kapitalistischen Unternehmungen.

Weil das Kapital sich zunehmend in immer weniger Händen zusammenballt, werden die selbständigen Handwerker und die kleineren Unternehmer aus dem Markt gedrängt und vergrößern ständig die Zahl der Proletarier. Die durch steigende Überproduktion ausgelösten Krisen treten in immer kürzeren Zeitabständen auf und verstärken das Elend in solchem Umfang, daß die Vergesellschaftung der Arbeit in einer kapitalistischen Produktionsweise unerträglich wird. Es kommt zur proletarischen Revolution. Der Zusammenbruch des Kapitalismus ist infolge der immanenten Widersprüche des kapitalistischen Systems unausweichlich.

ZUM BEGRIFF DER »ENTFREMDUNG«

Das gesamte Werk von Marx zielt auf jene revolutionäre Veränderung der Gesellschaft und ist der Versuch, diese Voraussage wissenschaftlich zu belegen. Da im allgemeinen die Auseinandersetzung mit den Marxschen Prognosen in ihrer vulgärmarxistischen-monistischen Konzeption erfolgte[34], die wesentlich von Engels in seinem *Anti-Dühring*[35] und anderen Schriften in eine proletarische Weltanschauung umstilisiert worden war, trat der philosophische Ausgangspunkt der Marxschen

Klassenanalyse, der Begriff der »Entfremdung« seiner Frühschriften, zunehmend in den Hintergrund. Diese Transformation entsprang dem politischen Tageskampf der Arbeiterklasse, die in einer Zeit wirtschaftlicher Prosperität (seit den siebziger Jahren) und während der Periode der Unterdrückung (Sozialistengesetz) immer mehr in die Defensive gedrängt wurde und einer »Weltanschauung« bedurfte, in der der Glaube an die Revolution des Proletariats aufrechterhalten werden konnte[36].

Marx hatte angenommen, der Gegensatz zwischen dem menschlichen Selbstbewußtsein und der »Entfremdung« in einer proletarischen Existenz würde so extrem werden, daß er nur durch eine Revolution zu überwinden sei. Er erwartete aus diesem Grund eine auf Kooperation und Solidarität gegründete kollektive Aktion[37].

Marx versuchte jedoch in späteren Jahren, vor allem im *Kapital*, den Nachweis der quasi »naturgesetzlichen« Zerfallstendenzen des Kapitalismus und seiner Produktionsbedingungen zu erbringen, und er entwickelte eine sozial-ökonomische Begründung seiner Philosophie des Proletariats, um eine naturwissenschaftlich abgesicherte Aussage über die zukünftige Entwicklung des Kapitalismus zu geben. Trotzdem bleibt der Ausgangspunkt seiner Analyse stets das dem Produkt seiner Arbeit »entfremdete« Individuum, weil, unabhängig vom Wissen und Wollen des Menschen, materielle Prozesse sein Schicksal bestimmen.

»Die herrschenden Gedanken sind weiter nichts als der ideelle Ausdruck der herrschenden materiellen Verhältnisse; also der Verhältnisse, die eben die eine Klasse zur herrschenden machen, also die Gedanken ihrer Herrschaft. Die Individuen, welche die herrschende Klasse ausmachen, haben unter anderem auch Bewußtsein und denken daher; insofern sie also als Klasse herrschen und den ganzen Umfang einer Geschichtsepoche bestimmen, versteht es sich von selbst, daß sie dies in ihrer ganzen Ausdehnung tun, also unter anderem auch als Denkende, als Produzenten von Gedanken herrschen; die Produktion und Distribution der Gedanken ihrer Zeit regeln; daß also ihre Gedanken die herrschenden Gedanken der Epoche sind.«[38]

Die Falschheit der bürgerlichen Ideologie beruht nach Marx darauf, daß sie die verdinglichte Übermacht gesellschaftlicher Verhältnisse zu einem autonomen ideellen Faktor macht, um die Menschen dadurch mit den existenten Bedingungen zu versöhnen. Die Voraussetzung zur Überwindung dieser Isolierung von subjektiven Vorstellungen und objektiven Produktionsverhältnissen ist eine zu vollziehende Bewußtseinsänderung des Proletariats, das den Sinn der Geschichte durch eine revolutionäre Tat verwirklicht.

KLASSENTHEORIE UND ÖKONOMISCHE GESCHICHTSAUFFASSUNG

Beeindruckt von den Erfahrungen seiner Zeit, in der sich die kapitalistischen Unternehmungen zu machtvollen Gebilden entwickelten, zeichnete Marx zwei Entwicklungslinien[39], die auf den ersten Blick durchaus verschiedenen Charakter haben: Der Zusammenbruch des kapitalistischen Systems wird sowohl aus *sozialen Ursachen* als auch durch *wirtschaftliche Mechanismen* erklärt. Dieser angebliche Widerspruch der verschiedenen Klassenanalysen von Marx[40], in denen Marx als Soziologe dem Ökonomen Marx widerspricht, ist häufig diskutiert worden. Marx verwendet in seinen Schriften neben dem überwiegend gebrauchten, dichotomischen Klassenbegriff[41] auch das funktionelle Schema eines A. Smith[42], und gerade jene dreifache Gliederung machte Marx zum Ausgangspunkt des letzten Kapitels im *Kapital*, in dem er seine grundsätzliche Analyse der Klassen in der industriellen kapitalistischen Gesellschaft anstellen wollte.

»Die Eigentümer von bloßer Arbeitskraft, die Eigentümer von Kapital und die Grundeigentümer, deren respektive Einkommensquellen Arbeitslohn, Profit und Grundrente sind, also Lohnarbeiter, Kapitalisten und Grundeigentümer, bilden die drei großen Klassen der modernen, auf der kapitalistischen Produktionsweise beruhenden Gesellschaft.«[43]

Dieser Widerspruch in der Marxschen Argumentation gilt als Angelpunkt der Kritik an der Marxschen Klassentheorie[44]. Bei oberflächlicher Betrachtung scheint Marx zwei verschiedene Ursachen für den Zusammenbruch des kapitalistischen Systems anzunehmen. Nach Preiser[45] können sowohl die »Krisentheorie« als auch die »Verelendungstheorie« als Prognosen aus dem Marxschen Werk deduziert werden.

Beide Tendenzen laufen nebeneinander her[46], sich gegenseitig unterstützend, ohne jedoch in direktem Zusammenhang miteinander zu stehen. Einmal handelt es sich um den *sozialen* Gegensatz, Proletarier – Bourgeoisie, der sich aus dem Produktionsmittelbesitz herleitet und den revolutionären Konflikt bedingt. Demgegenüber ist die »Krisentheorie« auf die *wirtschaftlichen* Schwächen des kapitalistischen Systems abgestellt, d. h. die Profitrate, die Höhe des Gewinns im Verhältnis zum eingesetzten Kapital, hat die Tendenz zu sinken, was zu Wirtschaftskrisen und schließlich zum Zusammenbruch des kapitalistischen Systems führt. Die Ursachen dieses Zusammenbruchs erklären sich nicht aus dem Klassenantagonismus, sondern aus den wirtschaftlichen Defekten des Kapitalismus. Die angebliche Zwiespältigkeit der Marxschen Revolutionstheorie löst sich auf, wenn die Ursachen für den Zusammenbruch des Systems – der soziale Gegensatz und die wirtschaftlichen Schwächen des Kapitalismus – beide auf den institutionalisierten Klassengegensatz zurückgeführt werden. Die charakteristische Verlegung des Akzents der subjektiven Rebellion der Arbeiter auf die objektive Rebellion[47] der Produktivkräfte hat ihre Ursache in den veränderten gesellschaftlichen Bedingungen der bürgerlichen Gesellschaft seit den siebziger Jahren, auf die noch eingegangen wird.

»Die neue Form der materialistischen Theorie entspricht der neuen Form des Klassenkampfes, der sich in dieser Periode auf einer breiteren Grundlage, als eine nicht mehr unmittelbar, sondern nur noch in seinem endlichen Ergebnis auf die soziale Revolution gerichtete Bewegung der in gewerkschaftlichen und politischen Organisationen zusammengeschlossenen Arbeiterklasse entwickelte.«[48]

»VERELENDUNG« ALS VORGANG KOLLEKTIVEN ABSTIEGS

Ungeachtet des komplizierten Zusammenhangs von sich gegenseitig bedingenden sozialen und wirtschaftlichen Tendenzen, in dem die gesamte Revolutionstheorie von Marx zu betrachten ist, beschäftigen sich die Soziologen vorwiegend mit dem *sozialen Aspekt* der Marxschen Analyse, der sogenannten »Verelendungstheorie«.

»Der moderne Arbeiter dagegen, statt sich mit dem Fortschritt der Industrie zu heben, sinkt immer tiefer unter die Bedingungen seiner eigenen Klasse herab. Der Arbeiter wird zum Pauper, und der Pauperismus entwickelt sich noch schneller als Bevölkerung und Reichtum.«[49]

Vor allem auf die Voraussage von Marx, die zunehmende Industrialisierung werde die Zahl der Arbeiter ständig vermehren und den Mittelstand, als Folge der Eigengesetzlichkeit der kapitalistischen Entwicklung, zum Verschwinden bringen, richtete sich die Aufmerksamkeit der Soziologen.

»Die Mittelstände, der kleine Industrielle, der kleine Kaufmann, der Handwerker, der Bauer, sie alle bekämpfen die Bourgeoisie, um ihre Existenz als Mittelstände vor dem Untergang zu sichern. Sie sind also nicht revolutionär, sondern konservativ. Noch mehr, sie sind reaktionär, sie suchen das Rad der Geschichte zurückzudrehen. Sind sie revolutionär, so sind sie es im Hinblick auf den ihnen bevorstehenden Übergang ins Proletariat, so verteidigen sie nicht ihre gegenwärtigen, sondern ihre zukünftigen Interessen ...«[50]

Welchen Einfluß die Marxschen Hypothesen über die zukünftige Entwicklung kapitalistischer Gesellschaften auf seine Zeitgenossen, vor allem die besitzende Bourgeoisie, hatten, läßt sich heute nur vage deutlich machen. Eine »Widerlegung« der Marxschen Prognosen wäre zum mindesten mit Erleichterung aufgenommen worden. Die Klassenstrukturen westlicher Industriegesellschaften wurden jedenfalls aufmerksam beobachtet, inwieweit sich die von Marx prognostizierten Tendenzen bewahrheiten würden.

Indem die soziologische Kritik der Marxschen Klassentheorie sich auf die Aussagen über die bestehende Schichtstruktur – nach Geiger »ihren einzigen wissenschaftlichen Gehalt«[51] – beschränkte, ohne die strukturellen Bedingungen ihres Entstehens mitzureflektieren, ergab sich jene Reduzierung des gesamten Aussagenzusammenhanges, die eine »Widerlegung« der Voraussagen über die zukünftige gesellschaftliche Entwicklung erst ermöglichte.

In der Anwendung auf die industrielle Gesellschaft der Jahrhundertmitte war Marxens Theorie jedoch außerordentlich überzeugend, Arbeitslosigkeit und schlechte Entlohnung waren allgemein. Der Aufstieg der Arbeiterparteien und die häufigen revolutionären Konflikte in Europa schienen zusätzlich den Beginn der vorausgesagten proletarischen Revolution zu signalisieren. Die weitere Entwicklung sollte jedoch der Marxschen Prognose widersprechen. Die gestiegene Produktivität der Industrie konnte die Bevölkerung nicht nur weit besser als bisher mit Gütern versorgen, sondern auch die Zahl der Arbeitsplätze vermehren.

Marx hatte ursprünglich damit gerechnet, daß die Proletarisierung der Mittelschicht in beschleunigtem Tempo verlaufen und sich dadurch die Zahl der Unzufriedenen schnell vergrößern würde. Wesentliche Voraussetzung der Marxschen Prognose ist also die Bildung einer »industriellen Reservearmee«, die an Zahl die Verwertungsmöglichkeiten des Kapitals übersteigt und schließlich den größten Teil der Menschheit umfaßt. Und gerade diese Erwartung schien sich im Laufe der nächsten Jahrzehnte am wenigsten zu verwirklichen, so daß die »Verelendungstheorie« schon von den Revisionisten fallengelassen wurde.

»Wenn der Zusammenbruch der modernen Gesellschaft vom Schwinden der Mitglieder zwischen Spitze und Boden der sozialen Pyramide abhängt, wenn er bedingt ist durch die Aufsaugung dieser Mittelglieder von den Extremen über und unter ihnen, dann ist er in England, Deutschland, Frankreich heute seiner Verwirklichung nicht näher als zu irgendeiner früheren Epoche im neunzehnten Jahrhundert.«[52]

Die Zahl der Arbeiter nahm nicht zu, sondern verminderte sich sukzessive, ein Vorgang, der als massenhafter »Aufstieg« interpretiert werden konnte.

Für Marx, einem erklärten Gegner des liberalistischen Erfolgsprinzips[53], war die Möglichkeit, eine »Verelendung« des Proletariats durch »Mobilität« im Sinne individueller Aufstiege abzuwenden, völlig undenkbar.

Im Verständnis des historischen Materialismus ist »Verelendung« ein kollektiver Abstieg aller abhängig Beschäftigten bis an oder unter das Existenzminimum, und eine Änderung der sozialen Verhältnisse nur durch eine Revolution und eine Überführung der Produktionsmittel in das Volkseigentum möglich. Wie bereits ausgeführt, sahen die Sozialwissenschaften in der Folgezeit ihre Aufgabe vornehmlich in einer Widerlegung jener Entwicklungen, durch die ein revolutionärer Umsturz des kapitalistischen Systems verursacht werden sollte. Zwar hätte die Kritik an Einzelprognosen noch nicht eine Ablehnung der Marxschen Lehre und seiner Methode der gesamtgesellschaftlichen Betrachtung bedeuten müssen[54], tatsächlich bereitete diese Kritik aber die Umkehrung einer Argumentation vor, durch welche die Hypothese vom Zusammenbruch des kapitalistischen Systems infolge seiner durch den Klassengegensatz bedingten Konflikte nahezu unglaubwürdig wurde.

1. Das Entstehen des »neuen« Mittelstandes durch die Zunahme

der Angestellten in der industriellen Gesellschaft, der seitdem als markantester Gegenbeweis[55] der »Verelendungstheorie« gilt, nahm der Marxschen Klassentheorie die Sprengkraft und widerlegte die *sozialen* Ursachen des möglichen revolutionären Konflikts.

2. Der Zusammenbruch des kapitalistischen Systems infolge seiner *wirtschaftlichen* Defekte wurde durch den Hinweis auf ein ständig wachsendes Bruttosozialprodukt entkräftet. Die kapitalistische Produktionsweise zeigte, teilweise aufgrund staatlicher Interventionen, immer seltener Krisenneigung und funktionierte weit besser als die Planwirtschaft kommunistischer Staaten[56].

Schon Bernstein[57] glaubte anhand statistischer Unterlagen nachweisen zu können, das kapitalistische System habe aus sich selbst heraus stabilisierende Faktoren entwickelt, die einen Zusammenbruch höchst unwahrscheinlich machten[58]. Bernstein entdeckte einen der »Verelendung« genau entgegengesetzten Trend. Die wachsende Differenzierung der Gesellschaft, das Aufkommen des »neuen« Mittelstandes widersprachen einer Dichotomisierung der Gesellschaft in nur zwei Klassen. Bernstein, dessen Marxverständnis zugegebenermaßen nicht besonders subtil war, revidierte infolgedessen seine Auffassung über den historischen Materialismus nicht nur teilweise, sondern er wandte sich zugleich gegen dessen Voraussetzungen, indem er die ökonomische Determiniertheit des Geschichtsprozesses in Frage stellte.

»Man tut dem historischen Materialismus mehr Abbruch als man ihm nützt, wenn man die entschiedene Betonung der Einflüsse anderer als rein ökonomischer Natur und die Rücksicht auf andere ökonomische Faktoren als die Produktionstechnik und ihre vorausgehende Entwicklung von vornherein als Ekklektizismus vornehm zurückweist.«[59]

Mit dieser Wendung wird die Brücke zur sogenannten »bürgerlichen« Soziologie geschlagen[60]. In der Rezeption von Teilergebnissen des historischen Materialismus durch die »bürgerliche« Soziologie bildet deshalb Bernstein ein äußerst wichtiges Bindeglied.

Die Auseinandersetzung mit der Marxschen Klassentheorie und ihren revolutionären Prognosen blieb jedoch für die Erklärung der strukturellen Ungleichheit in der Gesellschaft eine wesentliche Herausforderung, und die Versuche, die Marxschen Aussagen zu überprüfen und zu widerlegen, bestimmen den gesamten Argumentationszusammenhang der Schichtungs- und Mobilitätsforschung[61].

IV

Die analytische Aufspaltung des Klassenbegriffes durch Weber

Die umfassendste Alternative zur Marxschen Klassentheorie entwikkelte Max Weber, indem er die Behauptung eines Primats der ökonomischen Bedingungen bestritt bzw. als einseitig charakterisierte und die Bedeutung von Ideen[1] für die geschichtliche Entwicklung betonte. Gegenüber dem Marxschen Klassenbegriff, der die »Klassen« als Geschichte vollziehende Kollektivmächte beschreibt, nimmt sich die »subjektivistische Kehre«[2] von Weber im Prinzip mehr als Erweiterung denn als Widerlegung der Marxschen Analyse aus. Webers Begriff der »Handlungsrationalität« stellt eine Antwort auf den ökonomischen Determinismus von Marx und seiner materialistischen Geschichtsauffassung dar, die er, das muß hinzugefügt werden, vorwiegend in seiner »vulgärmarxistischen« Variante kennenlernte[3]. In dem Bemühen, Alternativen des »sozialen Handelns« aufzuzeigen, modifizierte er die Marxsche Analyse, indem er neben der ökonomisch bedingten Klassenlage weitere Faktoren als ungleichheitsrelevant herausstellte. Die »Aufspaltung« des Klassenbegriffs in drei Dimensionen veränderte die Klassenstruktur im Marxschen Sinne beträchtlich, da die Verteilung politischer Macht, die Marx als Produkt des ungleichen Kapitalbesitzes[4] beschrieben hatte, nun als separates Phänomen behandelt werden konnte. Indem Weber weiterhin die Bedeutung sozialer »Ehre« betonte, die auf einer »subjektiven« Beurteilung der Gesellschaftsmitglieder beruht, läßt sich hier die beginnende Umdeutung des Klassenbegriffs deutlich verfolgen, die zu einer Perspektiveverschiebung und jener vorwiegend »subjektiven« Betrachtungsweise der sozialen Ungleichheit führte, durch welche die Schichtungs- und Mobilitätsforschung in ihren Fragestellungen weitgehend bestimmt wurde.

WEBERS KRITIK DER MATERIALISTISCHEN GESCHICHTSAUFFASSUNG

Die Behauptung, Webers Werk sei eine lange und intensive Auseinandersetzung mit dem »Geiste von Marx«[5] gewesen, läßt sich in Webers

Werk nur unter Schwierigkeiten nachweisen[6]. Explizite Stellungnahmen finden sich kaum. Webers deutlichste Äußerungen über Marx, bezogen auf das »Kommunistische Manifest« von 1848, finden sich in einer Rede aus dem Jahre 1918, die er vor österreichischen Offizieren hielt.

»Dieses Dokument (Das Kommunistische Manifest, H. R.) ist in seiner Art, so sehr wir es in entscheidenden Thesen ablehnen (wenigstens tue ich das), eine wissenschaftliche Leistung ersten Ranges. – Das läßt sich nicht leugnen, das darf auch nicht geleugnet werden, weil es einem niemand glaubt und weil es mit gutem Gewissen nicht geleugnet werden kann. Es ist selbst in den Thesen, die wir heute ablehnen, ein geistvoller Irrtum, der politisch sehr weitgehende und vielleicht nicht immer angenehme Folgen gehabt hat, der aber für die Wissenschaft sehr befruchtende Folgen gebracht hat, befruchtendere Folgen als oft eine geistlose Korrektheit.«[7]

Max Weber ging von den Problemen seiner Zeit aus und versuchte, die allgemeine Bedeutung der kapitalistischen Entwicklung zu analysieren. Dabei vollzieht sich sein Bemühen um ein Verständnis des »Kapitalismus« in einer durchaus positiven Auseinandersetzung mit der bereits vorhandenen theoretischen Auslegung der kapitalistischen Gesellschaftsordnung. Webers »Positive Kritik der materialistischen Geschichtsauffassung«[8] läßt eine im weitesten Sinne Marx verwandte Perspektive seiner wissenschaftlichen Fragestellungen erkennen, wie dem Geleitwort des Archivs für Sozialwissenschaft und Sozialpolitik des Jahres 1904 zu entnehmen ist[9].

»Unsere Zeitschrift wird heute die historische und theoretische Erkenntnis der *allgemeinen Kulturbedeutung der kapitalistischen Entwicklung* als dasjenige wissenschaftliche Problem ansehen müssen, in dessen Dienst sie steht. Und gerade weil sie selbst von einem durchaus spezifischen Gesichtspunkt ausgeht und ausgehen muß: dem der ökonomischen Bedingtheit der Kulturerscheinungen, kann sie nicht umhin, sich in engem Kontakt mit den Nachbardisziplinen der allgemeinen Staatslehre, der Rechtsphilosophie, der Sozialethik, mit den sozialpsychologischen und den gewöhnlich unter dem Namen Soziologie zusammengefaßten Untersuchungen zu halten.«[10]

Das ausdrückliche Thema der wissenschaftlichen Untersuchungen von Marx und Weber war eine durch den »Kapitalismus« geprägte Gesellschaft und richtete sich auf die Bedingungen der menschlichen Existenz innerhalb dieser kapitalistischen Welt. Dieses Forschungsmotiv war sowohl für Marx als auch für Weber der ständig wirksame Hintergrund ihres wissenschaftlichen Interesses. Der philosophische Ausgangspunkt der »Entfremdung«, in den Schriften des jungen Marx der zentrale Aspekt seiner Argumentation, ist in seiner inhaltlichen Prägung dem Weberschen Interesse an den Auswirkungen einer zunehmenden »Rationalisierung« der bürgerlich-kapitalistischen Gesellschafts- und Wirtschaftsordnung[11] durchaus verwandt. Weber bestritt jedoch die angeblich von Marx aufgestellte Behauptung, daß in einer vom Kapital beherrschten Gesellschaft die ökonomische Struktur die alleinige und entscheidende Ursache aller gesellschaftlichen Bedingungen sei.

Die materialistische Geschichtsauffassung, die Webers Kritik voraussetzt, ist ein Produkt des vorwiegend durch Engels wissenschaftlich begründeten Marxismus, der als »Vulgärmarxismus« zur Grundlage des politischen Tageskampfes der Sozialdemokratie wurde; die Webersche Argumentation geht deshalb in gewisser Weise »an Marx vorbei«.

»Die ›materialistische Geschichtsauffassung‹, welche Webers Kritik voraussetzt, ist sowohl der Sache wie dem Worte nach bei Marx selber, und insbesondere beim jungen Marx ... nicht zu finden. Sie ist ein Produkt des durch F. Engels und den späteren Marx in die Wege geleiteten Vulgärmarxismus. Der ursprüngliche und volle Gehalt von Marxens kritischer Analyse des Menschen der bürgerlichen Wirtschaftsgesellschaft ging damit mehr oder minder verloren.«[12]

Weber erkannte die fundamentale Bedeutung ökonomischer Bedingungen, wie sie Marx immer wieder betont hatte, versuchte jedoch, über Marxens einseitigen, wenn auch als heuristisches Prinzip äußerst ergiebigen Ansatz eines kausalen Erklärungsversuches historischer Realität hinauszugelangen.[13] Die »materialistische Geschichtsauffassung« als geschichtsphilosophische Maxime ist deshalb der eigentliche Gegenstand der Weberschen Kritik[14]. Diese Kritik ist aber insofern »positiv«, als durch eine konkrete historische Analyse lediglich die Einseitigkeit jener von Marx vorgetragenen Geschichtsdeutung demonstriert werden sollte. Am Leitfaden der Frage nämlich, wie es zu dieser ausschlaggebenden Bedeutung des »Wirtschaftens«, der »Produktionsverhältnisse« in den kapitalistischen Industriegesellschaften kommen konnte, untersucht Weber die Beziehungen und Einflüsse anderer Faktoren, die einer bestimmten Wirtschaftsweise, dem Kapitalismus, ihre Ausprägung gegeben haben. Der Schwerpunkt des Weberschen Forschungsinteresses liegt dabei auf der Beschreibung des Einflusses von »Ideen« als wirksamen Kräften der Geschichte[15], ohne deshalb die Argumentation gegen Marx zu wenden.

»Denn obwohl der moderne Mensch im ganzen selbst beim besten Willen nicht imstande zu sein pflegt, sich die Bedeutung, welche religiöse Bewußtseinsinhalte auf die Lebensführung, die Kultur und die Volkscharaktere gehabt haben, *so* groß vorzustellen, wie sie tatsächlich gewesen ist, – so kann es dennoch natürlich nicht die Absicht sein, anstelle einer einseitig »materialistischen« eine ebenso einseitige »spiritualistische« kausale Kultur- und Geschichtsdeutung zu setzen. *Beide* sind *gleich möglich*, aber mit beiden ist, wenn sie nicht Vorarbeit, sondern Abschluß der Untersuchung zu sein beanspruchen, der historischen Wahrheit gleich wenig gedient.«[16]

Der Nachweis einer gegenseitigen Bedingtheit aller Faktoren – sowohl der ökonomischen als auch der ideellen – in der gesellschaftlich-geschichtlichen Wirklichkeit wird nach Webers Ansicht in der Marxschen Fragestellung insofern ausgeschlossen, als das Problem der möglichen Veränderbarkeit gesellschaftlicher Zustände auf das reine Verständnis seiner Bedingungen und Entwicklungsgesetze zurückgenommen wird[17].

WEBERS METHODISCHES PRINZIP DER »OBJEKTIVITÄT« SOZIALWISSENSCHAFTLICHER ERKENNTNIS

Webers Auseinandersetzung mit der »materialistischen Geschichtsauffassung« läßt sich vor allem in seinen methodologischen Erörterungen der »Objektivität« sozialwissenschaftlicher Erkenntnis[18] und über den Sinn der »Wertfreiheit« verfolgen[19], in der er zu einer methodischen Unterscheidung gegenüber dem Marxismus gelangt – verstanden als Differenz von »empirischer« und »dogmatischer« Methode. Webers Ablehnung einer »universellen« »Weltdeutung« aufgrund ökonomischer Bedingungen steht dabei im Mittelpunkt seiner methodologischen Schriften.

»Die ›Objektivität‹ sozialwissenschaftlicher Erkenntnis hängt vielmehr davon ab, daß das empirisch Gegebene zwar stets auf jene Wertideen, die ihr allgemein Erkenntnis*wert* verleihen, ausgerichtet, in ihrer Bedeutung aus ihnen verstanden, dennoch aber niemals zum Piedestal für den empirisch unmöglichen Nachweis ihrer Geltung gemacht wird.«[20]

Der eigentliche Sinn seines empirischen Vorgehens liegt nicht nur in dem scheinbaren Fortschreiten von einer notwendigen Einseitigkeit der fachwissenschaftlichen Betrachtung zur fachwissenschaftlichen Vielseitigkeit.

Was Weber bekämpft, ist jegliche Festlegung auf irgendwelche eindeutigen »Weltformeln«, die Ausweitung einer partikularen Ursache zu einem illusorischen Ganzen. In diesem Sinne hat Weber in der Abhandlung über *Die Objektivität sozialwissenschaftlicher und sozialpolitischer Erkenntnis*[21] seine prinzipielle Methode zu verdeutlichen versucht.

Hierhin gehört auch das Webersche Postulat der »Wertfreiheit« sozialwissenschaftlicher Forschung, das, oft mißverstanden, jene »haarfeine« Linie bezeichnet, welche die Wissenschaft vom Glauben scheidet. Webers Kritik der marxistischen Ausdeutung einer bestehenden gesellschaftlichen Wirklichkeit veranlaßte ihn, nach einer methodologischen Basis zu suchen, die zuverlässige Aussagen über kausale Wirkungszusammenhänge ermöglichte[22]. Sein Interesse am Einfluß religiöser Vorstellungen auf die wirtschaftliche und kulturelle Entwicklung verdeutlicht sein methodisches Vorgehen, die Gesamtgesellschaft unter Beachtung »objektiver« und systematischer Kriterien zu untersuchen. Jeder Aspekt einer soziologischen Betrachtung vermehrt die Kenntnisse über die »Realität«, die in ihrer Komplexität nicht als Einheit faßbar ist[23]. Allerdings hielt Weber »Objektivität« im strikten Sinne nur insoweit für möglich, als die Auswahl eines Problems stets, bewußt oder unbewußt, eine Vorentscheidung über den zu untersuchenden Teilaspekt mit enthält. Was Weber demgemäß am Marxismus bekämpfte, war nicht, daß er insgesamt von wissenschaftlich unbeweisbaren Ideen und Idealen getragen wurde, sondern daß er die Subjektivität seiner fundamentalen Voraussetzungen unter dem Anschein ihrer objektiven, allgemeinen Gültigkeit vortrug[24].

»Gegen diese Vermischung, nicht gegen das Eintreten für die eigenen Ideale, richten sich die vorstehenden Ausführungen. Gesinnungslosigkeit und wissenschaftliche Objektivität haben keinerlei innere Verwandtschaft.«[25]

Der eigentliche Zweck seiner wissenschaftstheoretischen Abhandlungen bedeutete die methodische Destruktion von ganz bestimmten Vorurteilen und Wertideen. Gerade weil die wissenschaftliche Forschung von entscheidenden Vorentscheidungen getragen wird, ist das a priori der »erkenntnisleitenden Interessen« jeweils ausdrücklich zu machen. Die wissenschaftliche Unbefangenheit auch gegenüber den eigenen Vorurteilen ist für Weber das Ethos seiner theoretischen Konzeptionen und empirischen Untersuchungen.

»Die Sozialwissenschaft, die wir treiben wollen, ist eine *Wirklichkeitswissenschaft*. Wir wollen die uns umgebende Wirklichkeit des Lebens, in welches wir hineingestellt sind, in *ihrer* Eigenart verstehen – den Zusammenhang und die Kultur*bedeutung* ihrer einzelnen Erscheinungen in ihrer heutigen Gestaltung einerseits, die Gründe ihres geschichtlichen So-und-nicht-anders-Gewordenseins andererseits.«[26]

ZUM BEGRIFF DER »RATIONALISIERUNG«

Im ausdrücklichen Unterschied und im vermeintlichen Gegensatz zu Marxens ökonomischer Analyse betrachtete Weber die kapitalistische Produktionsweise nicht als einen die gesamte Gesellschaft bestimmenden Faktor, aus dem alles andere abzuleiten ist; nach Webers Auffassung konnte der »Kapitalismus« deshalb zu einer so bedeutenden Macht des modernen Lebens werden, weil er sich in den Bahnen einer »rationalen« Lebensführung entwickelte[27]. Indem Weber untersuchte, welche Verkettung von Umständen dazu geführt hat, im Abendland bestimmte Kulturerscheinungen wie den »Kapitalismus« hervorzubringen, stieß er auf das Phänomen der »Rationalisierung«, das die große Leitlinie nicht nur seiner Religionssoziologie und Wissenschaftslehre, sondern im Grunde seines gesamten Systems[28] wurde.

Die Tatsache der »Rationalisierung« hat Weber in seiner Vorbemerkung zur »Religionssoziologie« in ihrer ebenso universellen wie weltgeschichtlichen Bedeutung demonstriert. Weber fragt nach dem inneren Zusammenhang der protestantischen »Ethik« und dem »Geist« des Kapitalismus[29] und stellt die Beziehung beider zu der kapitalistischen Glaubens- und Wirtschaftsgesinnung fest[30], deren gesellschaftlicher Träger das Bürgertum ist. Die allseitige »Rationalisierung« bewirkt ein System von Abhängigkeiten, ein unentrinnbares Eingeordnetsein in die jeweilige Umgebung, den Beruf, den Betrieb. Und gerade diese »Rationalität« garantiert nach Weber dem einzelnen die »Freiheit« von irrationalen Zwängen, indem die Verantwortlichkeit des menschlichen »Handelns« sich in die Bindung der Zwecke an die jeweils gegebenen Mittel dokumentiert. »Rationalität« und Freiheit des »Handelns« gehören zusammen, denn das menschliche Verhalten ist um so unberechenbarer, je irrationaler es ist[31].

»Das Irrtümliche an der Annahme, daß eine, wie immer verstandene ›Freiheit‹ des Wollens identisch sei mit der ›Irrationalität‹ des Handelns ... liegt denn doch auf der Hand. Spezifische ›Unberechenbarkeit‹, gleich groß – aber nicht größer – wie diejenige blinder ›Naturgewalten‹, ist das Privileg der Verrückten.«[32]

Die eigentümliche Irrationalität, die sich im Prozeß der Rationalisierung herausbildete, versteht Weber als *Verkehrung* des grundlegenden Verhältnisses von Mittel und Zweck, in dem das, was ursprünglich Mittel war, selbst zum Zweck oder Selbstzweck wird. Durch diese Verselbständigung verliert das »Mittel« seine ursprünglich am Menschen und seinen Bedürfnissen orientierte »Zweckrationalität«. Diese Verkehrung kennzeichnet, nach Weber, die »moderne« Kultur mit allen ihren Einrichtungen und Institutionen; die Betriebe sind beispielsweise so »rationalisiert«, daß nun sie es sind, die den Menschen bestimmen. Das menschliche Verhalten, das diese Einrichtungen für seine Zwecke einst geschaffen hat, muß sich jetzt seinerseits nach ihnen richten.

»Das alles ist nun das, was der *Sozialismus* als ›Herrschaft der Dinge über den Menschen‹, das soll heißen: der Mittel über den Zweck (die Bedarfsdeckung), auffaßt.«[33]

Um jene Verkehrung, daß die »Sache« über den »Menschen«, das produzierte »Produkt« über den »Produzenten« herrscht, »um die Erklärung und Destruktion dieses allgemeinen Tatbestandes geht die ganze theoretische und praktische Arbeit von Marx, um sein Verständnis diejenige von Weber«[34]. Hier liegt das Gemeinsame von Weber und Marx, zugleich aber auch der Unterschied zum Marxschen Ansatz begründet[35]. Weber hat sich zur Bewältigung dieses Widerspruchs die begriffliche Konstruktion des »Idealtypus« geschaffen, die es ihm ermöglichte, den »Begriff« von der »Wirklichkeit« zu unterscheiden[36]. Das »soziale Handeln«[37] des Menschen hat nach Weber die Aufgabe, diesen

Sinnzusammenhang, überhaupt des Verhältnis zur Wirklichkeit, dadurch wieder herzustellen, indem dem »Handeln« ein subjektiv »gemeinter Sinn« unterlegt wird, der auf das »Handeln« anderer bezogen ist[38]. Die Unterscheidung in »zweckrational«, »wertrational«, »affektuell« und »traditional«[39] ist eine exemplarische Definition jener »Chance«, die bestimmte Arten sozialen Handelns aus der gesellschaftlichen »Realität«[40] erklären. Diese »individualistische« und »rationale« Definition des Werberschen Handlungsbegriffs hat nicht nur methodische Bedeutung, sondern dokumentiert ebensosehr Webers weltanschauliche Position, nach der

»... wahrhaft-wirklich und existenzberechtigt heute nur noch das »Individuum«, der auf sich selbst gestellte einzelne Mensch, ist, nachdem den ›Objektivitäten‹ jeder Art infolge ihrer Entzauberung (durch Rationalisierung) keine *selbständige* Bedeutung zukommt.«[41]

Der »individualistische« Handlungsbegriff Webers umfaßt zugleich auch seine »weltanschaulichen« Grundannahmen. In der Betonung jener »Chance« des Individuums, durch sinnbezogenes »Handeln« das Verhältnis zur Wirklichkeit wiederherzustellen, kann der Gegensatz zur Marxschen Konzeption gesehen werden. Denn für Marx sind die Menschen in ihren individuellen Bestrebungen nur Objekte eines anonymen Prozesses, der sich nach den Entwicklungsgesetzen des Kapitalismus entfaltet.

VERGESELLSCHAFTUNG UND SOZIALE SCHICHTUNG

Indem Weber durch die Grundkategorie des »sozialen Handelns« versucht, eine schlüssige Relation zwischen dem »rationalen« bzw. »irrationalen« Verhalten des Indiviuums und der durch den »Kapitalismus« geprägten Struktur der Gesellschaft herzustellen, führt seine Argumentation immer wieder zurück auf die ökonomischen Bedingungen jeder »Vergesellschaftung«, diesen von Tönnies[42] entliehenen und modifizierten Begriff, der zum Ausgangspunkt der Erklärung »rationalen« Verhaltens in der Wirtschaftsgesellschaft wurde. »Vergesellschaftung« im Gegensatz zu »Vergemeinschaftung«[43] heißt eine soziale Beziehung nach Weber immer dann, »wenn und soweit die Einstellung des sozialen Handelns auf rational (wert- oder zweckrational) motiviertem Interessen*ausgleich* oder auf ebenso motivierter Interessen-

verbindung beruht.«[44] Wirtschaftliches Handeln ist stets typischerweise »vergesellschaftetes« Handeln[45].

Weber führt als reine Typen der »Vergesellschaftung« den freien »Tausch« auf dem Markte, den »Zweckverein«, die auf die Verfolgung sachlicher, vorzugsweise ökonomischer Interessen abgestellte »Vereinbarung« und den »Gesinnungsverein«, der von der Pflege emotionaler Interessen absieht und »nur der ›Sache‹ dienen will«, an. »Vergesellschaftung« bedeutet die rationale Verfolgung individueller Ziele[46], bezieht sich auf ein Zweck-Mittel-Schema, das sich »an der Vorstellung vom Bestehen einer *legitimen* Ordnung«[47] orientiert. Das »Gelten« einer Ordnung zielt auf einen internalisierten Sinngehalt, ein Gebot oder eine Pflicht, deren Verletzung Nachteile mit sich bringt[48]. Auf der typologischen Unterscheidung von »Vergemeinschaftung« und »Vergesellschaftung« baut Weber sein analytisches Konzept von Gesellschaft auf, indem er Typen von Ordnungen unterscheidet, durch welche die Struktur der Gesellschaft bestimmt wird. Weber unterscheidet drei Dimensionen von Machtbeziehungen, innerhalb derer sich das individuelle »Handeln« vollzieht[49]: die »soziale Ordnung«, die »Rechtsordnung« und die »Wirtschaftsordnung«[50]. Jede Rechtsordnung wirkt durch ihre Gestaltung direkt auf die Machtverteilung ein[51], und zwar sowohl auf die ökonomisch bedingte Macht als auch auf jede andere. »Phänomene der Machtverteilung innerhalb der Gesellschaft sind nun die ›Klassen‹, ›Stände‹ und ›Parteien‹«[52], wobei »Macht« immer bedeutet, den eigenen Willen gegen den Widerstand anderer durchsetzen zu können[53]. Der greifbarste Einfluß von Marx auf die Webersche Analyse besteht damit lediglich in der Übernahme des Klassenbegriffes, in dem »Klasse« jedoch im Gegensatz zu Marx keine Schlüsselkategorie mehr darstellt, sondern nur eine »mögliche (und häufige) Grundlage eines Gemeinschaftshandelns«[54].

»Wir wollen da von einer ›Klasse‹ reden, wo 1. einer Mehrzahl von Menschen eine spezifische ursächliche Komponente ihrer Lebenschancen gemeinsam ist, soweit 2. diese Komponente lediglich durch ökonomische Güter-Besitz- oder Erwerbsinteressen, und zwar 3. unter den Bedingungen des (Güter- oder Arbeits-)*Marktes* dargestellt wird (Klassenlage).«[55]

Die aus der »Vergemeinschaftung« von Menschen sich entwickelnde ›ständische Lage‹, »welche durch eine spezifische, positive oder negative, soziale Einschätzung der ›Ehre‹ bedingt ist, die sich an irgendeine gemeinsame Eigenschaft vieler knüpft«[56], schließt eine Verbindung zur Klassenlage nicht aus. Die »ständische Lage« stellt nach Weber zwar ein mit dem »Besitz« verbundenes Phänomen dar, das zur ständischen Gliederung führt, steht jedoch normalerweise »mit den Prätentionen des nackten Besitzes als solchem im schroffem Widerspruch«[57]. »Auch Besitzende und Besitzlose können dem gleichen Stande angehören und tun dies häufig und mit sehr fühlbaren Konsequenzen.«[58] Durch die Hervorhebung der »spezifisch gearteten Lebensführung« als Kennzeichen der »ständischen Lage« abstrahiert Weber damit von der »ökonomischen Situation« bestimmter Gruppen der Gesellschaft, obgleich er diese Einschränkung an verschiedenen Stellen in Frage stellt und ihre gegenseitige Abhängigkeit betont. Weber argumentiert in diesem Zusammenhang,

»daß eine gewisse (relative) Stabilität der Grundlagen von Gütererwerb und Güterverteilung sie begünstigt (die ständische Lage, H. R.), während jede technisch-ökonomische Erschütterung und Umwälzung sie bedroht und die Klassenlage in den Vordergrund schiebt. Zeitalter und Länder vorwiegender Bedeutung der nackten Klassenlage sind der Regel nach technisch-ökonomische Umwälzungszeiten, während jede Verlangsamung der ökonomischen Umschichtungsprozesse alsbald zum Aufwachsen ständischer Bildungen führt und die soziale ›Ehre‹ wieder in ihrer Bedeutung restituiert.«[59]

Die politische Dimension wurde von Weber in ihrer Beziehung zu den übrigen »Ordnungen« nur ungenau ausgeführt. Das Handeln von »Parteien« ist primär auf »soziale Macht« gerichtet, d. h. um Einfluß auf das Gemeinschaftshandeln bemüht[60]. Parteien können im Einzelfall durch ›Klassenlage‹ oder ›ständische Lage‹ bedingte Interessen vertreten[61]. Diese Trennung der politischen Macht von den übrigen Dimensionen sozialer Machtverteilung[62] war insofern analytisch sinnvoll, da sie eine Unterscheidung von Personen ermöglichte, die zwar politische Macht besaßen, jedoch über keinerlei Einfluß und Ansehen in Gesellschaft und Wirtschaft verfügten. Weiterhin ermöglichte diese Unterscheidung, genauer die Art der »Macht« zu identifizieren, auf die Bezug genommen wurde und widerlegte zugleich die These von der alleinig ökonomischen Basis aller sozialen Prozesse. In diesem Sinne ist die politische Macht den beiden übrigen Dimensionen zugeordnet, denn ökonomische Macht führt sowohl zu politischem Einfluß wie der Besitz von »Prestige« die Machtausübung bestimmt. Weber sah deutlich den antagonistischen, auf »Kampf« abzielenden Charakter des Klassenbegriffes und setzte ihm die ständische Ordnung nach »Prestige« oder »Ehre« entgegen, die sich nach Abschluß »technisch-ökonomischer Umwälzungszeiten« als Normalzustand restituieren würde. Der von Weber als Erweiterung und Überwindung einer »einseitigen« Perspektive unternommene Versuch, den Nachweis zu erbringen, daß auch in industriellen kapitalistischen Gesellschaften die ökonomischen Bedingungen nur einen Teilbereich der gesellschaftlichen Realität ausmachen, sind für die Erforschung sozialer Schichtung und Mobilität jedoch äußerst weitreichend gewesen. Die Differenzierung in »Wirtschaftsordnung«, »Rechtsordnung« und »soziale Ordnung« veränderte das »Klassensystem« von Marx nicht unerheblich, denn durch das Auseinanderbrechen des Klassenbegriffes in die Termini »Klasse«, »Stand« »Partei« verschob sich der Aspekt der Betrachtung[63], und der gemeinsame Ursprung der drei »Ordnungen« aus den ökonomischen Bedingungen der Gesellschaft war aufgehoben.

Die Webersche Reaktion auf die »materialistische Geschichtsauffassung« führte unter den methodischen Prinzipien der »Wertfreiheit« und »Objektivität« zu einer inhaltlichen Umdeutung der Marxschen Klassentheorie, die zwar in ihrer Bedeutung für die gegenwärtige Wirtschaftsverfassung der kapitalistischen Gesellschaft akzeptiert, in ihren prognostischen Aussagen aber abgelehnt wurde. Der Begriff der »Klasse« erfährt bei Weber eine auf den ökonomischen Gesellschaftsprozeß bezogene inhaltliche Ausprägung, indem das »Klasseninteresse« ein Gemeinschaftshandeln wahrscheinlich und eine Vergesellschaftung möglich macht, wenn die Klassenlage deutlich erkennbar ist[64]. Denn nur dann läßt sich die Klassenlage als ein »1. aus der gegebenen Besitzverteilung oder 2. aus der Struktur der konkreten Wirtschaftsordnung Resultierendes«[65] ableiten. Die Aufspaltung des Marxschen Klassenbegriffes in ein dreidimensionales Modell ermöglichte aber nicht nur eine Differenzierung der »einseitigen« Marxschen Perspektive, sondern veränderte zugleich den gesamten Aussagezusammenhang. Indem Weber die Verteilung der politischen Macht, die Marx als Produkt der Klassenschichtung beschrieben hatte, als ein von ihr unabhängiges Phänomen beschrieb, transponierte er die Analyse der gesellschaftlichen Strukturbedingungen im Kapitalismus auf drei Ebenen. Das ermöglichte die Isolierung der »Standdimension« und des ihr zugeordneten »Prestiges«[66] und damit zugleich eine Schwerpunktverschiebung zu einer »wertfreien«, d. h. den Konflikt ausblendenden

Betrachtungsweise sozialer Ungleichheit. Webers fragmentarische Analyse unterstützt eine mehrdimensionale Auffassung von sozialer Schichtung gegenüber einer eindimensionalen, wie der marxistischen, welche die Unterschiede zwischen den sozialen Klassen und Ständen verwischt[67]. Was bei Weber jedoch Teil der sozialen Strukturbedingungen gewesen war, nämlich »Stand«, »Klasse«, »Partei« als *drei Dimensionen sozialer Machtverteilung*, wurde zunehmend abgelöst aus dem eigentlichen Bedeutungszusammenhang und in der Schichtungs- und Mobilitätsforschung zu einer auf die »subjektive« Prestigedimension reduzierten Analyse[68] sozialer Ungleichheit.

V

Die Isolierung der Prestigedimension durch Warner

In der Entwicklung der neueren amerikanischen Soziologie nimmt der Anthropologe und Soziologe William Lloyd Warner[1] einen besonderen Platz ein. Warners Untersuchungen über Struktur und Funktion der sozialen Klassen stellen einen wesentlichen Beitrag zur Analyse der modernen Gesellschaft dar und sind zu den »klassischen« Arbeiten der amerikanischen Stratifikationsforschung zu rechnen. Warner verwendet in seinen zahlreichen empirischen Untersuchungen einen »Klassenbegriff« (social class), der, rein vom Begrifflichen her, die Webersche Prestigedimension ausweitet und die beiden übrigen Dimensionen sozialer Schichtung negiert[2]. Warner selbst erwähnt Weber in seinem umfangreichen Werk unseres Wissens jedoch nirgends[3] und bezieht sich auch an keiner Stelle auf den Weberschen Ansatz. Seine Konzeption der »social class« ergab sich wahrscheinlich aus seinem rein empirischen Vorgehen[4]. Für Warner waren soziale »Klassen« eine Realität in der amerikanischen Gesellschaft, deren Vorhandensein er in seinen verschiedenen Gemeindestudien empirisch nachzuweisen versuchte. Zugleich lieferte Warner mit seiner »Theorie der sozialen Klassen« eine Erklärung sozialer Ungleichheit, indem er die »Klassen« nicht als Barrieren in der Gesellschaftsstruktur, sondern als Stufen des gesellschaftlichen Aufstiegs interpretierte und damit eine funktionale Konzeption von Ungleichheit entwickelte, in der sich die Wertvorstellungen der amerikanischen Gesellschaft[5] mit der vorfindbaren sozialen Realität in einen Begründungszusammenhang bringen ließen[6].

»A system of classes ... provides by its own values for movement up and down the social ladder. In common parlance, this is social climbing, as in technical terms, social mobility.«[7]

DIE BEDEUTUNG WARNERS FÜR DIE STRATIFIKATIONSFORSCHUNG

Warners eigenständige Interpretation der amerikanischen Sozialstruktur[8] ist in Deutschland nur beschränkt diskutiert worden[9], und seine Methoden wurden explizit unseres Wissens nur in zwei empirischen

Untersuchungen verwandt[10]. Dennoch läßt sich der Einfluß Warners auf die gesamte Schichtungs- und Mobilitätsforschung gar nicht hoch genug veranschlagen. Warners subjektiver »Klassenbegriff« und seine Untersuchungsmethoden verdrängten nicht nur in den Vereinigten Staaten weitgehend eine »objektive« Analyse der Sozialstruktur. Die Lynds[11] hatten in ihren Untersuchungen einen mehr »objektiven« Klassenbegriff verwandt, in dem die Bedeutung der ökonomischen Struktur für die Verteilung von Macht und Einfluß akzentuiert wurde, so daß sich hier der Einfluß der Theorien von Marx und Weber nachweisen läßt. Dieser Zweig der amerikanischen Sozialforschung wurde aber weder in Amerika noch in Europa weiter entwickelt und auch von Warner in seine Überlegungen nicht mit einbezogen. Statt dessen wurde Warners »subjektive« Betrachtungsweise zum dominanten Trend in der Stratifikationsforschung.

Warner war ursprünglich Sozialanthropologe und vertrat die Auffassung, daß unter bestimmten funktionalistischen Aspekten kein Unterschied zwischen Gesellschaften verschiedener Entwicklungsstufen bestehe. Seine Methode ist letztlich die der »vergleichenden Sozialanthropologie«[12]. Warners methodisches Vorgehen läßt sich an seinen Prämissen deutlich machen, aus denen er im Laufe seiner Untersuchungen spezielle Hypothesen ableitete[13]:

1. Das Objekt seiner Untersuchungen war die Gemeinde, die er als relativ autonomes sozio-kulturelles System auffaßte. Um ein getreues Abbild der amerikanischen Gesellschaft zu erhalten, untersuchte er mehrere Gemeinden in unterschiedlichen Gegenden, um durch den Vergleich der Forschungsergebnisse zu einem möglichst zutreffenden Bild über die Gesamtgesellschaft zu gelangen[14].
2. Die Gemeinde wird als ein »working whole«, als umfassendes Interaktionssystem betrachtet, in dem alle Phänomene aufgrund ihrer »Funktion« erklärt werden, die sie im Hinblick auf die Stabilität oder Instabilität des Gesamtsystems haben[15].
3. Innerhalb der Gesellschaft sind drei »allgemeine Typen der sozialen Kontrolle« zu unterscheiden[16], die untereinander in einem interdependenten Verhältnis stehen.
4. In jeder relativ »autonomen« Gemeinde existieren in etwa gleichartige Strukturen, die sich durch bestimmte Bezichungen der Mitglieder untereinander ausdrücken. Zu diesen Strukturen gehören die Familie, der Verband, die Kirche, die Kaste, die Klasse[17].
5. In allen Gemeinden ist eine dieser Strukturen die »fundamentale«,

sie ist gleichsam das Skelett[18] der Interaktionsbeziehungen. Diese »fundamentale Struktur« bestimmt die Vorstellungen des Individuums, auf sie bezieht es sich weitgehend in seinem sozialen Verhalten[19].

ZUM BEGRIFF DER »SOCIAL CLASS«

Warner benutzt in seinen Schriften überwiegend einen »Klassenbegriff« (social class), der mit dem Terminus »Klasse« im Sinne der marxistischen Klassentheorie *nicht* verwandt ist. Soweit in seinen Publikationen auch andere Termini verwendet werden (wie z. B. social layer, stratum, rank) sind damit keine anderen Phänomene bezeichnet. »Alle erwähnten Begriffe sind für Warner Synonyma.«[20] Warners »Klassenbgriff«, der besser als »Prestigebegriff« zu bezeichnen wäre, entspricht in seiner Konzeption dem amerikanischen Selbstverständnis[21] und bezieht sich ausschließlich auf das »Sozialprestige« von Personen oder Gruppen in der Gemeinde, wie es in den Untersuchungen der »Yankee City Reihe« dargestellt wird[22]. Dabei ist es interessant festzustellen, daß Warner bei seinen Untersuchungen ursprünglich von einer marxistisch inspirierten ökonomischen Hypothese ausging[23]. Auf der Suche nach der »fundamentalen Struktur« oder Gesellschaft nahm Warner zunächst an, daß diese Struktur ökonomischer Art sein müsse.

»It is believed that the fundamental structure of our society, that which ultimately controls and dominates the thinking and actions of our people, is economic, and that the most vital and far-reaching value-systems which motivate Americans are ultimately traced to an economic order.«[24]

Jedoch wurde diese Eingangshypothese bald durch eine genauere »Klassendefinition« ersetzt, die nicht mehr ökonomisch determiniert war. Es hatte sich bei der Felduntersuchung als schwierig erwiesen, Personen nach ökonomischen Kriterien, vorwiegend dem Einkommen, einzustufen, denn das Ergebnis dieser Vorgehensweise stand häufig im Widerspruch zur existenten Prestigeordnung.

»Other evidence began to accumulate which made it difficult to accept a simple economic hypothesis. Several men were doctors; and while some of them enjoyed the highest social status in the community and were so evaluated in the interviews, others were ranked beneath them although some of the latter were often admitted to be better physicians. Such ranking was frequently unconsciously done and for this reason was often more reliable than a conscious estimate of a man's status . . .«[25]

Warner kam durch Interviews und Beobachtungen zu dem Schluß, daß der persönliche Rang einer Person, ihr »Prestige«, eine Kombination mehrerer Variablen darstellt, die sowohl Besitz, Einkommen und Beruf als auch die sozialen Einstellungen und Verhaltensweisen mit umfaßt: »Social class refers to levels which are recognizable in the general behaviour and social attitude of the people of the whole community . . .«[26]

Warner entwickelte seinen »subjektiven« Klassenbegriff jedoch nicht aus einem ursprünglich »objektiv« definierten Terminus, dessen ökonomische Faktoren im Laufe der Untersuchung zunehmend unwichtiger wurden. Warner hat an keiner Stelle versucht, aufgrund »objektiver« Merkmale wie Beruf, Einkommen oder Besitz eine soziale Rangordnung aufzustellen. Die anfangs formulierte »ökonomische Hypothese« besagt lediglich, ». . . daß die Vorstellungen, die sich die Menschen von den einzelnen sozialen Klassen machen, mit jeweils bestimmten, klassentypischen ökonomischen Gegebenheiten zusammenhängen«[27].

Warner ging also von schichttypischen »subjektiven« Verhaltensweisen aus und nicht von den »objektiven« Bedingungen der Sozialstruktur, durch welche diese Verhaltensweisen determiniert sind. Er ließ später lediglich seine ursprüngliche Annahme über den Zusammenhang von ökonomischer Position und Sozialprestige fallen.

»On the basis of the attitudes of many informants of various social positions, together with observations of many kinds of social behaviour, the researchers concluded that the three main class divisions, recognized by the society could be objectively described.«[28]

Warner entwickelte in der Feldforschung eine »Klassendefinition«, welche die Ursachen für die ungleiche Positionsverteilung außer Betracht läßt. Er sah jedoch deutlich, daß mit der Zugehörigkeit zu bestimmten Gruppierungen (orders) bzw. Schichten unterschiedliche Privilegien verbunden waren. Die »ökonomische« Bedingtheit der existenten Ungleichheitsrelationen erschien ihm jedoch so unwichtig, daß er glaubte, sie vernachlässigen zu können. Er fand dieses Vorgehen durch seine empirischen Untersuchungen bestätigt und definierte den Klassenbegriff folgendermaßen:

»By class is meant two or more orders of people who are believed to be, and are accordingly ranked by the members of the community, in socially superior and inferior positions. Members of a class tend to marry within their own order, but the values of the society permit marriage up and down. A class system also provides that children are born into the same status as their parents. A class society distributes rights and privileges, duties and obligations, unequally among its inferior and superior grades.«[29]

Warners »Klassendefinition« enthält vor allem drei Aussagen:

1. In einer Klassengesellschaft sind »Rechte« und »Pflichten« ungleich verteilt, daraus ergeben sich unterschiedliche »Ränge«.
2. Im Unterschiede zu Kastengesellschaften ist in der Klassengesellschaft vertikale soziale Mobilität grundsätzlich möglich. Klassenordnung und Kastenordnung sind die zwei Typen der sozialen Stratifikation, nach denen alle vorkommenden Rangordnungen unterschieden werden können[30].
3. Schließlich enthält seine Definition die Aussage, daß soziale Klassen in der Rangordnung als »höher«- oder »tiefer«stehend eingeschätzt werden. Nach welchen Kriterien die Menschen sich dabei orientieren, bleibt in diesem Zusammenhang offen[31].

WARNERS EMPIRISCHE METHODEN ZUR UNTERSUCHUNG VON »KLASSENUNTERSCHIEDEN«

Warner kam es darauf an, die *tatsächlich existierenden* sozialen Klassen in der amerikanischen Gesellschaft nachzuweisen. Soziale Klassen waren für ihn nicht »Kategorien« zur Erklärung sozialer Phänomene, sondern wirklich vorhandene soziale Gruppierungen. Abgesehen von einigen Grenzfällen glaubte er zwischen den Klassen deutliche Trennungslinien wahrnehmen zu können, d. h. er unterstellte, daß die Unterschiede in der Vorstellung der befragten Personen »clear cut« seien. Warners methodisches Vorgehen ist jedoch nicht eindeutig. Einerseits betrachtete sich Warner als wissenschaftlichen Beobachter, dessen Anliegen es war, herauszufinden, welche Vorstellungen die Leute hinsichtlich der Existenz von Klassenunterschieden tatsächlich hatten.

»These social levels are not categories invented by social scientists to help explain what they have to say; they are groups recognized by the people of the community as being higher or lower in the life of the city.«[32]

Andererseits ergab sich während der empirischen Untersuchungen die Notwendigkeit, Personen oder Gruppen in die bereits festgestellten »Klassen« einzuordnen; in diesem Falle waren die »Klassen« doch wissenschaftliche Konstrukte zur Erfassung der gesellschaftlichen Wirklichkeit und keine realen sozialen Gruppierungen.

»Naturally there were many borderline cases ... In order to make a complete study, it was necessary to locate all of them in one of the six classes, and this we did to the best of our ability on the basis of the entire range of phenomena covered by our data.«[33]

Dieser Wechsel der Argumentationsebene hat bei Warner auch in seinem technischen Instrumentarium Ausdruck gefunden. Er entwickelte zwei Verfahrensweisen, die Methode der »Evaluated Participation« und einen »Index of Status Characteristics«, die beide ausführlich in seinem methodologischen Kompendium *Social Class in America*[34] dargestellt und erläutert werden. Beide Methoden wurden von Warner sowohl alternativ als auch kombiniert angewendet. Die Methode der »Evaluated Participation« geht von der Gesellschaft als einem sozialen Interaktionssystem aus, in dem sich die Mitglieder aufgrund ihrer erkennbaren Lebenslage und ihres Verhaltens gegenseitig nach dem sozialen Prestige einstufen. Es wird sozusagen vorausgesetzt, daß der Befragte eine Vorstellung über die Klassenstruktur der Vereinigten Staaten besitzt, diese Vorstellung allgemein verbreitet ist und eine hohe Übereinstimmung aller Befragten existiert. Unter diesen Annahmen wird die Befragung nach dem sozialen Status durchgeführt, um »Klassen« identifizieren zu können. Alle anderen Methoden[35] stellen nur geringe Modifikationen dieses Vorgehens dar.

Nun steht und fällt diese Methode jedoch mit der Zuverlässigkeit des sogenannten »Matched Agreement«, d.h. wenn die befragte Person nicht imstande ist, Kategorien anzugeben, nach denen sie die Einordnung vornimmt, sind die Ergebnisse unbrauchbar. Mit der »Evaluated Participation«-Methode wird die subjektive Vorstellung der Befragten ermittelt. Erst durch einen Vergleich von Selbsteinschätzung und Fremdeinschätzung ergibt sich die jeweilige Klassenzugehörigkeit einer Person oder Familie. Während die Methode der »Evaluated Participation« umfangreiche Befragungen notwendig macht, kann der

»Index of Status Characteristics« vergleichsweise einfach angewendet werden. »Beruf«, »Einkommen«, »Haustyp« und »Wohngegend« werden nach einem Punktsystem miteinander korreliert, um so die Klassenzugehörigkeit zu bestimmen. Auch diese Methode ist als »subjektiv« zu bezeichnen.

»Each of the characteristics and the points of their scales must reflect how Americans feel and think about the relative worth of each job, the sources of income which support them, and the evaluation of their houses and their neighbourhoods in which they live.«[36]

Der »Index of Status Characteristics« enthält in einfacher Form die gleichen Grundannahmen, die auch die erste Methode bestimmen: Die amerikanische Gesellschaft ist eine »Klassengesellschaft« in dem Sinne, daß in ihr soziale Rangunterschiede existieren, die sich einer bestimmten Zahl von Klassen zuordnen lassen.

Die Zahl der Klassen ist unterschiedlich. So identifizierte Warner in »Yankee-City«[37] sechs, in »Jonesville«[38] fünf, während er innerhalb der Negerbevölkerung[39] nur vier Klassen feststellen konnte. Ein antagonistisches »Zwei-Klassen-Schema« findet sich nirgends. Da die Klassenunterschiede sich aus einer Vielzahl von Merkmalen ergeben, von denen keines isoliert den Klassencharakter ausschließlich bestimmt, ergibt sich jenes Konstrukt der sozialen »Klasse« für Warner nicht idealtypisch, sondern »real« aufgrund empirischer Befunde, d. h., die Befragten haben gleichsam ein Klassenschema im Kopf, nach dem sie sich selbst und andere Personen einordnen.

DIE IDEOLOGISCHEN IMPLIKATIONEN DES WARNERSCHEN ANSATZES

Warners methodischer Ansatz und seine »Klassentheorie« sind von einigen seiner Kritiker als typischer Ausdruck konservativen Denkens beurteilt worden[40]. Überwiegend wird an Warners Studien kritisiert[41], daß seine Analyse der modernen amerikanischen Gesellschaft lediglich auf Gemeindestudien basiert. Das bezieht sich ebenso auf die von ihm verwandte »anthropologische« Methode wie auf seine »funktionalistische« Betrachtungsweise. Weiterhin wird bemängelt, daß in Warners zahlreichen Arbeiten weitgehend die Bezugnahme auf die europäische Soziologie fehlt[42], besonders auf Marx und Weber, ebensowenig wie die amerikanischen Untersuchungen Veblens, Sorokins und der Lynds miteinbezogen wurden. Diese Kritik trifft auf Marx jedoch nur bedingt zu. Wie die »ökonomische« Eingangshypothese Warners zeigte, versuchte er durchaus, einen Zusammenhang von »ökonomischer« Lage[43] und »klassenbedingtem« Verhalten herzustellen. Da aber Warner diese Beziehung »empirisch« nicht feststellen konnte, verwarf er diese Hypothese in ausdrücklicher Ablehnung des Marxschen ökonomischen Determinismus.

»There is fundamental disagreement among theorists about how strongly social stratification is dependent upon the economic and technical base. Karl Marx and his followers insist our class system and ideology are phenomena of a capitalism base . . . Other writers, admitting economic determinism, argue that class is a multi-factored phenomenon. The present writers belong to the second group.«[44]

In ihren Ergebnissen zeigen die Warner-Studien deshalb keinen Bezug zu ökonomischen Faktoren wie: Stellung im Produktionsprozeß, Einkommen oder Besitz, die als konstitutive Elemente bei der Herausbildung von Klassen die »objektiven« Bedingungen der gesellschaftlichen Struktur bestimmen. Durch alle diese Kritiken wird jedoch die Eigenart der Warnerschen »Klassentheorie« nicht erfaßt. Der Ausgangspunkt von Warners Untersuchungen der amerikanischen Klassenstruktur ist nachweisbar eine Verteidigung des »American Dream«, jenes Glaubens an die Werte der Demokratie, in denen sich Gleichheit mit Gerechtigkeit verbindet.

»The most significant characteristics of American class system – and the reason Americans think of it as being democratic – is the firm belief that there must be equality of opportunity for all and a chance for everyone to have his turn at best. Such a belief means that the system must provide for the rise of men and their families from lower to higher levels, or, to say it in the jargon of the social scientist, vertical social mobility must continually function in the lives of men if their system is to be democratic and successful.«[45]

Warner beginnt mit seinen Studien in den dreißiger Jahren, als der Glaube an den »American Dream« durch die Weltwirtschaftskrise erschüttert war. Befürchtungen, daß die amerikanische Klassenstruktur im Begriff sei, zunehmend starrer zu werden, ließen den »American Dream« als ein propagandistisches Mittel zur Aufrechterhaltung bestehender Ungleichheitsrelationen erscheinen[46]. Der Ausgangspunkt aller seiner Untersuchungen war der Versuch, nachzuweisen, daß zwischen dem Gleichheitsprinzip demokratischer Gesellschaften und der Existenz sozialer Klassen kein Widerspruch bestehen muß.

»When some men learn that *all* the American Dream does not fit *all* that is true about the realities of our life, they denounce the Dream and deny the truth of *any* of it. Fortunately, most of us are wiser and better adjusted to social reality; we recognize that, though it is called a Dream and though some of it is false, by virtue of our firm belief in it we have made some of it true. Despite the presence of social hierarchies which place people at higher and lower levels in American communities, the principles of Democracy do operate.«[47]

Warner glaubte, wenigstens im Hinblick auf die amerikanische Gesellschaft, ein positiv-funktionales Verhältnis zwischen der Gleichheit der Aufstiegschancen und den tatsächlichen sozialen Rangunterschieden zu erkennen[48]. Es kam Warner jedoch nicht darauf an, die bestehende Klassenordnung der Vereinigten Staaten zu sanktionieren, und er verkannte auch nicht, daß subjektive Bereitschaft ohne die objektive Möglichkeit zum Aufstieg unrealistisch ist. Seine Untersuchungen der Klassenstruktur verfolgten deshalb ein doppeltes Ziel: Einmal wollte er die Existenz sozialer Klassen dahingehend verdeutlichen, damit für den einzelnen die *Möglichkeiten* des sozialen Aufstieges deutlicher sichtbar wurden; zum anderen betrachtete Warner soziale Mobilität als ein Mittel zur Reduzierung von Konflikten in der Gesellschaft und wendete sich damit gegen die radikalere marxistische Richtung in der amerikanischen Soziologie[49], die allerdings in der amerikanischen Schichtungs- und Mobilitätsforschung unbedeutend geblieben ist. Seine Definition von »Mobilität« verband das Gleichheitspostulat der demokratischen Gesellschaft mit einer Konsensustheorie, die von Goldschmidt[50] als »pseudowissenschaftliche Ideologie« bezeichnet wurde. Warner schloß sich den vorwiegend an Marx orientierten Kritikern des amerikanischen Klassensystems nicht an. Der »American Dream« ist für ihn nicht schon deshalb unrealistisch, weil es in der amerikanischen Gesellschaft Klassen gibt[51]. Im Gegenteil, erst durch die Existenz einer sozialen Rangordnung ist dem einzelnen die Möglichkeit gegeben, aufzusteigen, um damit von der Chancengleichheit in einer demokratischen Gesellschaft Gebrauch zu machen[52].

»It is time we learn all basic facts of our status system and learn them through systematic, explicit training which will teach at least the adult student much of what he needs to know about status order, how it operates, how it fits into the system, and what he should do to improve his position or make his present more tolerable.«[53]

Die Ideologie, d. h. die Annahmen über eine egalitäre amerikanische Gesellschaft und die Realität, d. h. das vorfindbare System gesellschaftlicher Ungleichheit, werden von Warner in eine funktionale Beziehung gebracht. Damit hat Warner ein spezifisch amerikanisches Leitbild in seine Analyse der Klassenstruktur mit einbezogen. Die Klassenstruktur selbst gehört nach Warner zu den existentiellen Voraussetzungen jeder gesellschaftlichen Ordnung, die komplexe Gesellschaften zum Überleben benötigen. Diese *funktionale Konzeption von Ungleichheit* ist der Schlüssel zu Warners Untersuchungen der sozialen Klassen in Amerika; sie steht mit seinen gesellschaftspolitischen Intentionen in engem Zusammenhang und wurde in dieser Interpretation ein grundlegender Erklärungsversuch sozialer Ungleichheit in egalitären demokratischen Gesellschaften.

»Warner's theory seems to provide a convenient »refutation« of Marx. Its static concept of the social structure neatly bypasses the possibility of clashing economic interests which, under given circumstances, may lead to organized class action and fundamental changes of the class structure. Limiting its attention to social status, this theory substitutes the pleasant picture of a stable status hierarchy where the only problem concerns the adjustment of individuals to the existing arrangements and their chances to improve their personal position. The danger of this narrow view lies not only in the fact that it presents an unrealistic and inadequate picture of the class structure but also in its use as a possible ideological prop for the uncritical defense of the status quo.«[54]

Warners Untersuchungen der amerikanischen Klassenstruktur haben einen wesentlichen Einfluß auf die Entwicklung der amerikanischen und europäischen Schichtungs- und Mobilitätsforschung gehabt, und zwar lassen sich vorwiegend drei Einflußlinien nachweisen, die für den gesamten Komplex der vertikalen Mobilität von Bedeutung sind:

1. Warners *empirische Methoden* sind weitgehend übernommen worden. Die meisten Schichtungs- und Mobilitätsuntersuchungen verwenden die eine oder andere Form der Prestigeabstufung, unabhängig

davon, ob von sogenannten »objektiven«[55], »subjektiven«[56] oder multiplen »Statusindizes«[57] ausgegangen wird. Was vom »Warner Approach« übernommen wird, ist vor allem die »subjektive« empirische Betrachtungsweise des statusbestimmenden Verhaltens als Grundlage der sozialen Schichtung. Wie viele Schichten sich auf diese Weise in der Gesellschaft jeweils differenzieren lassen, welche »Klassengrenzen« sich finden oder ob genauer von einem Kontinuum zu sprechen ist, kann hier unerörtert bleiben. Die Ablösung des individuellen Verhaltens von den strukturellen Bedingungen der Gesellschaft wurde durch Warner eindeutiger vollzogen als es Weber mit der analytischen Aufspaltung des Klassenbegriffes allein gelungen war.

2. Warners *methodisches Vorgehen*, die Sozialstruktur kleiner Gemeinden zu untersuchen, um daraus Rückschlüsse auf die Ungleichheitsstruktur der Vereinigten Staaten insgesamt zu ziehen, wird häufig kritisiert[58], seine Methode, die gesellschaftliche Rangordnung mittels des Prestiges als Maßstab des sozialen Ansehens zu ermitteln, ist aber allgemein übernommen worden. Inwieweit die Statusschichtung der Gemeinde – oft als »community-rank« bezeichnet – mit der Schichtung der ganzen Gesellschaft übereinstimmt, läßt sich nicht zwingend beantworten, es ist jedoch zum mindesten zweifelhaft, ob beide als soziologisch kongruente, miteinander verbundene Strukturen zu betrachten sind[59]. Das wird deutlich, wenn die aus den Kriterien der sozialen Einschätzung konstruierte Statusschichtung auf die Gesamtgesellschaft übertragen wird, um Aussagen über Art und Umfang vertikaler sozialer Mobilitätsbewegungen abzuleiten. Das eigentliche Problem ergibt sich dabei nicht aus der mangelnden Generalisierbarkeit der Ergebnisse[60] – die Möglichkeit, »mobil« zu werden, ist vermutlich in den einzelnen Gemeinden unterschiedlich –, sondern in der Beschränkung auf die Prestigedimension, in der »Mobilität« lediglich als Veränderung eines »subjektiv« empfundenen sozialen Ansehens definiert wird, was zu einer weitgehenden Vernachlässigung der »objektiven« Bedingungen der Sozialstruktur führt. Die Frage nach den ökonomischen Voraussetzungen für die Erringung und Bewahrung von sozialem Ansehen bleibt unbeantwortet[61], das dynamische Verhältnis zwischen beiden Faktoren unreflektiert. Warners Vorgehen ist als unhistorisch zu bezeichnen, ein Mangel, der dazu führte, soziale Phänomene zu behandeln, als seien sie unveränderbar[62]. »We believe this distortion to be unwarranted and unnecessary.«[63]

3. Warners *funktionalistische Betrachtungsweise*[64], nach der jede

Gesellschaft als ein »working whole« aufzufassen ist, in der jedes Element zur Aufrechterhaltung des Systems beiträgt, wurde in der strukturell-funktionalen Theorie[65] von Parsons, Davis, Moore und anderen weiter ausgebaut. Die soziale Schichtung oder die Existenz gesellschaftlicher Ungleichheit wird in funktionalistischer Sichtweise zu einem notwendigen Bestandteil auch demokratischer Gesellschaften und versöhnt den einzelnen mit der existierenden sozialen Ungleichheit. Durch das Vorhandensein von Aufstiegsmöglichkeiten, d. h. durch *vertikale Mobilität*, wird die postulierte »Gleichheit« zu einer Chancengleichheit aller reduziert. Jeder hat nach Warner in einer demokratischen Gesellschaft die Möglichkeit, »to go ahead«. Das entspricht dem »American Dream« und hat zugleich die Funktion, möglichen Konflikten vorzubeugen. Denn solange die Chance zum sozialen Aufstieg »remains open to the children of workers and other members of the lower class, their frustration will not be sufficient to be explosive«[66].

Es war deshalb Warners Anliegen, die offensichtlich starrer werdende Klassenstruktur der Vereinigten Staaten für vertikale Mobilitätsbewegungen »durchlässig« zu erhalten. Obgleich Warner als Exponent der strukturell-funktionalen Schule betrachtet werden kann, ist sein Werk weitgehend deskriptiv und von geringer theoretischer Abstraktion. Warners ideologische Implikationen und seine funktionale Konzeption sozialer Ungleichheit sind jedoch, wenn auch in veränderter Form, in die theoretischen Orientierungen der Schichtungs- und Mobilitätsforschung eingegangen.

ZUSAMMENFASSUNG DER BISHERIGEN DISKUSSION: ÜBER DIE INTERDEPENDENZ VON SCHICHTUNGS- UND MOBILITÄTSFORSCHUNG

Die nicht ganz unbeabsichtigte Folge der Warner-Studien war jene fast ausschließlich auf die Prestigedimension beschränkte Perspektive in der Schichtungs- und Mobilitätsforschung, in der ein anthropologisch geprägter Prestigebegriff weitgehend das Forschungskonzept bestimmte. »It has been an unanticipated consequence of this orientation that the discussion of class and status in the literature of American Sociology has become increasingly ahistorical over the past fiftheen years. This has resulted from the increased emphasis on the methodology of public opinion surveys and from the dominance of functional concepts derived from social anthropology. Both emphases, survey method and functional analysis, are ahistorical. The survey »methodologist« can only measure people's behaviour as it exists at the present time, or as it has changed in some recent period.«[67]

Die Auseinandersetzung mit der Marxschen Klassentheorie führte nicht, wie Weber angeregt hatte, zu einer Modifizierung oder Erweiterung des Marxschen Ansatzes, sondern auf dem Umweg über die Praxis der empirischen Sozialforschung zu einer weitgehend pragmatischen Forschungsperspektive. Die Annahme, Warners Prestigebegriff lasse sich auf Weber zurückführen, muß als Irrtum bezeichnet werden. Der Einfluß Webers auf die amerikanische Schichtungs- und Mobilitätsforschung ist in Wirklichkeit außerordentlich gering gewesen. Weber ist erst verhältnismäßig spät (etwa seit 1937) vor allem durch Parsons in den USA bekannt geworden. Die Marxsche Klassentheorie war zu dieser Zeit jedoch allgemein bekannt.

»Obwohl Weber sehr häufig und besonders für didaktische Zwecke zitiert wird, zeigt eine Prüfung dieses Bandes (Class, Status, and Power, H. R.), daß sein Einfluß auf die Forschung relativ gering ist.«[68]

Die Einseitigkeit einer auf die Prestigedimension reduzierten Analyse sozialer Ungleichheit wurde zwar längst erkannt, konnte bis heute jedoch nicht überwunden werden. Historisch gesehen existierte eine enge Verbindung zwischen dem »Eigentum« und der dadurch bedingten »Macht«, andere Menschen zu kontrollieren oder ihre Lebenschancen zu bestimmen. Das war der Ausgangspunkt der Marxschen Analyse. Der Einwand von Weber, daß neben dem Besitz von Produktionsmitteln noch andere Faktoren Machtpositionen begründen, ist als Erweiterung des Marxschen Ansatzes zu verstehen, wurde jedoch von der Schichtungs- und Mobilitätsforschung nicht aufgenommen oder weiterentwickelt[69]. Die aus »subjektiven« Kriterien konstruierte Statusschichtung bezieht sich jedoch lediglich auf eine Differenzierung nach dem Prestige und blendet die Ursachen der ungleichen Statusverteilung aus. So wurde soziale Mobilität fast ausschließlich als Bewegung zwischen beruflichen Positionen unterschiedlichen Prestiges analysiert und Bewegungen in anderen Dimensionen sozialer Ungleichheit, wie etwa zwischen Positionen unterschiedlicher Macht, Verfügungsgewalt, Gratifikationen u. a.[70] nicht beachtet.

»Studies of mobility, however, tend to concentrate on movements in occupational positions. *This emphasis neglects other dimensions of mobility: movements in economic and/or political power: movements in social position in community.* While occupational change correlates to an extent with change in income, social position and political power, it is not a reliable indicator of such change.«[71]

Nun ist jedoch bei der Erforschung vertikaler sozialer Mobilitätsbewegungen in der Berufsprestigedimension[72] ein zweistufiges Vorgehen notwendig, um zwischen dem Stratifikationsgefüge[73] bzw. der Berufsprestigeordnung und den Mobilitätsbewegungen eine Verbindung herzustellen: Sozialschichtung und soziale Mobilität müssen zueinander in Beziehung gesetzt werden. Wie im einzelnen noch gezeigt werden wird, ergibt sich aus diesem zweistufigen Vorgehen zugleich eine doppelte Argumentation bezüglich der Bedeutung von Mobilitätsprozessen:

1. Einmal werden mit »demokratischen« Argumenten die Modalitäten des vorwiegend beruflichen Statuserwerbs und die Chancen des einzelnen, Zugang zu bestimmten Positionen zu erhalten, im Hinblick auf den Aspekt der »Chancengleichheit« analysiert.

2. Zum anderen werden in »funktionalistischer« Betrachtungsweise Mobilitätshäufigkeiten als Zeichen einer »durchlässigen« Sozialstruktur gewertet, um die Annahme zu stützen, daß umfangreiche Auf- und Abstiegsbewegungen dem Zweck dienen, berufliche Positionen nach »Fähigkeit« und »Leistung« zuzuweisen. Die Meinung, daß eine »durchlässige« Sozialstruktur zugleich das Konfliktpotential in der Gesellschaft reduziert, wird nur gelegentlich explizit vertreten, obgleich die Hoffnung, auf diese Weise eine Widerlegung der marxistischen Klassentheorie zu erreichen, die ideologischen Verzerrungen der Schichtungs- und Mobilitätsforschung weitgehend impliziert hat.

Sowohl die »demokratischen« als auch die »funktionalistischen« Argumente orientieren sich an dem Modell einer »offenen« Gesellschaft, deren Statuszuweisungsprozesse leistungs- und nicht herkunftsbestimmt geregelt sind. Die Gedankenverbindung, aus »hohen« Mobilitätsraten lasse sich auf den Umfang realisierter »Chancengleichheit« rückschließen, ergibt sich dabei aus einer Umkehrung der ursprünglich »bürgerlichen« Forderung nach Aufhebung der Standesschranken: Eine freie Berufswahl begünstigt Mobilität; »hohe« Mobilitätsraten wiederum belegen eine weitgehende Verwirklichung von Chancengleichheit.

Die folgende Darstellung der Methoden und Ergebnisse der vertikalen sozialen Mobilitätsforschung in der Bundesrepublik soll diese Argumentation anhand empirischer Befunde erörtern, um die Problematik einer Interpretation zu verdeutlichen, die Mobilitätshäufigkeiten schlechthin als Ausdruck existierender »Chancengleichheit« akzeptiert, ohne zu berücksichtigen, welche Veränderung der »Lebenschancen« für den einzelnen damit verbunden sind.

VI

Untersuchungen zur vertikalen sozialen Mobilität in der Bundesrepublik seit 1945

Die Mobilitätsforschung in der Bundesrepublik entwickelte sich nach dem letzten Kriege weitgehend aus der Frage, in welchem Umfange die Folgen des Krieges, die Massenbewegungen der Flüchtlinge[1] und schließlich der erfolgreiche Wiederaufbau der westdeutschen Industrie Veränderungen in der Sozialstruktur und in der beruflichen Zusammensetzung der Bevölkerung seit 1939 verursacht hatten. Die bereits in den zwanziger Jahren durchgeführten Untersuchungen[2] dienten dabei ebenso als Vorlage zur Entwicklung von Forschungskonzepten wie die zahlreichen, vor allem amerikanischen Studien zum Thema »Mobilität«[3] in den vierziger und fünfziger Jahren. Die quasi »Laboratoriumsbedingungen«[4] in der Bundesrepublik schienen für eine Erforschung von Schichtung und Mobilität insofern besonders geeignet, weil sie eine Überprüfung der in den USA aufgestellten Hypothesen über die Ursachen und Folgen sozialer Mobilitätsprozesse möglich machten.

Durch die Bemühungen des »Committee on Social Stratification and Social Mobility« der International Sociological Association (ISA)[5] entstand ein intensiver wissenschaftlicher Kontakt, durch den auch die Bundesrepublik in den internationalen Erfahrungsaustausch wieder mit eingeschlossen wurde, der seit 1933 weitgehend abgerissen war.

Insgesamt ist die empirische Forschung der Bundesrepublik im Bereich Schichtung und Mobilität nicht sehr umfangreich[6]. Die bekannteste Veröffentlichung zur vertikalen Mobilität in der Bundesrepublik von M. Janowitz beruht zudem teilweise auf einem etwas problematischen Datenmaterial[7], andere Untersuchungen beschränken sich lediglich auf bestimmte Gebiete wie Schleswig-Holstein (Bolte) oder eine einzelne Stadt wie Euskirchen (Mayntz). Die Ergebnisse aller dieser Untersuchungen sollen trotz des zum Ausdruck gebrachten Vorbehalts bezüglich der Aussagefähigkeit der Studien zum Thema »Mobilität in der Bundesrepublik« vergleichend dargestellt werden[8], einmal, weil kein anderes Material zur Verfügung steht, zum anderen, weil das Forschungskonzept der Studien weitgehend dem international üblichen

Verfahren zur Messung von Mobilitätshäufigkeiten entspricht. Wir wollen versuchen, einen Überblick über die Fragestellungen, Methoden und Ergebnisse der Mobilitätsforschung in der Bundesrepublik zu geben, um die Problematik dieses speziellen Forschungsbereiches darstellen und seine Ergebnisse kritisch überprüfen zu können.

ANMERKUNGEN ZUM FORSCHUNGSKONZEPT VERTIKALER SOZIALER MOBILITÄTSSTUDIEN IN DER BUNDESREPUBLIK

In der Sozialforschung der Bundesrepublik werden vertikale Mobilitätsbewegungen vorwiegend als Veränderung des Berufsprestiges analysiert[9]. Zu diesem Zweck müssen die Berufe in eine Rangordnung gebracht werden[10], aus der sich das unterschiedliche »Prestige« im Sinne einer höheren oder tieferen Einschätzung der Positionen ablesen läßt[11]. Das Ziel dieses Rangordnungsverfahrens ist es, prestigeunterschiedliche Berufe zu Ranggruppen zusammenzufassen, um einen fixen Rahmen zur Messung von Auf- und Abstiegsbewegungen zu erhalten[12]. Die Ordnungsprinzipien, nach denen Berufsrangordnungen aufgestellt werden[13], scheinen in allen Ländern gleich zu sein und führen mit charakteristischen Abweichungen zu einer übereinstimmenden Bewertung der Berufe. »Berufsprestige« wird weitgehend als relative Wertschätzung des eigenen Berufes im Vergleich zu anderen Berufen verstanden[14]. Der Einwand, daß die so gefundene Skala lediglich ein Produkt von Durchschnittsberechnungen sei, wird zurückgewiesen[15]. Für die praktische Verwendung der Prestigeskalen in Mobilitätsuntersuchungen war es jedoch notwendig, ähnlich bewertete, der gleichen »Schicht« zugeordnete Berufe zu Ranggruppen oder Ordnungsgruppen zusammenzufassen, um Aufstiege bzw. Abstiege »zählen« zu können. Die verschiedenen Autoren kommen teilweise zu gleichen, aber auch zu abweichenden Ranggruppeneinteilungen[16], wie sich aus Schaubild 1 ersehen läßt.

Der Zusammenhang zwischen dem komplizierten Rangordnungsverfahren zur Messung des Berufsprestiges und den zur Feststellung von Mobilitätshäufigkeiten zugrunde gelegten Rang- und Ordnungsgruppen ist nicht einsichtig. Wir erneuern deshalb unseren schon früher vorgebrachten Einwand[17], daß »Schichtung« und »Mobilität« erst relativ spät miteinander in Verbindung gebracht wurden, um horizontale

Schaubild 1

Berufsgliederung der Bevölkerung nach Ranggruppen[18]

	Bolte (1955)	Mayntz (1958)	Janowitz (1958)
OM (Ranggruppe IV)	Gutsbesitzer, Akademiker, Fabrikdirektor	Höhere Beamte und Angestellte, Freie Berufe, Unternehmer, Gutsbesitzer	Freie Berufe, leitende Angestellte, höhere Beamte, wohlhabende Geschäftsleute
UM (Ranggruppe III)	mittlere Gewerbetreibende, gehob. kaufm. und handwerkl.-industrielle Tätigkeiten, gelernte kaufm. und handwerkl. Tätigkeiten	Selbständige, einschl. Landwirte, mittl. Angestellte und Beamte	mittl. u. untere Angestellte und Beamte, selbständige Gewerbetreibende und Handwerker
OU (Ranggruppe II)	angelernte, nicht techn.-industrielle Berufe	Facharbeiter, einfache Angestellte und Beamte	gelernte Arbeiter und unselbständige Handwerker
UU (Ranggruppe I)	ungelernte Berufe	angelernte Arbeiter, Landarbeiter	an- und ungelernte Arbeiter

Berufswechsel in der Vertikalen als Auf- oder Abstiege analysieren zu können. Die bis dahin durch Herkunftsstudien u. ä.[19] untersuchte horizontale Mobilität wird durch die hierarchische Anordnung der Berufe in der Prestigedimension zur vertikalen Berufsprestigemobilität.

Die Konstruktion von Schichtmodellen[21], um den Aufstieg bzw. Abstieg von Individuen in der Berufshierarchie zu erfassen, und das Auswerten von Mobilitätstabellen im Hinblick auf intergenerationalen Berufswechsel[20] stehen weitgehend unverbunden nebeneinander und werden durch einen methodisch nicht einwandfreien Vorgang zueinander in Beziehung gesetzt. Das wird deutlich, wenn man sich die einzelnen Schritte zur Erfassung der Intergenerationen-Berufsmobilität vergegenwärtigt:

1. Aufstellung einer Berufsprestigeskala unter Verwendung verschiedener Methoden (Selbsteinschätzung, Fremdeinschätzung, Indexberechnung).
2. Einordnung der erfragten (Interview) oder dem verfügbaren statistischen Material entnommenen Berufe (aus Kirchenbüchern, standesamtlichen Unterlagen u. ä.) in die vorliegende Berufsprestigeskala.
3. Zusammenfassung bestimmter Berufe zu Ranggruppen oder Schichten[22].
4. Klassifizierung der Auf- und Abstiegsbewegungen als Wechsel der beruflichen Position vom Vater zum Sohne[23] als Auf- oder Abstieg zwischen Berufsprestigeranggruppen (Intergenerationen-Berufsmobilität).

Die Einteilung der rangmäßig geordneten Berufe in eine Anzahl von »Schichten« ist aufgrund bestimmter Überlegungen in sehr unterschiedlicher Weise vorgenommen worden, wie es die Ausführungen von Bolte[24] und Mayntz[25] zeigen. Die Gegenüberstellung im Schaubild 1 verwischt diesen Vorgang insofern, als die Ranggruppeneinteilung mehr nach pragmatischen Gesichtspunkten zusammengestellt erscheint[26], was in Wirklichkeit nicht der Fall ist. Die Überlegungen, die zur Konstruktion von Ranggruppen oder »Schichten« führen, sind stets »empirisch« abgesichert.

DARSTELLUNG EINIGER EXEMPLARISCHER STUDIEN ZUR VERTIKALEN MOBILITÄTSFORSCHUNG

Auskunft über den Umfang der vertikalen Intergenerationen-Berufsmobilität von Männern läßt sich in einer Reihe empirischer Studien finden, die aus den fünfziger und sechziger Jahren stammen. Das Datenmaterial, das von verschiedenen Instituten erhoben wurde[27], ist größtenteils nur unvollkommen ausgewertet worden. Die Auswahlverfahren sind unterschiedlich, denn sowohl Wahrscheinlichkeits- als auch Quotensamples fanden Verwendung. Die im folgenden zu diskutierenden Veröffentlichungen zur vertikalen sozialen Mobilität in der Bundesrepublik haben teilweise auf dieses Datenmaterial zurückgegriffen – so Janowitz, Daheim und Kleining – während Bolte und Mayntz eigene Erhebungen zugrunde legten.

1. Erste Untersuchungen zum Thema berufliche Mobilität wurden im Jahre 1953 vom Institut für Demoskopie in Allensbach durchgeführt, deren Ergebnisse teilweise in dem Buch von E. Reigrotzki[28] veröffentlicht wurden.
2. Eine Studie des DIVO-Institutes (Frankfurt) aus dem Jahre 1955 stützt sich auf ein repräsentatives Sample von 3 385 Personen. Untersucht wurden sowohl Inter- als auch Intragenerationen-Berufsmobilität. Diese Studie wurde von Janowitz[29] ausgewertet.
3. Eine Repräsentativbefragung des DIVO-Instituts aus dem Jahre 1959 über Berufsprestigeveränderungen der Erwerbstätigen im Vergleich zur Vätergeneration, über die Hans-Jürgen Daheim berichtet[30].
4. Repräsentative Studie der WEMA-Institute[31] in Köln aus dem Jahre 1967 zur Ermittlung der Intergenerationen-Berufsprestigemobilität.
5. Eine umfangreiche Repräsentativerhebung zur Intergenerationen-Berufsprestigemobilität von Männern wurde 1969/70 von den Frankfurter Instituten DIVO und MARPLAN durchgeführt. Einen kürzeren Ergebnisbericht veröffentlichte Gerhard Kleining[32].

Eine Zusammenfassung und Gegenüberstellung der Zahlen aus den verschiedenen Studien findet sich bei Reinhard Kreckel[33]. Da die Befragungsunterlagen im allgemeinen nicht zugänglich sind, sollen die greifbaren Buchveröffentlichungen zum Thema »Vertikale Mobilität in der Bundesrepublik« in der Reihenfolge ihres Erscheinungsdatums referiert werden[34]. Wir beginnen mit den regional begrenzten Untersuchungen von K. M. Bolte und R. Mayntz, obgleich hier *keine Daten über die Mobilität in der Bundesrepublik* enthalten sind. Die Vorgehensweisen zur Ermittlung des Berufsprestiges und der Mobilitätshäufigkeiten werden jedoch besonders genau beschrieben, so daß der Mangel an Repräsentativität bei dem ohnehin vorliegenden Methodenpluralismus weniger gravierend einzuschätzen ist. Bei dem zusammenfassenden Vergleich müssen diese Einschränkungen jedoch berücksichtigt werden.

DIE UNTERSUCHUNGEN ZUR BERUFSPRESTIGE-MOBILITÄT IN SCHLESWIG-HOLSTEIN VON K. M. BOLTE (1955)

Die Veröffentlichung von K. M. Bolte, *Sozialer Aufstieg und Abstieg*[35], kann als erster Versuch in Deutschland betrachtet werden, den Anschluß an die internationale Mobilitätsforschung wiederherzustellen. Die Frage, inwieweit die Ereignisse der Kriegs- und Nachkriegszeit zu einer Umbesetzung in der sozialen Hierarchie geführt hatten, bedeutete für ein Bundesland wie Schleswig-Holstein, in dem das Flüchtlingsproblem besonders gravierend war, eine naheliegende Forschungsperspektive. Im Mittelpunkt der Darstellung von Bolte steht deshalb die empirische Analyse von vertikalen Mobilitätsbewegungen innerhalb der deutschen Bevölkerung[36], regional begrenzt auf das Gebiet von Schleswig-Holstein.

Die Untersuchung von Bolte besteht bei genauer Betrachtung aus zwei weitgehend gleichgewichtigen Teilen, die das in der vertikalen Mobilitätsforschung übliche zweistufige Vorgehen besonders deutlich machen: Die eine Hälfte des Buches beschäftigt sich mit der *Prestigedifferenzierung der Berufe und der Ranggliederung sozialer Positionen*[37] und bezieht sich dabei weitgehend auf die vorhandene amerikanische Literatur zu diesem Thema[38], die zu Beginn der fünfziger Jahre bereits sehr umfangreich, in der Bundesrepublik jedoch unbekannt war. Der zweite Teil ist dem Versuch gewidmet, *vertikale Mobilitätsbewegungen* bzw. Auf- und Abstiege zwischen den verschiedenen »Rängen« oder »Schichten« der Gesellschaft *empirisch zu erfassen*[39]. Die bereits existierenden deutschen Untersuchungen der dreißiger Jahre, etwa von Nothaas[40] und Geiger[41], wurden mit einbezogen; letztlich bestimmten jedoch die Konzeptionen der amerikanischen Schichtungs- und Mobilitätsforschung weitgehend die Forschungsperspektive. In einigen Kapiteln befaßt sich Bolte intensiv mit theoretischen Überlegungen[42]. Der Schwerpunkt der Arbeit liegt aber eindeutig auf der empirischen Untersuchung von vertikalen Mobilitätsbewegungen, so daß in diesem Sinne die Aufstellung und Überprüfung der Berufsprestigeskala lediglich als Voruntersuchung zu betrachten ist[43].

Bolte unterscheidet im Rangaufbau der Gesellschaft vier Prestigestufen, die in den »Ballungen« des Berufssortiments empirisch nachweisbar sind und sich voneinander deutlich als prestigeunterschiedlich absetzen[44].

Tabelle 1

Einheimische Bevölkerung nach Prestigestufen[45]

	I	II	III	IV
ältere Befragte Durchschnittsalter 41 Position 1939	20,6	49,8	26,3	3,3
jüngere Befragte Durchschnittsalter 36 Position 1953	18,7	54,5	22,2	4,6

Die Aufschlüsselung nach Altersgruppen ergibt vergleichsweise geringe Unterschiede bei der Zuordnung zu den Prestigestufen, so daß beide Befragtengruppen bei der weiteren Argumentation zusammengefaßt wurden. In den vier Prestigestufen (IV = höchste; I = niedrigste) ergeben sich entsprechend Boltes Ranggruppeneinteilung (vgl. Schaubild 1) folgende Verteilungen in der Berufsschichtung der Bevölkerung Westdeutschlands:

4 % sind Akademiker, Fabrikbesitzer, Gutsbesitzer (Prestigestufe IV); 24,3 % sind selbständige Gewerbetreibende oder üben gelernte Tätigkeiten in Handwerk oder Industrie aus (Prestigestufe III); 52,2 % verrichten angelernte Tätigkeiten (Prestigestufe II) und 19,7 % sind in ungelernten Tätigkeiten beschäftigt (Prestigestufe I). Faßt man Stufe III und II zusammen, dann sind 76,5 % aller Erwerbstätigen in gelernten oder angelernten Tätigkeiten beschäftigt und würden sich selbst als Angehörige der »Mittelklasse« bezeichnen.

Die Verteilung der Berufspositionen entsprechend ihrem Prestige läßt sich im folgenden Schaubild in Form einer »Zwiebel« darstellen, das die starke Besetzung der Mittelklassepositionen symbolisch hervorhebt.

Die für die einzelnen Prestigestufen errechneten Auf- und Abstiege sind aus untenstehender Tabelle zu ersehen: Durch eine Aufgliederung der Befragten nach ihrer eigenen Rangzugehörigkeit und der ihrer Väter lassen sich die intergenerationalen Mobilitätswerte ablesen, die das prozentuale Verhältnis der aufwärts zu den abwärts Mobilen ebenso ausweist wie die Zahl derjenigen, die in der gleichen Prestigestufe geblieben sind.

Schaubild 2

Berufsverteilung nach Prestigestufen[46]

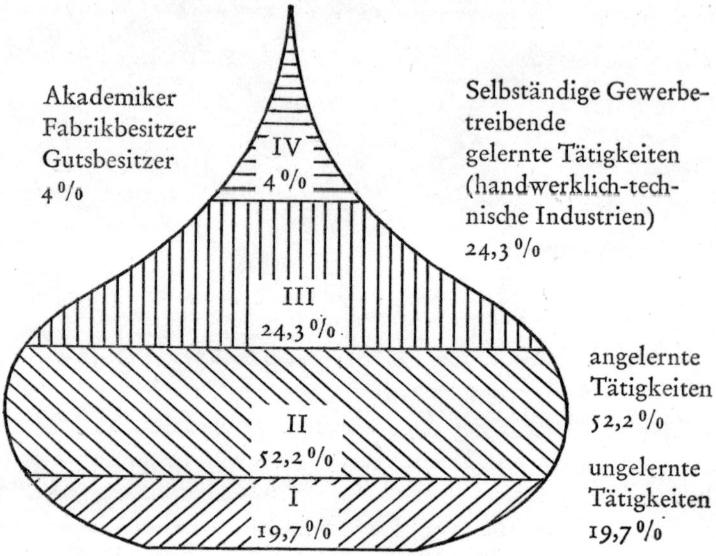

Tabelle 2

Auf- und Abstiege im Generationenwechsel: Berufe der Befragtengruppen im Vergleich zur Position des Vaters[47]

ältere Einheimische	aufgestiegen	24,8 %
(Berufe 1939)	gleichgeblieben	54,2 %
	abgestiegen	21,0 %
ältere Flüchtlinge	aufgestiegen	18,2 %
(Berufe 1939)	gleichgeblieben	63,6 %
	abgestiegen	18,2 %
jüngere Einheimische	aufgestiegen	21,4 %
(Berufe 1953)	gleichgeblieben	51,8 %
	abgestiegen	26,8 %
jüngere Flüchtlinge	aufgestiegen	17,7 %
(Berufe 1953)	gleichgeblieben	48,6 %
	abgestiegen	33,7 %

Aus der Tabelle 2 läßt sich ersehen, daß in allen Befragtengruppen ungefähr 50 % der Personen in den gleichen Rangstufen wie ihre Väter verblieben sind. Der Unterschied in den Aufstiegsanteilen zwischen älteren und jüngeren Personen wird von Bolte sowohl auf den Altersunterschied[48] als auch die Kriegsereignisse zurückgeführt. Insgesamt – eine Ausnahme sind die jüngeren Flüchtlinge[49] – halten sich Auf- und Abstiegsprozesse in etwa die Waage[50].

Betrachtet man die Beziehung zwischen Vater- und Sohn-Beruf mit Hilfe des Assoziationsindex, der den wahrscheinlichen mit dem tatsächlichen Anteil der Zugänge zu bestimmten Berufsgruppen vergleicht[51], dann läßt sich in allen Stufen ein deutliches Überwiegen der Berufsvererbung zwischen Vater und Sohn feststellen. Dabei weisen die Rangstufen I und IV die höchsten Werte auf. Söhne, deren Väter ebenfalls der obersten Rangstufe angehören, finden sich sechsmal häufiger in der Prestigestufe IV als es einer wahrscheinlichen Verteilung entsprochen hätte[52].

Diese Tendenzen lassen sich im großen und ganzen in fast allen Mobilitätsuntersuchungen feststellen.

Tabelle 3

Assoziationsindices für gleiche Prestigestufen von Vater und Sohn[53]

Rangstufe	*Ältere Befragte* (1939)			*Jüngere Befragte* (1953)		
	E + F	E	F	E + F	E	F
I	2,19	2,01	2,63	1,81	1,75	1,85
II	1,39	1,30	1,58	1,24	1,24	1,21
III	1,58	1,59	1,52	1,88	1,94	1,80
IV	6,26	5,89	6,73	3,97	5,41	1,67

I = unterste Rangstufe; E = Einheimische; F = Flüchtlinge

Die gesamte Entwicklung deutet nach Bolte auf eine relative Stabilität und Immobilität in den oberen und unteren Prestigestufen hin[54]. »Bewegungen, die aus dem väterlichen Tätigkeitsbereich oder der Prestigestufe hinausführen, gehen im wesentlichen in benachbarte Bereiche. Extreme Auf- und Abwärtsbewegungen sind vorhanden, aber selten.«[55]

DIE UNTERSUCHUNGEN ZUR BERUFSMOBILITÄT IN EUSKIRCHEN VON R. MAYNTZ (1958)

In der Untersuchung der sozialen Schichtung und der beruflichen Mobilität in Euskirchen von R. Mayntz[56] wird die Analyse der Prestigeordnung der verschiedenen Berufe einer Gemeinde zwar ebenfalls in einem »subjektiven« Rangordnungsverfahren vorgenommen, jedoch durch eine »objektive« Indexberechnung ergänzt[57]. Die Bestimmungsgründe des Sozialprestiges wurden durch bestimmte Kriterien wie: Beruf, Einkommen, Bildung, Wohnverhältnisse und Haushaltsausstattung überprüft, um die Bedeutung dieser »objektiven« Merkmale für das Prestige von Berufspositionen mit einzubeziehen. Der Einfluß dieser Faktoren auf die Bewertung des sozialen Status wurde durch ein Punktsystem in Rechnung gestellt[58]. Auf diese Weise gelingt es

Schaubild 3

Verteilung der Bevölkerung nach dem Statusindex[59]

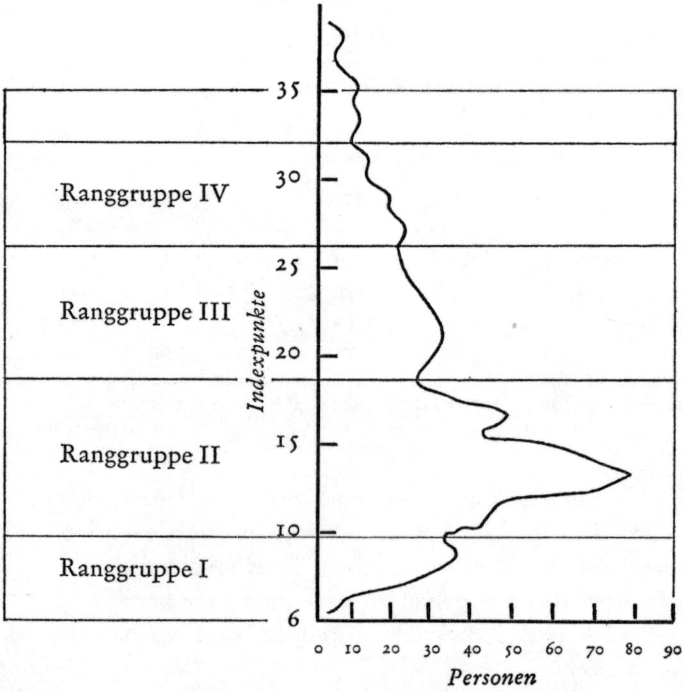

Mayntz genauer als beim üblichen Rangordnungsverfahren die Unterschiede des *sozialen* Status im Vergleich zum *beruflichen* Status zu ermitteln.

Die Statusschichtung von Euskirchen[60] zeigt eine der Bolteschen »Zwiebel«[61] ähnliche Verteilung des Sozialprestiges. Die Indexkurve ist an einigen Stellen mit deutlichen »Einschnitten« versehen, die sich als mögliche Grenzen zwischen den verschiedenen Prestigestufen vor allem deshalb anbieten, weil sie mit ausgeprägten Übergängen bei der Selbsteinordnung der Befragten übereinstimmen[62].

Mayntz führt die begriffliche Kontroverse, inwieweit Prestigeschichten als soziale Schichten bzw. als Klassen zu bezeichnen sind, in einer Vorbemerkung[63] aus und kommt zu dem Schluß, daß die Berufsschichtung eine gewisse Dominanz besitzt, ohne als »Schichtung« schlechthin gelten zu können. Die Verzahnung zwischen den Teilgruppen der verschiedenen vertikalen Strukturen ist nach Mayntz besonders in der Mittellage so komplex, daß deutliche »Schichtgrenzen« im Sinne einer Gleichartigkeit der Lebenslage zwar anzunehmen, jedoch keineswegs sicher nachzuweisen sind. »Sowohl die Statusschichtung wie die Berufsschichtung (in dem wie oben eingeschränkten Sinn) wird von der Bevölkerung wahrgenommen, und beide dienen auch als Bezugssystem der Selbsteinordnung und eines Zugehörigkeitsgefühls.«[64] Folgerichtig unterscheidet Mayntz zwischen einer beruflichen Mobilität und der Mobilität zwischen verschiedenen Rang- oder Prestigegruppen bzw. Berufs- und Prestigeschichten. Das weitere Vorgehen ist jedoch dem Ansatz Boltes vergleichbar: Auch Mayntz bildet aus den Daten der Mobilitätstabellen Ranggruppen[65], um Auf- und Abstiege erfassen zu können. Mayntz untersucht den Standortwechsel zwischen bestimmten »Schichten«, in denen solche Berufsgruppen vereint sind, bei denen kein deutlicher von der Bevölkerung empfundener Rangunterschied festzustellen ist. Mayntz formuliert äußerst vorsichtig und betont stets, daß ihren Mobilitätsuntersuchungen lediglich eine Prestigeschichtung zugrunde liegt, d. h., es werden weder Aussagen über *soziale* Mobilität gemacht noch wird die Konstruktion eines gesamtgesellschaftlichen Stratifikationsgefüges versucht.[66]

Die Aufstellung in Tabelle 4 zeigt, daß auch die Ergebnisse von Euskirchen in allen Perioden eine überproportionale Ranggruppengleichheit in der Generationsfolge zeigen. Gleichfalls ist die Ranggleichheit zwischen Vater und Sohn in der obersten und untersten Ranggruppe (VI und I) erheblich größer als in den beiden mittleren.

Tabelle 4

Ranggruppenbeziehungen zwischen Vätern und Söhnen[67]

Kreuzungsfeld der Ranggruppen	Perioden 1833–1840	1870–1877	1906–1913	1946–1953
I/I	2,03	1,87	1,94	1,89
II/II	1,46	1,60	1,26	1,20
III/III	2,09	2,18	1,99	2,02
IV/IV	15,83	14,04	35,24	16,56
Diagonalquote der Periode	49,4 %	58,9 %	54,2 %	52,5 %

Weil eine auf die Vergangenheit angewandte Ranggruppeneinteilung fragwürdig erscheint, beschränkt sich Mayntz auf eine Darstellung der in allen Perioden auftretenden Indexunterschiede und errechnet keine Mobilitätsraten, aus denen der Prozentsatz der vollzogenen Auf- und Abstiege zu entnehmen ist[68]. Lediglich aus der Diagonalquote ist zu ersehen, daß, abgesehen von der Periode 1870–1877, eine sich erhöhende Mobilität, ausgedrückt in sinkenden Diagonalquoten, zu verzeichnen ist. Betrachtet man die Diagonalquoten in den verschiedenen Perioden, so läßt sich ablesen, daß in der ersten Periode, wahrscheinlich bedingt durch die Umstrukturierung zum Beginn der Industrialisierung, die Mobilitätsbewegungen am zahlreichsten waren[69]. Insgesamt drückt sich Mayntz über »die Mobilität« in unserer Gesellschaft sehr vorsichtig aus. Abgesehen vom Wandel der Berufsstruktur und einer erhöhten regionalen »Mobilität« als Folge der Abwanderungen aus der Landwirtschaft, war die Selbstrekrutierungsquote zu allen Zeiten sehr hoch, so daß jeder Aufstieg von unten durch einen Mangel an »Plätzen« behindert wurde. In diesem Zusammenhang weist Mayntz auf die enge Beziehung zwischen Herkunft, Schulbildung und Beruf hin[70]. Insgesamt sind die Ergebnisse von Mayntz denen von Bolte vergleichbar.

DIE UNTERSUCHUNGEN ZUR BERUFSPRESTIGE-MOBILITÄT IN DER BUNDESREPUBLIK VON M. JANOWITZ (1958)

Die Veröffentlichung von Janowitz[71], die erste und in gewissem Sinne einzige[72] umfassende Mobilitätsuntersuchung der Bundesrepublik, stützt sich auf die bereits erwähnte DIVO-Studie[73] des Jahres 1955. Janowitz analysierte die verfügbaren Daten im Hinblick auf folgende Fragestellungen:

1. Erstens prüfte er die Hypothese, ob die geschichtlichen Ereignisse seit 1930 grundlegende Veränderungen in der Berufsstruktur Westdeutschlands verursacht hatten oder ähnliche Entwicklungstendenzen wie in anderen Industriegesellschaften nachzuweisen waren.
2. Zweitens untersuchte Janowitz den Umfang der vertikalen sozialen Mobilität, um Vergleiche mit anderen Ländern zu ermöglichen.
3. Drittens wurden die Korrelate der sozialen Mobilität wie Bildung, Einkommen, Vertriebenenstatus u. a. einer Analyse unterzogen[74].

Janowitz nimmt keine Prestigeordnung der Berufe vor, d. h. er überspringt diesen in den bisher referierten Untersuchungen so wesentlichen Teil, sondern faßt die verschiedenen Berufsgruppen ohne ein kompliziertes Rangordnungsverfahren zu breiten sozialen Schichten zusammen[75], die seiner Vorstellung nach der Komplexität einer industrialisierten Gesellschaft am besten entsprechen[76]. Um soziale Mobilität messen zu können, geht Janowitz, ebenso wie Bolte und Mayntz, von einem Vier-Kategorien-Schema aus[77], in dem die Befragten ihrem Berufsstatus entsprechend klassifiziert wurden[78].

Obgleich Janowitz einer Problematisierung der Berufsprestigezumessung völlig aus dem Wege geht, versucht er dennoch die »objektiven« Sozialschichten mit dem »subjektiven« Gefühl der Klassenzugehörigkeit in Verbindung zu bringen. Eine Gegenüberstellung der Ergebnisse macht deutlich, in welchem Maße Selbsteinschätzung und Fremdeinschätzung divergieren: die Befragten stufen sich überwiegend in die Mitte ein.[79]

Janowitz analysierte analog seiner ersten Hypothese zunächst die Berufsdaten der Jahre 1939 und 1955, um in einem Vergleich mit der väterlichen Generation den Wandel der Berufsstruktur in der Bundesrepublik erfassen zu können.

Abgesehen davon, daß sich, im Gegensatz zu den Erwartungen, die Zahl der Unternehmer praktisch nicht verändert hat, zeigt die obige

Tabelle 5

Trends in der Berufsstruktur Westdeutschlands[80]

	1955 %	1939 %	Väterliche Generation %
Nichtmanuelle			
Selbständige			
Unternehmer	10,7	10,9	12,4
Freie Berufe	2,9	2,6	1,3
	13,6	13,5	13,7
Gehaltsempfänger			
Höhere und technische Angestellte	9,4	9,9	9,7
Büropersonal, Verkaufspersonal	9,4	9,4	4,2
	18,8	19,3	13,9
Nichtmanuelle insgesamt	32,4	32,8	27,6
Manuelle			
Gelernte	13,3	13,7	12,4
An-, Ungelernte	30,8	29,9	30,5
Arbeiter des Dienstleistungsgewerbes	4,1	3,1	1,1
	48,2	46,7	44,0
Manuelle insgesamt	48,2	46,7	44,9
Landwirtschaft			
Selbständige Bauern	10,6	14,9	22,0
Landarbeiter	3,8	3,9	4,6
Landwirtschaft insgesamt	14,4	18,8	26,6
Unklassifizierbare*	4,9	1,8	1,8
Zahl der Fälle	3385	3385	3385

* Dazu gehören auch jene Sozialrentner, denen keine berufliche Stellung zugewiesen werden konnte.

Tabelle die allgemein bekannten Änderungen der Berufsstruktur: eine Zunahme der Angestelltenberufe und eine Abnahme der in der Landwirtschaft Beschäftigten, während sich die Zahl der manuell Beschäftigten insgesamt leicht erhöhte.

Der Analyse vertikaler sozialer »Mobilität« wurde die Berufsklassifizierung zwar zugrunde gelegt, die Stellung in der Berufsstruktur aber durch die Indikatoren Einkommen und Sozialprestige erweitert. Auf diese Weise gelingt es Janowitz, die heutige Generation und die väterliche Generation entsprechend der Berufszugehörigkeit in vier hierarchisch geordnete soziale Schichten einzuteilen.

Neben der oberen und unteren Mittelschicht und der oberen und unteren Unterschicht werden die Beschäftigten des landwirtschaftlichen

Tabelle 6

Sozialschichten, Westdeutschland 1955[81]

	Heutige Generation %	Väterliche Generation %
Obere Mittelschicht (Freie Berufe, leitende Angestellte, höhere Beamte und wohlhabende Geschäftsleute)	4,6	3,9
Untere Mittelschicht (Mittlere und untere Beamte und Angestellte, selbständige Gewerbetreibende und Handwerker)	28,0	24,6
Obere Unterschicht (Gelernte Arbeiter und unselbständige Handwerker	13,3	12,4
Untere Unterschicht (An- und ungelernte Arbeiter)	34,9	31,6
Bauern	10,6	22,0
Landarbeiter	3,7	4,6
Unklassifizierbare*	4,9	1,8
Zahl der Fälle	3385	3385

* Dazu gehören auch jene Sozialrentner, denen keine berufliche Stellung zugewiesen werden konnte.

Sektors gesondert erfaßt, ebenso wie die »Unklassifizierbaren«, denen kein Beruf zugewiesen werden konnte.

Auf der Grundlage eines Schemas mit sechs Schichten stellte Janowitz eine Matrix auf, aus der sich die »Mobilität« zwischen den Generationen ablesen läßt.

Tabelle 7

Soziale Mobilität zwischen den Generationen[82]

Soziale Schichten der Gegenwart (1955)

Soziale Schichten Väterliche Generation		OM	UM	OU	UU	SL	LA	U	insg.	Gesamtzahl der Fälle
OM	%	50,6	27,1	9,4	4,7	2,4	–	5,8	100	85
UM	%	8,3	55,6	12,0	17,6	2,0	0,9	3,6	100	845
OU	%	3,6	32,9	31,5	21,5	3,1	1,7	5,7	100	420
UU	%	0,7	14,5	12,4	61,5	2,6	3,6	4,7	100	1065
SL	%	2,1	17,3	7,9	25,1	39,3	3,9	4,4	100	747
LA	%	0,6	8,3	10,2	43,4	4,4	25,5	7,6	100	158
U	%	3,0	20,9	14,9	37,3	1,5	7,5	14,9	100	65
Zahl der Fälle		155	941	458	1181	361	125	164		3385

OM = obere Mittelschicht — UM = untere Mittelschicht
OU = obere Unterschicht — UU = untere Unterschicht
SL = selbständige Landwirte — LA = Landarbeiter
U = unklassifizierbar

Zunächst einmal geht aus den Ergebnissen des intergenerationellen Mobilitätsvergleichs von Janowitz deutlich hervor, daß sich Aufstiege nicht innerhalb einer Generation vollziehen, sondern meist in zwei Stufen erfolgen: der Eintritt in die obere Mittelschicht hängt weitgehend davon ab, ob der Vater bereits der unteren Mittelschicht angehörte[83]. Die vergleichsweise hohen Abstiegsraten lassen sich nach Janowitz vermutlich auf die Situation nach 1945 zurückführen, als ein Teil der Flüchtlinge noch nicht ins Berufsleben wieder eingegliedert war. Trotzdem bleiben die für die obere und untere Mittelschicht wie die obere Unterschicht ausgewiesenen Abstiegszahlen sehr hoch (41,2 %; 29,6 %; 21,5 %) und zeigen, daß die »Chance«, sozial abzusteigen, in beträchtlichem Ausmaß über fast alle Schichten verteilt ist[84].

Tabelle 8

Soziale Mobilität in Westdeutschland, 1955[85]

	Zwischen den Generationen (mit landwirtschaftlichen Schichten[86])	Zwischen den Generationen (ohne landwirtschaftliche Schichten[87])
keine Mobilität	55,4 %	58,9 %
Aufstieg	18,0 %	24,0 %
Abstieg	20,2 %	17,1 %
nicht zu entscheiden	6,4 %	

Janowitz kommt in seiner Studie zur sozialen Schichtung und Mobilität in Westdeutschland zu Ergebnissen, die weitgehend mit denen amerikanischer Untersuchungen vergleichbar sind, da die Unterschiede in Aufstiegs- und Abstiegsrelationen vorwiegend durch die unterschiedliche Klassifizierung der landwirtschaftlich Tätigen bedingt sind[88]. Die Daten von Janowitz erlauben den Schluß, daß in Westdeutschland von einer Generation zur anderen eine ganz beträchtliche Mobilität, sowohl nach oben wie nach unten, stattgefunden hat: etwa die Hälfte der befragten Personen ist »mobil« geworden, wobei sich Auf- und Abstiege in etwa die Waage halten. Ohne Berücksichtigung der landwirtschaftlichen Schichten überwiegt intergenerationell der soziale Aufstieg, »worin in der Tat, wie man gemeinhin annimmt, die größeren Chancen der städtischen Bevölkerung im Gefolge der Industrialisierung zum Ausdruck kommen«[89].

Das Fazit der Untersuchung von Janowitz: Westdeutschland hat ähnlich »hohe« Mobilitätsraten wie andere, vergleichbare Industriegesellschaften.

DIE UNTERSUCHUNGEN ZUR INTERGENERATIONEN-BERUFSMOBILITÄT IN KÖLN UND IN DER BUNDESREPUBLIK VON H. J. DAHEIM (1964)

Die Untersuchung der beruflichen Intergenerationen-Mobilität von H. J. Daheim[90] stützt sich sowohl auf die bereits erwähnte DIVO-Studie aus dem Jahre 1959 als auch auf die Daten einer Erhebung der soziologischen Abteilung des Instituts für Mittelstandsforschung[91] bei den Standesämtern der Stadt Köln vom Sommer 1960. Die für Köln erhobenen Zahlen entstammen, der besseren Vergleichbarkeit wegen, denselben Perioden wie in der Euskirchen-Studie von Mayntz[92]. Im Hinblick auf die Verifizierung bestimmter Hypothesen über den Einfluß der fortschreitenden Spezialisierung und Professionalisierung auf die Häufigkeit von Mobilitätsprozessen, legte Daheim seiner Studie einen Bezugsrahmen zugrunde, dessen Gliederung anders ist als in den bisher referierten Untersuchungen. Daheim unterscheidet in Abweichung zur bisherigen Praxis sechs bzw. acht Schichten[93]. Es bleibt unverständlich, aus welchem Grunde Daheim eine Vergleichbarkeit seiner Ergebnisse mit denen der Mayntz-Studie anstrebt und trotzdem eine abweichende Gliederung des Bezugsrahmens vornimmt, obgleich er die damit verbundenen Probleme ausdrücklich erwähnt: »Wir möchten hier darauf hinweisen, daß es sich bei diesem Bezugsrahmen für die Mobilität um ein Meßinstrument handelt, das in bezug auf das Ergebnis der Messung nicht neutral ist: Das Ausmaß, die Richtung und die Reichweite der Mobilität, die festgestellt werden können, hängen direkt mit der stärkeren oder schwächeren Gliederung des Bezugsrahmens zusammen.«[94] Daheim wählt ein Kategorienschema, das es ihm ermöglicht, sowohl den Landwirtschaftssektor zu separieren als auch zwischen manuellen und nichtmanuellen Tätigkeiten zu differenzieren. Das erscheint sinnvoll. Die Aufschlüsselung der Erwerbstätigen wird von Daheim wie folgt vorgenommen:

1. Landarbeiter,
2. selbständige Landwirte,
3. un- und angelernte Arbeiter,
4. Facharbeiter und unselbständige Handwerker,
5. einfache Angestellte und untere Beamte,
6. kleinere und mittlere Selbständige in Industrie, Handel und Bankwesen,
7. qualifizierte Angestellte und mittlere Beamte,
8. »höhere Berufe«, wie leitende Angestellte, leitende Beamte, Freiberufler, führende Selbständige[95].

Diese Berufsgruppeneinteilung gibt nach Daheim die wesentlichen sozialen Abgrenzungen in der Vorstellung der Bevölkerung wieder und berücksichtigt gleichzeitig die zwischen diesen »Schichten« bestehenden beträchtlichen Unterschiede in bezug auf die soziale Lage, gemessen an Schulbildung, Einkommen und Einkommensverwendung.

Schichten sind auch bei Daheim »größere Berufsgruppen, zwischen denen Unterschiede im sozialen Rang bestehen«[96]. Desgleichen finden wir bei Daheim das bereits bekannte, zweistufige Vorgehen: Erst die Schichtkonstruktion aus den Vorstellungen der befragten Bevölkerung, dann eine Messung der Mobilitätshäufigkeiten zwischen diesen »Schichten«. Daheims Basishypothese vom Einfluß der zunehmenden Differenzierung und Professionalisierung der Berufsstruktur besagt, daß die zunehmende Komplexität der einzelnen Bereiche langfristig zu einem Ansteigen der technischen und administrativen und zu einem Rückgang der diffusen Berufspositionen führt[97]. Auf diese Weise wird die Intergenerationen-Berufsmobilität durch die Zunahme bzw. Abnahme der Relativvolumina[98] der einzelnen Berufsbereiche gesteuert. Das bedeutet, daß Berufsbereiche, die sich mitten im Professionalisierungsprozeß befinden, besonders hohe Mobilitätsraten aufweisen, während sie in jenen Berufsbereichen besonders gering sind, in denen dieser Vorgang bereits zu einem Abschluß gekommen ist. Diese Tendenzen führen dazu, daß die Mobilität im ganzen eher über kürzere als über weitere Distanzen vor sich geht und die Aufstiege im ganzen etwas häufiger werden als die Abstiege; d. h., schrumpfende Bereichsvolumen bedeuten ceteris paribus weniger Positionen, während umgekehrt durch die zunehmende Differenzierung bestimmter Berufsbereiche zahlreiche neue Positionen geschaffen werden[99].

Tabelle 9

Relativvolumina der einzelnen Berufsbereiche in Köln[100]

	1833–1840	1870–1877	1906–1913	1949–1956
Un-/angelernte Arbeiter	23,4	30,4	34,6	23,7
Facharbeiter	49,8	39,6	29,9	32,8
Untere Angestellte und Beamte	6,2	11,0	14,1	19,0
Kleine und mittlere Selbständige	7,6	11,3	11,1	9,4
Mittlere Angestellte und Beamte	2,8	3,3	7,1	10,8
Höhere Beamte	1,7	1,8	2,6	4,0
Andere (landwirtschaftliche Berufe)	8,6	2,7	0,7	0,4

Die Veränderung der Relativvolumina der einzelnen Bereiche läßt sich aus Tabelle 9 ersehen. In Übereinstimmung mit Daheims Hypothese zeigen die Gruppen der un- und angelernten Arbeiter, die landwirtschaftlichen Berufe und in gewissem Umfange auch die Gruppe der Facharbeiter sinkende Bereichsvolumen, während die Gruppen der Angestellten und Beamten steigende Bereichsvolumina ausweisen.

Die im Zusammenhang mit der Professionalisierungsthese ausgesprochene Vermutung, daß eine fortschreitende Arbeitsteilung zu einer Zunahme der Aufstiegs- und einer Abnahme der Abstiegsprozesse führen würde, konnte von Daheim durch das Material jedoch nicht belegt werden.

Tabelle 10

Richtung und Reichweite der Intergenerationen-Mobilität[101]

	Aufstieg	Stabil	Abstieg
Köln			
1833–1840	22	59	19
1870–1877	25	51	25
1906–1913	28	42	33
1949–1956	28	39	34
Bundesrepublik Deutschland			
Väter älterer Befragter	28	55	18
Väter jüngerer Befragter	27	50	22
Ältere Befragte	30	42	29
Jüngere Befragte	28	44	29

Betrachtet man Tabelle 10, so wird deutlich, daß vor der eigentlichen Industrialisierung die Aufstiege häufiger waren als die Abstiege[102], ein Ergebnis, zu dem auch Mayntz u. a. gekommen waren. Zusammenfassend formuliert Daheim ebenfalls: »Die Tendenzen in der Bundesrepublik für die vergangenen 50 Jahre sind ähnlich.«[103] Nur wenn der Bezugsrahmen lediglich sechs Bereiche umfaßt, d. h. wenn der Landwirtschaftssektor ausgeklammert wird, ist ein leichtes Überwiegen der Aufstiege festzustellen. Das bedeutet, daß *trotz der steigenden*

Berufsdifferenzierung und einer starken Zunahme von Angestelltenpositionen die Berufsrekrutierung weitgehend auf die bisherigen Berufsgruppen beschränkt war. Die konstatierbaren Auf- und Abstiege vollziehen sich vorwiegend über kurze Distanzen, d.h., die Übergänge finden zwischen angrenzenden Berufsbereichen statt[104]. Inwieweit sich diese Tendenzen ebenfalls in einer Untersuchung aus dem Jahre 1970 aufzeigen lassen, die sich speziell einer Analyse der strukturell bedingten Mobilität widmet, soll im folgenden Beitrag erörtert werden.

DIE UNTERSUCHUNGEN ZUR PRESTIGEMOBILITÄT UND ZUR STRUKTURMOBILITÄT IN DER BUNDESREPUBLIK VON G. KLEINING (1970)

Die neuesten Daten aus dem Bereich der Intergenerationen-Berufsmobilität bringt eine Studie von Kleining[105], deren Ergebnisse auf einem umfangreichen Sample[106] der Bundesrepublik und West-Berlins beruhen. In Abweichung von dem bisher geübten Vorgehen, zuerst durch ein Rangordnungsverfahren »Schichten« zu konstruieren, um Mobilitätshäufigkeiten meßbar zu machen, trennt Kleining diese beiden Stufen der Analyse vertikaler Mobilität, indem er zwei verschiedene Mobilitätsarten von vornherein unterscheidet: »Prestigemobilität« als Mobilität zwischen sozialen »Schichten«[107] und »Strukturmobilität« als Mobilität, die zwischen »Klassen« stattfindet[108]. Diese Unterscheidung ist neuartig. In den bisher aufgeführten Untersuchungen wurde unter vertikaler Mobilität stets eine Bewegung in der Prestigedimension – klassifiziert als »Berufsprestige« – verstanden. Eine Verschiebung der Forschungsperspektive von der Prestigedimension zur Berufsdimension war jedoch schon bei Daheim[109] festzustellen[110], der den Einfluß der »funktionellen Kapazität«[111] der Berufsbereiche für die Häufigkeit von Auf- und Abstiegsbewegungen in seine Basishypothese mit einbezog[112].

Unter *Prestigemobilität* versteht Kleining die »Veränderung von Positionen auf einer nur vorgestellten, subjektiv erlebten, als vertikal gedachten Achse des sozialen Ansehens«[113]. Bestimmten Berufs- oder Besitzpositionen wird ein spezieller Status zugeschrieben, aus dem sich der »Platz« in der gesellschaftlichen Hierarchie herleitet. Bedingt durch die Prestigeposition zeigen die Menschen im sozialen Kontakt ein unterschiedliches »Verhalten«. Die Prestigemobilität wird anhand des

Verfahrens der sozialen Selbsteinschätzung[114] gemessen, das Kleining bereits in einer früheren Veröffentlichung ausführlich dargestellt hat[115]. Demgegenüber versteht Kleining unter *Strukturmobilität* das Überwechseln von einer Organisationsform der Arbeit zur anderen[116], wobei »abhängig vom jeweiligen Wirtschaftssystem«[117] dieses gleichzusetzen ist »mit einer Mobilität zwischen Kasten, Ständen und sozialen Klassen«. Unter »Klassen« versteht Kleining die Zugehörigkeit zu bestimmten »Berufskreisen«, die durch das »objektive Verhältnis zu den Produktionsmitteln«[118] definiert sind. In Anlehnung an die Marxsche Klassentheorie wird die »Strukturmobilität« durch den Einfluß von Produktionstechniken ebenso bestimmt wie durch eine Veränderung der Herrschaftsformen. Die Berufsstruktur ist in diesem Sinne als »objektiv« determinierte Schichtung zu verstehen, während die Prestigeordnung der Gesellschaft die verhaltensrelevante »Wertschätzung« oder die »subjektive« Schichtung widerspiegelt. Beide Schichtungen – die Klassenschichtung wie die Prestigeschichtung – bedingen und beeinflussen sich gegenseitig, ohne in mechanistischer Weise voneinander abhängig zu sein[119].

Betrachtet man die Liste der 10 Berufskreise, die Kleining aufgestellt hat, erscheint der Bezug auf den marxistischen Klassenbegriff allerdings willkürlich[120]. Die Aufgliederung der Berufskreise folgt weitgehend dem bisherigen Schema der Berufsranggruppeneinteilung[121] und erweitert diese lediglich um einige Untergliederungen, wie: »Beamte mit Bürotätigkeit«, »Beamte mit anderen Tätigkeiten«, um die mehr manuell Tätigen von den »geistigen« Berufen zu trennen[122]. »Mobilität« wird als Auf- und Abstieg zwischen bestimmten »Schichten« *(Prestigemobilität)* bzw. »Klassen« *(Strukturmobilität)* gemessen, wobei die Befragten entsprechend ihrer eigenen Tätigkeit sowie der Tätigkeit ihres Vaters und Großvaters klassifiziert wurden[123].

Ein Vergleich der Schichtzugehörigkeit des Vaters mit der des Sohnes (Tabelle 11) zeigt das schon aus den anderen Untersuchungen bekannte Bild: hohe Berufsvererbung zwischen Vater und Sohn (ungefähr 50 %), die in der Oberschicht bzw. der oberen Mittelschicht besonders ausgeprägt ist. Die Werte außerhalb der »Stabilitätsdiagonalen«[124] signalisieren die stattgefundenen Verschiebungen, die vor allem in der unteren Mittelschicht und der oberen Unterschicht deutlich erkennbar sind.

Tabelle 11

Inter-Generationen-Mobilität nach sozialer Schicht des Vaters[125]
(Geburtenzeitraum 1870–1920)

Soziale Schicht Vater		Soziale Schicht Sohn						
geb. 1870–1920		1	2	3	4	5	6	Total
1	O, OM	49,9	22,2	19,5	7,3	1,0	0,1	100,0
2	MM	14,2	39,2	30,0	13,1	3,0	0,4	100,0
3	UM	6,7	12,9	51,8	30,9	6,8	0,9	100,0
4	OU	2,0	7,0	33,1	45,6	10,9	1,4	100,0
5	UU	0,5	4,3	26,8	38,2	28,3	1,9	100,0
6	SV	1,1	1,6	27,4	33,0	22,9	14,0	100,0
Total (H 8665)		7,5	12,9	37,8	29,4	11,0	1,4	100,0

Eine Gliederung der Mobilitätsraten nach Geburtszeiträumen in Tabelle 12 läßt ein deutliches Überwiegen der Aufstiege gegenüber den Abstiegen in der Prestigedimension erkennen. Vom Geburtsjahrgang 1890 an zeigt sich jedoch eine Verschiebung und Reduzierung der Aufstiegsquoten, während das Verhältnis von Mobilität zu Stabilität nahezu gleich bleibt.

Tabelle 12

Mobilitätsraten nach Geburtszeiträumen[126]

Mobilität Vater/Sohn zwischen 6 sozialen Schichten	Geburtszeitraum Vater							
	1830 %	1860 %	1870 %	1880 %	1890 %	1900 %	1910 %	1920 %
Aufsteiger	27,8	30,0	33,7	33,4	35,1	34,7	32,3	27,6
Absteiger	17,2	18,7	22,8	23,3	19,9	21,0	24,8	26,9
Mobile	45,0	48,7	56,5	56,7	55,0	55,7	57,1	54,5
Stabile	55,0	51,3	43,5	43,3	45,0	44,3	42,9	45,5

Insgesamt dokumentiert die Mobilität im *Prestige-Belohnungsbereich* bei Kleining annähernd gleichbleibende Werte, d. h. *die Mobilitätsrate ist seit dem Geburtsjahrgang 1870 konstant* geblieben.

Betrachtet man im Vergleich dazu die von Kleining ausgewiesenen Daten zur *Strukturmobilität,* die sich aus den Veränderungen der Art der Berufstätigkeit der Befragten im Vergleich mit Vater- und Großvatergeneration ablesen lassen, zeigen sich ebenfalls die Auswirkungen der schon bekannten Veränderungen der Berufsstruktur: Rückgang der Selbständigen, starke Zunahme der Angestelltenpositionen, Wachsen der Arbeiterschaft als Ganzes bei Verbesserung des Qualifikationsniveaus, relative Stabilität der Freien Berufe und der Beamten[127].

Tabelle 13

Berufskreise und Geburtenzeitraum[128]

Berufskreis	1830 %	1860 %	1870 %	1880 %	1890 %	1900 %	1910 %	1920[129] %
1. Freie Berufe	1,8	1,6	1,7	1,7	1,8	2,0	2,3	2,6
2. Beamte (Büro)	1,8	3,0	4,7	4,3	5,5	4,9	5,5	5,6
3. Beamte (andere)	4,4	7,3	8,0	7,1	8,2	6,3	6,4	6,7
4. Angestellte (Büro)	1,8	3,0	4,0	4,3	5,4	7,1	11,2	14,7
5. Angestellte (andere)	2,5	3,1	2,9	4,6	4,8	6,5	7,3	9,6
6. Selbständige	22,0	20,8	21,2	17,6	17,7	15,8	13,1	12,2
7. Bauern, Landwirte	28,0	21,6	16,2	15,6	15,3	14,1	6,7	5,3
8. Handwerker (nicht selbständig)	5,5	7,6	7,2	7,5	8,2	7,9	8,2	6,9
9. Facharbeiter	14,2	14,7	16,6	20,2	18,3	21,4	25,1	24,1
10. Arbeiter (andere)	18,0	17,3	17,5	17,1	14,8	14,0	14,2	12,3

Die auf der Basis von Berufskreisen[130] errechneten Mobilitätsraten zwischen den Generationen[131] widersprechen der optimistischen Annahme einer kontinuierlichen Steigerung von Mobilitätsprozessen durch Veränderungen der Produktionstechniken und Herrschaftsformen ganz entschieden. Zwar stammen ungefähr zwei Drittel aller Berufstätigen aus anderen Berufskreisen als ihre Väter[132], aber das war schon für den Geburtszeitraum um 1870 der Fall[133].

Die gleichbleibende Höhe der Mobilitätsraten seit dem Geburtsjahrgang 1870 ist sowohl für die *Prestigemobilität* als auch für die *Struk-*

Tabelle 14

Inter-Generationen-Mobilität nach Geburtszeitraum des Vaters[134]

Mobilität der Söhne	Geburtszeitraum des Vaters							
zwischen 10 Berufskreisen	1830 %	1860 %	1870 %	1880 %	1890 %	1900 %	1910 %	1920 %
Stabile	45,3	40,1	34,8	33,5	33,2	32,0	32,2	40,8
Mobile	54,7	59,9	65,5	66,5	66,8	68,0	67,8	59,2

turmobilität kennzeichnend[135]. Kleining zieht daraus den Schluß, daß die rapide technische Entwicklung und die umfangreichen Umschichtungen der Berufsstruktur durch gleichbleibende Mobilitätsraten bewältigt worden sind. Trotz des Abbaues diskriminierender Bildungs- und Berufschancen *haben sich die Mobilitätschancen der Arbeitenden nicht verbessert*[136]. Kleining spricht von einer starken Zunahme der ökonomisch Abhängigen von 53,1 % auf 82,0 %[137]. Hohe Selbstrekrutierungsquoten und die Tendenz, auf »benachbarte« Berufskreise überzugehen, fördern eine »Polarisierung« der Gesellschaft: in Büroangestellte und angrenzende Berufskreise einerseits, Facharbeiter und verwandte Berufe andererseits. Die Zugänge kommen im ersten Fall vorwiegend aus der Mittelschicht, im zweiten Fall aus der Unterschicht[138]. Die Abschirmung der Berufsgruppen in sozial günstiger Lage gegen den Zugang aus anderen Berufsgruppen geschieht vorwiegend durch die Aufrechterhaltung von Bildungsbarrieren[139] und durch Besitzvererbung[140]. Die Stabilität der Mobilitätsrate symbolisiert nach Kleining die Stabilität des bestehenden Herrschaftssystems[141].

VII

Die Ergebnisse der vertikalen sozialen Mobilitätsforschung in der Bundesrepublik

Die verschiedenen Untersuchungen zur Intergenerationen-Berufsprestigemobilität in der Bundesrepublik seit 1945 kommen in ihren Ergebnissen zu weitgehend übereinstimmenden Schlußfolgerungen.

1. In unserer Gesellschaft ist ein vergleichsweise »hohes« Maß an vertikaler sozialer Mobilität festzustellen, d. h. etwa die Hälfte der Befragten übt einen Beruf aus, der *zu einer anderen* Berufsranggruppe zu rechnen ist als der des Vaters[1]. Diese Aussage bedeutet zugleich, daß ebenfalls ein »hohes« Maß an Immobilität zu verzeichnen ist, denn die Hälfte der Befragten gehört *der gleichen* Berufsranggruppe an wie ihre Väter[2].

2. Diese Mobilitäts- bzw. Immobilitätsrate von etwa 50 % ist für die Zeit seit 1870 weitgehend als gleichbleibend zu bezeichnen[3].

3. In scheinbarem Widerspruch zum Befund der »hohen« Mobilitätsraten läßt sich für den gesamten Untersuchungszeitraum eine ausgeprägte Berufsvererbung zwischen Vater und Sohn feststellen. In allen Zeitperioden weisen die Bauern, die freien Berufe, die ungelernten Arbeiter und die Handwerker eine besonders hohe Statusgleichheit auf. Am geschlossensten ist die höchste und die niedrigste Schicht[4].

4. Infolge der engen Beziehung zwischen Vater- und Sohn-Beruf vollziehen sich die feststellbaren Mobilitätsbewegungen im wesentlichen zwischen benachbarten Berufsbereichen[5]. Extreme Auf- und Abstiegsbewegungen sind selten[6].

5. Veränderungen der Relativvolumina der einzelnen Berufsbereiche wirken sich auf die Mobilität bzw. Stabilität der betreffenden Berufsgruppen aus[7]. Schrumpfende Bereichvolumina implizieren eine hohe Selbstrekrutierungsquote[8] oder zwingen zur Abwanderung, bei Qualifikationsmangel häufig zum Abstieg[9]. Expandierende Berufsbereiche zeigen hohe Mobilitätsquoten, wie z. B. die Berufsgruppe der Angestellten[10].

6. In welchem Umfange sich Auf- und Abstiegsbewegungen die Waage halten oder ob die Bewegungen in eine Richtung überwiegen[11], läßt sich als Folge der forschungstechnischen Divergenzen[12] nicht genau

feststellen[13]. Inwieweit diese Schwankungen der Verhältniszahlen von Aufsteiger-Absteiger-Relationen den unterschiedlichen Klassifizierungen der Berufsgruppen[14] anzulasten sind, wie dies häufig geschieht[15], läßt sich nicht schlüssig beantworten. Kreckel[16] vertritt die Ansicht, daß die klassifikatorischen Unterschiede keinen direkten Einfluß auf die empirisch ermittelten Relationen zwischen Aufsteigern und Absteigern ausüben dürften[17].

MOBILITÄTSSTUDIEN IM VERGLEICH

In der nachstehenden Tabelle sind die Ergebnisse der fünf referierten Untersuchungen übersichtsweise dargestellt worden. Von den aufgeführten Studien sind im strikten Sinne nur die drei DIVO-Studien repräsentativ. Bolte, Mayntz und Daheim können aufgrund ihrer Daten nur beschränkt Aussagen über *die Mobilität* in der Bundesrepublik machen. Die weitgehende Ähnlichkeit des Zahlenmaterials ist jedoch verblüffend.

Die Aufgliederung der Ergebnisse der Intergenerationen-Berufsprestigemobilität in der Bundesrepublik ist einmal im Hinblick auf die mobilen und immobilen Bevölkerungsgruppen vorgenommen worden, zum anderen wurde hinsichtlich der Auf- und Abstiegsrelationen unterschieden. Die Zahlen von Janowitz weichen von den übrigen Ergebnissen ab, da nur 93,6 % der Grundgesamtheit prozentuiert wurden. Die Zahl der Immobilen ist deshalb vergleichsweise höher.

ZUR PROBLEMATIK DER AUF- UND ABSTIEGSRELATIONEN

Eine naive Betrachtung der Tabelle 15 könnte zu der Interpretation verführen, sowohl die Mobilität insgesamt als auch die Aufstiegsmobilität habe in den letzten 15 Jahren zugenommen. Der Eindruck täuscht. Hier zeigt sich lediglich, wie problematisch es ist, Daten zu Vergleichszwecken einander zuzuordnen, ohne die Klassifizierungsmethoden zu berücksitigen. Abgesehen davon, daß die Vergleichsbasis sehr schmal ist – lediglich drei für die Bundesrepublik repräsentative Studien sind verfügbar – um eine »hohe« bzw. steigende Mobilität als verifiziert zu unterstellen, lassen sich bei einem Vergleich von Vater- und Großvatergeneration lediglich gleichbleibende und keine stei-

Tabelle 15

Ergebnisse der Intergenerationen-Berufsprestigemobilität[18]
in der Bundesrepublik nach 1945

Autoren	Mobil %	Aufstieg %	Abstieg %	Immobil %	Total %
Bolte[19] (1955) Schleswig-Holstein[20]	45,5	20,5	24,9	54,5	100,0
Mayntz[21] (1958) Euskirchen	—	—	—	—	—
Janowitz[22] (1958) Bundesrepublik (DIVO 1955)	38,2	18,0	20,2	55,4	93,6[23]
Daheim[24] (1964) Köln	53,7[25]	25,7	27,7	47,7	101,1
Bundesrepublik (DIVO 1959)	52,5	28,1	24,4	47,6	101,0
Kleining[26] (1970) Bundesrepublik DIVO/MARPLAN 1969/70	52,9[27]	32,1	20,8	47,1	100,0

genden Mobilitätsraten konstatieren[28], wie ebenfalls die neueste Untersuchung zur vertikalen Mobilität in der Bundesrepublik ausweist[29]. Die kürzlich in der *Kölner Zeitschrift* ausgetragene Kontroverse zwischen Kleining[30] und Mayer/Müller[31] war einer Überprüfung dieser Aussage gewidmet. Mayer/Müller sind der Ansicht, daß Kleining sein Datenmaterial falsch interpretiert hat und seine These von der Stabilität der Barrieren zwischen den Schichten und der damit verbundenen Belohnungen und Benachteiligungen nicht zutreffend ist. Nach Mayer/Müller deuten die Ergebnisse einer Sekundäranalyse der Daten Kleinings »auf eine geringe, aber einheitliche Tendenz in Richtung auf eine Gesellschaftsstruktur hin, in welcher die Häufigkeit von Mobilitätsbewegungen höher und der Grad der Abhängigkeit zwischen dem beruflichen und sozialen Status des Vaters und dem seines Sohnes niedriger zu sein scheint«[32]. Kleining[33] hat dieser Interpretation jedoch in vollem Umfange widersprochen[34].

Kleining konstatiert, daß sich trotz umfangreicher beruflicher Umschichtungen während der letzten 50 Jahre die Mobilitätsrate und damit die Mobilitätschancen der Arbeitenden nicht verändert haben[35]; d. h., Kleining schließt aus der Stabilität der Mobilitätsrate »auf ein Fortbestehen repressiver Tendenzen«, die den »freien Zugang zu allen Berufsgruppen und Prestigepositionen – außer zur Erfüllung technologischer Aufgaben – verhindern«[36]. Es soll hier unerörtert bleiben, inwieweit diese Schlußfolgerungen durch Kleinings Analyse überhaupt belegt werden können, weil die angewandten Mobilitätsmaße gar nicht in der Lage sind, zwischen beruflichen Umschichtungen und davon unabhängiger Mobilität zu unterscheiden[37].

Die Argumentation von Kleining macht jedoch deutlich, daß aus der *gleichbleibenden Mobilitätsrate* und der für bestimmte Berufsgruppen typischen *hohen Statusvererbung*[38] auf »Barrieren« im Sinne des Zugangs zu den jeweils *privilegierten Positionen* geschlossen wird, d. h., die unveränderte Mobilitätsrate wird als *gleichbleibende Chancenungleichheit* interpretiert. Die Kontroverse, ob steigende oder gleichbleibende Mobilitätsraten zu konstatieren sind, tritt zurück[39] gegenüber der Annahme, Mobilitätsraten und Mobilitätschancen seien als identisch anzusehen[40]. Offensichtlich kann, wie das Zitat von Kleining zeigt, unter »Chancengleichheit« durchaus Verschiedenes verstanden werden: nämlich einmal, die »Chance«, den sozialen Status *zu verändern*[41], zum anderen die »Chance«, den sozialen Status *zu verbessern*[42]. Diese Unterscheidung führt zu voneinander abweichenden Interpretationen: *gleichbleibend* »hohe« Mobilitätsraten dokumentieren einmal die »Durchlässigkeit« der Sozialstruktur, zum anderen jedoch die Stabilität der Positionsverteilung im Sinne einer *unveränderten Beschränkung* des Zugangs zu privilegierten Positionen. Es ist interessant festzustellen, wie hier trotz weitgehend identischer Ergebnisse[43] eine Neudefinition des Mobilitätsbegriffes vollzogen wird, durch die sich die Untersuchungsperspektive in der vertikalen Mobilitätsforschung sichtbar verschiebt. Galten bisher umfangreiche Mobilitätsprozesse als Indiz einer »offenen« Sozialstruktur[44], so betrachtet Kleining die *Zugangschancen zu den privilegierten Positionen* als Beweis für den Grad verwirklichter »Chancengleichheit«. Der für ihn soziologisch relevante Sachverhalt heißt: nicht die Umbesetzung von Tätigkeitsbereichen, sondern der Abbau von »Barrieren« gegenüber den mit besonderen Gratifikationen versehenen Positionen wird als vertikale soziale Mobilität definiert. Infolgedessen signalisieren nach

Kleining *gleichbleibende* Mobilitätsraten zugleich das »Fortbestehen repressiver Tendenzen in der gegenwärtigen Gesellschaft«[45]. Obgleich u. E. die Annahme, aufgrund gleichbleibender Mobilitätsraten die Wirksamkeit von Diskriminierungsbarrieren zu behaupten, genausowenig beweiskräftig ist wie die Gegenthese, aus der Mobilitätsfrequenz ließe sich der Umfang sozialer »Chancengleichheit« ablesen, deutet sich doch eine bemerkenswerte Veränderung gegenüber der bisherigen Betrachtungsweise an.

Auch bei anderen Autoren läßt sich in letzter Zeit eine deutliche Verschiebung der Argumentation in Richtung auf die von Kleining vorgetragene Version, d. h. ein stärkeres Interesse an den Auswirkungen von Mobilitätsprozessen hinsichtlich struktureller Änderungen, feststellen, durch die eine mehr strukturbezogene Analyse sozialer Mobilität favorisiert wird[46]. Überlegungen zur Neuorientierung in der vertikalen Mobilitätsforschung werden in Zukunft vermutlich die strukturellen Determinanten sozialer Mobilitätsprozesse stärker berücksichtigen müssen, um zu einer präziseren Bestimmung des Mobilitätsbegriffes zu kommen.

VIII

Überlegungen zu einer Neuorientierung der Erforschung vertikaler sozialer Mobilitätsprozesse

Die Vorschläge zur Erweiterung und Veränderung der bisherigen Forschungspraxis sind nicht sehr zahlreich. Übereinstimmend läßt sich jedoch eine Schwerpunktverschiebung der Forschungsperspektive zu einer mehr strukturbezogenen Analyse sozialer Mobilität erkennen, die eine stärkere Betonung historischer Zusammenhänge und die Suche nach den strukturellen Ursachen mobilitätshemmender Faktoren in den Vordergrund schiebt.

Die auf den folgenden Seiten referierten neueren Ansätze zur Erforschung vertikaler sozialer Mobilitätsprozesse folgen diesem Trend und sind im Sinne eines Versuches zu verstehen, die bisherige Forschungspraxis zu überwinden.

EINE STRUKTURBEZOGENE ANALYSE SOZIALER MOBILITÄT (KRECKEL)

Das von Kreckel[1] vorgetragene Modell einer strukturbezogenen Analyse sozialer Mobilität geht vom individuellen Einkommen als »objektivem« Indikator zur Bestimmung des gesellschaftlichen Status von Berufspositionen aus, um die Frage zu beantworten, »inwieweit die jeweils stattfindenden Auf- und Abstiegsprozesse ungleichheitserhaltend oder ungleichheitsverringernd«[2] wirken. Kreckel führt zu diesem Zweck eine analytische Trennung der Einkommensstruktur bei einem Nettoeinkommensniveau von 800,– DM durch, um eine Zweiteilung der Gesellschaft symbolisch darzustellen, d. h., zwei Drittel der Erwerbstätigen gehören aufgrund ihres Verdienstes *zur Gruppe der benachteiligten Einkommensbezieher*[3]. Kreckel argumentiert, daß die Mobilität in unserer Gesellschaft durch die gegebene Einkommensdistribution eine »eindeutig strukturelle Beschränkung«[4] erfährt, da Mobilitätsprozesse auf beiden Seiten der »Barriere« häufig feststellbar sind, jedoch selten über diese hinausgehen. Da die personelle Einkommensverteilung sich bisher nicht wesentlich geändert hat[5] und eine solche Änderung auch nicht zu erwarten ist, kann es nur wenigen gelingen, die Barriere der »finanziellen Unterprivilegiertheit zu überspringen«[6]. Am Beispiel einer Gliederung der Erwerbstätigen nach ihrer Stellung im Beruf wird erkennbar, daß die verschiedenen Berufsgruppen in unterschiedlicher Weise über die Einkommensschichtung verteilt sind[7]. Kreckel identifiziert in seinem Modell bestimmte professionale Untergruppen und weist durch einen Vergleich von Einkommensschichtung und Bildungsschichtung überzeugend nach, daß die formalen Qualifikationsnachweise für den Zugang zu bestimmten Berufspositionen entscheidend sind[8]. Der Einblick in die Funktionsweise gesellschaftlicher Selektionsmechanismen läßt den Rückschluß zu, daß die institutionalisierten Prozesse in der Art gesteuert werden, daß für die mit hohen Gratifikationen versehenen Berufspositionen[9] jeweils nur eine beschränkte Zahl von Bewerbern als »geeignet« ausgewählt wird[10], »während die Mehrzahl der Erwerbstätigen in die geringer gratifizierenden Positionen dirigiert wird«[11]. Kreckels Argument, daß die existierende gesellschaftliche Ungleichheitsstruktur für zwei Drittel der Bevölkerung nur »niedrige« Berufspositionen bereithält und sich nach oben zu »aufstiegshemmend« verengt, führt zu der Schlußfolgerung, daß die *»sozio-professionelle Angebotsseite«*, in die sich die Erwerbstätigen einordnen müssen, weitgehend die »Lebenschancen« beschränkt. Kreckels Analyse der Ursachen und Folgen der vertikalen Intergenerationenmobilität in der Bundesrepublik stützt sich auf die vorrangige Bedeutung von »Qualifikationen« für die Besetzung von Berufspositionen. Das schulische und berufliche Ausbildungsniveau hat sich nach Kreckel »als derjenige Faktor herauskristallisiert, der den konkret erreichbaren beruflichen Status und die damit verbundenen Mobilitätswahrscheinlichkeiten am stärksten beeinflußt«[12]. Die Gruppe der »Selbständigen« mit Produktionsmittelbesitz[13] wurde aus der Analyse ausgeschlossen; für sie trifft diese Schlußfolgerung nicht zu[14].

DIE TRENNUNG DES »ZWEISTUFIGEN« VORGEHENS IN DER MOBILITÄTSFORSCHUNG IN UNTERSCHIEDLICHE MOBILITÄTSTYPEN (KLEINING)

Kleining[15] versucht in seinen neuesten Veröffentlichungen, deren Ergebnisse wir bereits diskutierten[16], den Mobilitätsbegriff in eine engere Beziehung zum technologischen und strukturellen Wandel zu bringen und hält es zu diesem Zweck für notwendig, die Zugehörigkeit zu bestimmten »Berufskreisen« von den dazugehörigen »Belohnungen« zu trennen. Dieser Zweiteilung entsprechen die Mobilitätstypen *Strukturmobilität* und *Prestigemobilität*.

Diese Operationalisierung ist hinsichtlich ihrer theoretischen Konzeption und ihrer begrifflichen Festlegungen kritisiert worden[17]. Vor allem die Definition von »Berufskreisen« als soziale »Klassen« entspricht nicht der historischen Projektion von Marx und geht von falschen Voraussetzungen aus, während unter »Schichten« durchaus sozialpsychologische Konstrukte im Sinne verhaltensrelevanter Abgrenzungen verstanden werden[18]. Es geht Kleining u. E. darum, die funktionalen Deutungen von »Mobilität« mit der Strukturtheorie des Marxismus[19] in Verbindung zu bringen, um das Mobilitätsverhalten von Personen oder Gruppen (individuelle Mobilität) von den durch die Wirtschaftsentwicklung bedingten Strukturveränderungen (strukturelle Mobilität) zu trennen[20].

»Was Kleining beschreibt, ist berufliche Mobilität, einmal in Kategorien subjektiver Selbstzuordnung zur arbeitsrechtlichen Stellung und Art der Tätigkeit, zum anderen in einer als eindimensional angenommenen Hierarchie beruflichen Prestiges.«[21]

Wir halten diese Charakterisierung für zutreffend. Kleining folgt u. E. weitgehend der traditionellen Vorgehensweise[22] vertikaler Mobilitätsuntersuchungen, zuerst eine Prestigeschichtung zu konstruieren, um dann die Zu- bzw. Abstromquoten zu den verschiedenen Berufen als Auf- oder Abstiege zwischen Rangstufen oder Schichten klassifizieren zu können. Das *Neuartige* liegt lediglich in der *Trennung dieses zweistufigen Vorgehens* in zwei Mobilitätstypen, denen jeweils verschiedene Aussagenkomplexe zugeordnet werden[23]. Die bisherigen Untersuchungen der Intergenerationen-Berufsprestige-Mobilität rekurrierten auf einen Berufsstatus, der weder mit dem Klassenstatus noch mit dem Prestigestatus identisch war, sondern beide miteinander verband[24]. Was Kleining mit Hilfe seiner analytischen Trennung in »Schichten« und »Klassen« erreichen möchte, ist der Nachweis, daß zwar ein Wechsel zwischen den verschiedenen Tätigkeitsbereichen häufig stattfindet und sogar »leichter« geworden ist[25], die Übergänge von einer »Schicht« zu anderen, die Chancen, sozial aufzusteigen, jedoch unverändert[26] geblieben sind. Obgleich die Definition des Belohnungssystems als Steuerungsmechanismus zu unterschiedlich privilegierten »Klassen«[27] u. E. von falschen Voraussetzungen ausgeht[28], halten wir Kleinings Versuch, den bisherigen Ansatz der vertikalen Mobilitätsforschung »aufzubrechen«, für außerordentlich sinnvoll, da er den Prozeß der Neuorientierung möglicherweise erleichtert.

DIE ABHÄNGIGKEIT DER AUFSTIEGSCHANCEN VON DEN EINSCHRÄNKENDEN BEDINGUNGEN DER BERUFSSTRUKTUR (AMMASSARI)

In ähnlicher Weise richtet sich die Kritik von Ammassari[29] gegen die seiner Ansicht nach ideologische Behauptung, zwischen der ökonomischen Entwicklung von Industriegesellschaften und der Zunahme von Aufstiegsprozessen müsse eine »logisch« abhängige Beziehung bestehen[30].

»The idea that modern society has a much more open system of social stratification than traditional societies and that the process of industrialization is the cause of this increased upward mobility is so rooted in the ideology of contemporary sociology that, when faced with the contradiction between ascertained data and logical expectations deduced from a weak and never explained theory on upward mobility, most scholars prefer to fall back on the pretext of the methodological insufficiensies which are not ward to discover in empirical investigations.«[31]

Die bekannte These, als Folge der zunehmenden Arbeitsteilung werde sich die Zahl der Berufspositionen stetig vermehren und dadurch zugleich die Chancen der Erwerbstätigen zum sozialen Aufstieg vergrößern, unterschätzt nach Ammassaris Meinung die durch die verschiedenen Gruppeninteressen bedingten gegenläufigen Tendenzen und berücksichtig nicht hinreichend die Fähigkeit sozialer Systeme, Ausgleichsmechanismen zu entwickeln, »which in the end transform what seem to be *structural* changes into changes *within* the structures«[32].

Ammassari argumentiert im folgenden, daß eine Zunahme von Aufstiegsprozessen eine ernsthafte Gefahr für die bestehende Positionsverteilung und eine Bedrohung der »vested occupational interests«[33] darstellen würde, wenn es keine *den beruflichen Aufstieg einschränkenden Bedingungen* gäbe. Ammassari widmet deshalb seine Aufmerksamkeit jenen Mechanismen, welche den Zugang zur »Occupational Opportunity Structure« im Interesse der Erhaltung einer existierenden Positionsverteilung steuern und entwickelt ein Modell, in dem die Wahl des Berufes als ein Prozeß analysiert wird, der sowohl von den »natürlichen« Fähigkeiten des Individuums bestimmt wird als auch von den günstigen bzw. ungünstigen Bedingungen, unter denen der einzelne seine Qualifikationen erwirbt, die ihm später den Einstieg in die Berufspyramide an einer bestimmten Stelle gestatten[34]. »In other words, *occupational choice* must be seen as a process, whose dynamic aspects are represented, on the one hand, by the opportunity available (defined as ›favorable occasions‹) and, on the other, by the *capacity* and *will* of the individual to take advantage of it.«[35]

Ammassari versucht dann nachzuweisen, in welchem Umfange die soziale Herkunft und die soziale Umgebung die Startposition des einzelnen bestimmen und kommt zu der Schlußfolgerung, daß unabhängig von den »natürlichen« Fähigkeiten der Beruf des Familienvorstandes die Berufswahl der Kinder entscheidend beeinflußt und den einzelnen veranlaßt, seinen Beruf aus einem dem väterlichen Beruf ähnlichen oder naheliegenden Bereich zu wählen[36]. Das Schulsystem könne gegenüber den ungleichheitserhaltenden Tendenzen der Familienstruktur als Ausgleichsmechanismus wirken, um die Startpositionen der Individuen einander anzunähern. Tatsächlich findet dieser Ausgleich jedoch nicht statt[37], sondern der Einfluß der Herkunftsfamilie setzt sich über die Ausbildungseinrichtungen verstärkt fort[38]. Ammassari hält eine Expansion des Bildungswesens keineswegs für ein Mittel, den allgemeinen Aufstieg zu fördern. Die Aufwertung der formalen Schulbildung hebt nach seiner Ansicht die Bindung an den Vaterberuf nicht auf, sondern ermöglicht es, auf dem Umweg über eine weitgehende Differenzierung des Bildungs- und Berufsangebotes[39] die existenten Ungleichheiten von einer Generation zur anderen zu transferieren.

»If the structure of occupational opportunities and their relationship with the labour world remain unchanged, it can be predicted that, whatever the degree of quantitative expansion of the educational system, the more the formal educational roles, the more numerous will be the circumstances of inequality in the structure of occupational opportunities.«[40]

»MOBILITÄT« ALS UNGLEICHHEITSVERRINGERNDER ODER UNGLEICHHEITSERHALTENDER PROZESS (RECKER)

Unseres Erachtens wäre es sinnvoll, die Mobilitätsforschung von dem Anspruch zu befreien, durch Mobilitätsdaten eine Vielzahl sozialer Phäomene erklären zu wollen[41]. Ohne eine präzise Bestimmung der Untersuchungsperspektive werden Aussagen über Umfang und Veränderungen von Mobilitätsraten bedeutungslos bleiben[42]. Wenn wir unterstellen, daß es das Ziel von Mobilitätsstudien ist, die Bedingungen zu analysieren, unter denen der Statuserwerb in der Gesellschaft stattfindet, sollte die Forschung ihre Aufmerksamkeit der Untersuchung jener strukturellen Mechanismen widmen, durch die der Zugang der Individuen zu den mit unterschiedlicher Macht, Prestige und Einkommen ausgestatteten Positionen geregelt wird. Die referierten Ansätze von Kreckel, Kleining und Ammassari deuten diese Umorientierung in der Fragestellung an und lassen erkennen, daß sich eine Verschiebung der Forschungsperspektive von den Folgen zu den Ursachen vertikaler sozialer Mobilitätsprozesse konstatieren läßt[43].

Eine mehr strukturbezogene Analyse sozialer Mobilität würde es u. E. erfordern, »Mobilität« im Sinne eines ungleichheitsverringernden bzw. ungleichheitserhaltenden Vorganges zu definieren[44], durch den für den einzelnen ein Mehr oder Weniger an »objektiv« bestimmbaren »Lebenschancen« verfügbar gemacht wird[45]. Unter der Annahme, daß dem Beruf in der modernen Gesellschaft eine zentrale Bedeutung für die Vermittlung von »Lebenschancen« zukommt, können Berufe zunächst hinsichtlich ihrer »Funktion« analysiert werden, »Lebenschancen« zu vermitteln, d. h., es müssen die mit dem Beruf verbundenen Möglichkeiten individueller Entfaltung bzw. der Teilhabe am materiellen Produktionsprozeß analysiert werden[46]. Zu diesem Zweck wird die Konstruktion eines mehrdimensionalen Stratifikationsgefüges vorgeschlagen, in dem die Berufe im Hinblick auf ihre sozialen Korrelate einzuordnen sind[47], um sowohl die Zugangschancen zu bestimmten Berufen als auch aufstiegshemmende oder -hindernde »Barrieren« innerhalb der Sozialstruktur identifizieren zu können, deren Überwindungen unter bestimmten, genau angebbaren Voraussetzungen als *vertikale soziale Mobilität* zu bezeichnen wäre. Dieses Vorgehen impliziert jedoch forschungstechnische Überlegungen, die von der bisherigen Untersuchungspraxis abweichen[48].

IX

Entwurf eines Strukturmodells zur Identifizierung aufstiegshemmender »Barrieren« oder »Klassengrenzen«

In der bisherigen Praxis der Mobilitätsforschung sind die Modalitäten des Statuserwerbs und des Statuswechsels vorwiegend auf der Grundlage von Prestigerangordnungen analysiert worden, ein forschungstechnisches Vorgehen[1], das in der vorliegenden Arbeit als unnötige und ungerechtfertigte Verengung[2] der Untersuchungsperspektive charakterisiert worden war. Die Verwendung der Berufsrangordnungsverfahrens, die am häufigsten benutzte Methode der Statusfeststellung, setzt dabei mehr oder weniger explizit voraus, daß der Berufsstatus den Gesamtstatus entscheidend bestimmt. Da sich die Vorstellung über das »Prestige« von Berufspositionen jedoch weitgehend an sichtbaren oder symbolischen Differenzierungen orientiert[3], treten demgegenüber die strukturell bedingten Verursachungsfaktoren des unterschiedlichen Sozialprestiges zurück[4].

Es ist das Ziel der nun folgenden Ausführungen, ein Modell zu entwickeln, das eine Klassifizierung von Berufen oder Berufskategorien hinsichtlich jener sozialen Korrelate ermöglicht, durch welche die *Ungleichwertigkeit von Berufspositionen* – im Gegensatz *zur Ungleichartigkeit im Sinne der Arbeitsteilung* – erklärbar wird. Es kann angenommen werden, daß durch bestimmte mit dem Beruf verbundene soziale Korrelate, wie Einkommen, Anweisungsbefugnis, Arbeitsbedingungen u. a. die höhere oder tiefere Einordnung in der gesellschaftlichen Hierarchie abhängig ist und in gewissem Umfang die unterschiedliche »Wertschätzung« oder das »Prestige« von Berufspositionen mitbestimmt wird. Die enge Beziehung zwischen dem sozialen Status von Bevölkerungsgruppen ähnlicher Lebenslage mit ihrer Stellung im Beruf bzw. im Produktionsprozeß[5], durch die eine Zugehörigkeit von Individuen zu bestimmten »Schichten« oder »Klassen« hergeleitet wurde, soll durch eine spezifischere Bestimmung dessen, was die verschiedenen beruflichen Positionen bzw. Stellungen im Produktionsprozeß ungleich macht, deutlicher hervorgehoben werden[6].

Um eine empirische Basis für die Konzipierung eines Strukturmodells zu haben, wurden in Tabelle 16[7] die aus den *Statistischen Jahr-*

büchern zu entnehmende Gliederung der bundesrepublikanischen Bevölkerung hinsichtlich der Bereiche Schulbildung, Berufsausbildung, Einkommen und Beruf zusammengestellt, um in einem ersten groben Vergleich die auffallendsten Unterschiede zwischen verschiedenen beruflichen Kategorien festzustellen[8].

1. Der Ausbildungsstand der *Selbständigen* ist vergleichsweise niedrig: 81,6 % haben nur die Volksschule besucht, 37,0 % haben keine Berufsausbildung, ihr Einkommen ist im Durchschnitt jedoch deutlich höher als das der übrigen Berufsgruppen; fast die Hälfte verdiente über 1 200 DM netto. Für selbständige Tätigkeiten, mit Ausnahme der professionellen Berufe wie Ärzte, Rechtsanwälte, Architekten u. a. ist offensichtlich nur ein geringes Maß an formaler Ausbildung notwendig. Das gilt für die kleinen Unternehmer, selbständigen Handwerker u. ä. gleichermaßen wie für die Industriellen mit umfangreichem Produktionsmittelbesitz.

Tabelle 16

Schulbildung, Berufsausbildung, Einkommen und Stellung im Beruf[9] 1964/1969

	(in %)			
Schulbildung[10]	Arbeiter	Angestellte	Beamte	Selbständige[11]
Volksschule	97,7	69,4	51,0	81,6
mittlere Reife	1,9	23,8	18,1	11,0
Abitur	0,3	8,1	30,2	7,5
Berufsausbildung				
ohne Ausbildung	41,0	13,5	14,1	37,0
Anlernausbildung	24,2	14,5	16,8	6,2
Lehre	33,0	54,0	24,0	37,0
Fachschule[12]	1,8	14,2	19,3	14,6
Hochschule	—	3,8	25,8	4,4
Einkommen[13]				
bis 800 DM	81,3	34,8	27,5	25,7
800–1 200 DM	18,0	40,9	41,0	27,6
über 1 200 DM	0,7	24,3	31,3	46,7

2. Bei den *Beamten* und *Angestellten* ist die Tendenz uneinheitlich. Von den *Beamten* hat die Hälfte Volksschulbildung, jedoch 30 % das Abitur[14]. Die Zahl der Ungelernten ist niedrig (ca. 14 %), während 25,8 % einen Hochschulabschluß aufweisen können. Das Einkommen ist in etwa der Berufsausbildung adäquat, wahrscheinlich eine direkte Folge der Laufbahngruppierung im Staatsdienst. Es liegt zu zwei Dritteln über und nur zu einem Drittel unter 800 DM. Demgegenüber besuchten die *Angestellten* häufiger die Mittelschule mit anschließender Lehre oder haben eine Fachschulausbildung, jedoch selten das Abitur – nur 8,1 % – und verdienen, jeweils gemessen an ihrem individuellen Ausbildungsstand, ein niedriges, mittleres oder höheres Einkommen (34,8 % unter 800 DM; 40,9 % zwischen 800 und 1 200 DM; 24,3 % über 1 200 DM).

3. *Arbeiter* haben meist nur die Volksschule besucht (97,7 %), durchlaufen überwiegend eine Anlernausbildung oder eine Lehre und verdienen zu 81,0 % unter 800 DM netto monatlich.

Aus dieser Zusammenstellung wird zweierlei deutlich: 1. daß entweder Besitz[15] *oder* Bildung für die Höhe des Einkommens maßgebend ist und 2. bei allen abhängigen Erwerbstätigkeiten das Einkommen weitgehend der geforderten Qualifikation – d. h. der Schul- und Berufsausbildung – entspricht. Die Ausbildungsunterschiede wirken sich fast ausschließlich nur für »Beamte« und »Angestellte« als ein für ihre berufliche Stellung und ihr Einkommen wesentliches, differenzierendes Merkmal aus. Für die »Selbständigen« und in gewissem Umfange auch für die »Arbeiter« ist lediglich die Höhe des Einkommens bzw. der Produktionsmittelbesitz relevant[16]. Bildungsunterschiede haben für die Stellung dieser Berufsgruppen geringe Bedeutung.

EINE UNTERSUCHUNG DER KORRELATE VON ARBEITSTÄTIGKEITEN

Die bisher aufgeführte Unterscheidung von Berufskategorien nach dem Kriterium »Stellung im Beruf« vermittelte eine Vorstellung über die unterschiedlichen »Lebenschancen«, die mit der Ausübung beruflicher Tätigkeiten hinsichtlich des Einkommens verbunden sind und betonte die Bedeutung der Ausbildung für Angestellte und Beamte, während »Qualifikationen« für die Selbständigen und die Arbeiter weniger relevant waren[17]. Eine weitergehende Differenzierung hinsichtlich der verschiedenen Untergruppen konnte jedoch nicht vorgenommen werden[18]. Da wir daran interessiert sind, den Einfluß der Ausbildung auf die Statuszuweisungsprozesse zu untersuchen, werden wir im folgenden darauf verzichten, Einkommensunterschiede als *wesentliches* Merkmal für die Differenzierung von Arbeitstätigkeiten herauszustellen. Auch über die unterschiedliche Qualifikationsstruktur in den verschiedenen Gruppen der Arbeiter wie auch der Selbständigen[19] wissen wir sehr wenig und sind bei unserer Analyse lediglich auf Vermutungen angewiesen.

Um ein Strukturmodell zu entwickeln, das eine Einordnung der Berufe hinsichtlich verschiedener Dimensionen erlaubt, ist es notwendig, zunächst die für alle beruflichen Tätigkeiten in gleicher Weise wesentlichen, die »Lebenschancen« und »Lebenslage« der Individuen entscheidend bestimmenden sozialen Korrelate zu erfassen. Das macht es möglich, Komplexe beruflicher Tätigkeiten voneinander zu isolieren, die hinsichtlich bestimmter *sozialer* Merkmale als gleich oder ähnlich betrachtet werden können. So läßt sich z. B. zeigen, daß die unterschiedliche »Bewertung« der beruflichen Positionen z. B. des Arbeiters und des Angestellten ganz spezifische Ursachen hat, die »objektiv« begründet sind.

Um eine Einordnung der Berufe entsprechend der verschiedenen sozialen Korrelate vornehmen zu können, wird folgende Klassifizierung vorgeschlagen:

1. Eine Klassifikation nach dem Qualifikationsniveau unter Einschluß der Schul- und Berufsausbildung.
2. Eine Klassifikation nach den Arbeitsbedingungen, wie leichte, anstrengende, körperlich schwere, schwierige Arbeit, um die simplere Unterscheidung in »manual«-, »non-manual«-, »farm«-Kategorien zu vermeiden.
3. Eine Klassifikation nach den beruflichen Rechten und Pflichten wie: Arbeitszeit, Anwesenheitskontrolle (Stechuhr), Anweisungsbefugnis u. a.
4. Eine Klassifikation der Berufe nach den mit der Berufsausübung verbundenen »Belohnungen« wie: Höhe des Einkommens, Art der Gehaltszahlung (wöchentlich oder monatlich), Tantieme u. a.
5. Eine Klassifikation der Berufe nach Kriterien, die mit der Sicherheit des Arbeitsplatzes zusammenhängen, wie: Kündigungsfristen, Lohnfortzahlung im Krankheitsfall, Sozialversicherung, Arbeitslosenversicherung u. a.

6. Und schließlich eine Klassifikation nach dem beruflichen Prestige, unter dem Aspekt der »Güte« oder Beliebtheit (relative goodness)[20] der Berufsposition, ihres »Images« in der Vorstellung der Bevölkerung[21].

Diese Aufstellung ist durchaus als vorläufige anzusehen und dient lediglich dem Zweck, den Problemzusammenhang zu verdeutlichen und Forschungsperspektiven zu initiieren. Dieser Versuch der Aufgliederung von Berufen hinsichtlich ihrer sozialen Korrelate soll lediglich zeigen, welche möglichen Vorgehensweisen zur Konstruktion eines mehrdimensionalen Stratifikationsgefüges aus »objektiven« Kriterien

Schaubild 4

Einordnung von Berufen nach sozialen Korrelaten

niedrig	Prestige	hoch
14tägige Kündigung Rente 50 % des Lohns	Sicherheit	unkündbar oder nach Vertrag, Pension 80 % des Einkommens
unter DM 800,— Monatslohn, ges. Urlaub	Belohnungen	über DM 1 800,— Einkommen, ca. 2 Monate Urlaub
Anwesenheitskontrolle (Stechuhr), Arbeit nach Anweisung	Freiheitsspielraum	geringe Anwesenheitskontrollen, Anweisungsbefugnis
Handlangertätigkeit, körperliche Arbeit	Arbeitsbedingungen	geistige Tätigkeit nach eigener Entscheidung
Volksschule bis 6. Klasse, ungelernt, 6–12 Jahre (einschl. Berufsschule)	Qualifikationen	Abitur Hochschule mindestens 21 Jahre oder länger
Ungelernter Arbeiter		Universitätsprofessor

sich anbieten, um »Barrieren« oder »Klassengrenzen« identifizieren zu können.

Nun ist es natürlich verhältnismäßig leicht, so extrem gegensätzliche Berufspositionen einander gegenüberzustellen, wie es in Schaubild 4 beispielhaft geschehen ist[22]. Schwieriger, jedoch für Mobilitätsuntersuchungen besonders relevant, wäre eine Unterscheidung der »mittleren« Berufspositionen sowohl hinsichtlich ihrer sozio-professionellen Untergliederung[23] wie auch jener Dimensionen, die für den Vorgang »Mobilität« von Bedeutung sind und die sich für zahlreiche Berufspositionen in spezifischer Weise überlappen[24]. Es ist anzunehmen, daß sich nur im Falle des Vorhandenseins bestimmter Merkmalskombinationen ein Aufstieg bzw. im Falle des Verlustes ein Abstieg vollzieht[25]. Diese Merkmale oder sozialen Korrelate von Berufspositionen können dabei sowohl erworben als auch zugeschrieben sein. Weiterhin können diese Merkmale sich gegenseitig ersetzen wie auch steigern. Das Strukturmodell des Schaubildes 5 versucht, diese Zusammenhänge visuell darzustellen. Und zwar wurden für diese vereinfachte Darstellung lediglich sechs sozio-professionelle Untergruppen ausgewählt, da andernfalls die graphische Darstellung zu unübersichtlich geworden wäre.

1. Arbeiter ohne Qualifikationen (an- und ungelernte Arbeiter).
2. Arbeiter mit Qualifikationen (Facharbeiter).
3. Angestellte (*ohne* Qualifikationen und *ohne* Dispositionsbefugnis).
4. Leitende Angestellte (*mit* Qualifikationen und *mit* Dispositionsbefugnis).
5. Selbständige (*ohne* Qualifikationen und *ohne* Produktionsmittelbesitz).
6. Selbständige Unternehmer (*ohne* Qualifikationen und *mit* Produktionsmittelbesitz).

Die Bezeichnungen »Oberschicht«, »Mittelschicht« und »Unterschicht« werden hier als Abgrenzungen begriffen, die mit den »Barrieren« bzw. »Klassengrenzen« zwischen den Schichten nicht als kongruent betrachtet werden. Man könnte sie eher als Orientierungskategorien der Selbstzuordnung bzw. Selbsteinschätzung begreifen, die sich auf die bisherige Schichteinteilung beziehen: Arbeiter gehören zur Unterschicht, Angestellte zur Mittelschicht.

Personen der Unterschicht verfügen weder über Besitz noch über Qualifikationen, d. h. ein Aufstieg zur Mittelschicht ist weitgehend nur durch den zusätzlichen Erwerb von »Qualifikationen« möglich, während ein Aufstieg von der Mittelschicht zur Oberschicht durch den Erwerb von »Besitz« erfolgt. Umgekehrt impliziert ein Verlust von »Besitz« oder »Qualifikation« meist den sozialen Abstieg[26]. »Qualifikationsbarriere« und »Besitzbarriere« symbolisieren die aufstiegshemmenden bzw. abstiegsbremsenden Faktoren. Die »Arbeitskraft« ist zwar Voraussetzung für jede Berufstätigkeit, der Verlust von »Arbeitskraft« – etwa infolge eines Verkehrsunfalles – bedeutet fast immer einen Abstieg (deshalb Barriere »Arbeitskraft«).

Die oben aufgeführten sozio-professionellen Untergruppen überlappen sich z. B. im mittleren Berufsbereich[27] außerordentlich stark, jedoch typischerweise nur in bestimmten »Zonen«[28]. So sind die leitenden Angestellten (........), was die »Sicherheit« des Arbeitsplatzes betrifft, häufig gegenüber den anderen Angestellten (–·–·–·–) benachteiligt und haben einen geringeren Freiheitsspielraum als die Selbständigen und die selbständigen Unternehmer (-----und——). Die Angestellten *ohne* Qualifikationen (–··–··–) sind wiederum gegenüber den Facharbeitern (···———···) abgesehen vom Einkommen eindeutig bevorzugt. Die höhere Einstufung von »Angestellten« in der Berufshierarchie hat also durchaus »objektive« Ursachen[29].

Die »Barrieren« bestimmen sich weitgehend durch »Qualifikation« oder »Besitz«; wer lediglich über seine Arbeitskraft verfügt, gehört zur »Unterschicht« bzw. zu dem Teil der »Mittelschicht«, in dem für Angestellte keine Qualifikationen erforderlich sind. Arbeitskraft plus Ausbildung ermöglicht den Aufstieg in die »Mittelschicht«, bei besonders qualifizierter Ausbildung und gehobener Berufsposition (mit »hohem« Einkommen) in die »Oberschicht«[30]. Bei Selbständigen entscheidet »Besitz« bzw. das mit Hilfe des Besitzes erzielte Einkommen als Gradmesser der Zugehörigkeit zur Mittel- oder Oberschicht. Selbständige werden im allgemeinen nie zur Unterschicht gerechnet[31].

Alle Berufe, die irgendwelche Qualifikationen erfordern, und das sind die meisten »Mittelschichtenberufe«, stehen in engem Zusammenhang mit der absolvierten Schul- oder Berufsausbildung. Wahrscheinlich tendiert die Entwicklung eindeutig zu einer Verfestigung des Zusammenhanges von Schulbildung und Beruf[32]. Hierbei ist zu unterscheiden zwischen Qualifikationen, die als Eintrittsvoraussetzung für bestimmte Berufe gefordert werden (Schulbildung, Berufsausbildung, praktische Tätigkeit) und zwischen denen, die im Laufe des Berufslebens erworben werden können[33]. Dabei beschränkt eine nicht absolvierte Schul- und Berufsausbildung die Zutrittsmöglichkeiten einmal

Schaubild 5

Entwurf eines Strukturmodells zur Identifizierung von »Barrieren« oder »Klassengrenzen«

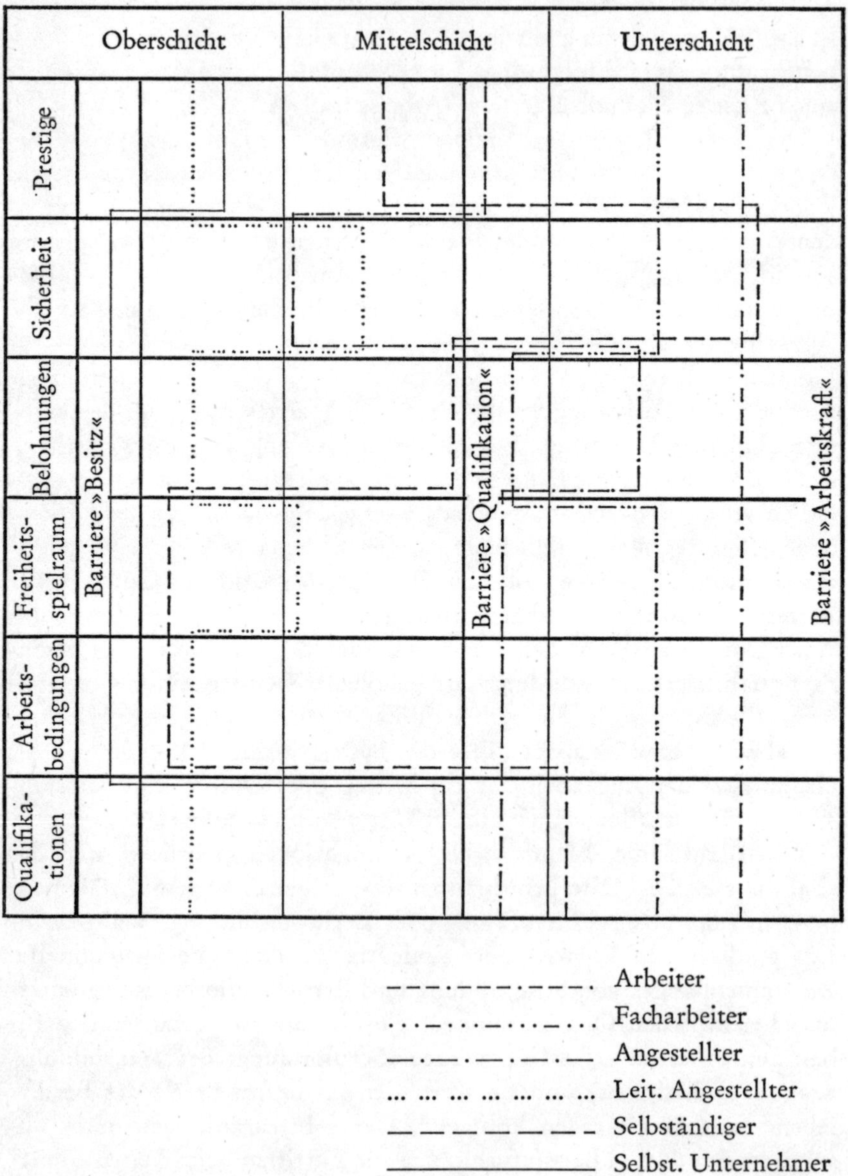

hinsichtlich bestimmter, im Range »höherer« Positionen (Abhängigkeit zwischen Schulausbildung und Eintrittsberuf), zum anderen vermindern fehlende Qualifikationen auch die Chancen, innerhalb des einmal gewählten Berufsbereiches aufzusteigen (Abhängigkeit zwischen Schulbildung und Mobilitätschancen). Beide Faktoren sind getrennt zu untersuchen. Wir müssen zu diesem Zweck amerikanische bzw. englische Veröffentlichungen heranziehen, d. h. Forschungsergebnisse aus Ländern benutzen, deren Bildungssysteme von dem unseren sehr verschieden sind. Die Aussagen haben deshalb einen stark hypothetischen Charakter.

BERUFLICHE PLAZIERUNG IN ABHÄNGIGKEIT VOM EINTRITTSBERUF

Blau und Duncan konnten in ihrer umfangreichen Studie unter anderem bestätigen[34], daß zwischen dem Eintrittsberuf und dem späteren Beruf (etwa mit 40 Jahren) hinsichtlich des Prestiges eine weitgehende Übereinstimmung besteht. Zu ähnlichen Ergebnissen kamen Parnes[35] und Rossi[36]. Meinungsverschiedenheiten zwischen den Autoren bestehen lediglich hinsichtlich der Definition des Eintrittsberufes oder »First Job«, nämlich ob darunter der erste Beruf überhaupt oder der erste Beruf nach Abschluß der Ausbildung zu verstehen ist[37]. Die Beziehungen zwischen dem Eintrittsberuf und dem späteren Beruf wurden von Rossi und Ornstein mit Hilfe von »Prestigescores«[38] in bezug auf den Herkunftsstatus (Beruf des Vaters) und den Ausbildungsstatus (Länge und Abschluß) untersucht. Das in gewissem Sinne besonders für die amerikanische Berufsstruktur überraschende Ergebnis besteht darin[39], daß der Eintrittsberuf außerordentlich weitgehend über die spätere Berufskarriere entscheidet, der Einfluß der Herkunftsfamilie jedoch über Ausbildung und Eintrittsberuf zum Tragen kommt[40]. Der erworbene Ausbildungsgrad wirkt sich also nicht nur auf den Berufsstart, sondern auch auf die spätere Berufskarriere aus. In diesem Sinne hängen Inter- und Intragenerationen-Mobilität eng miteinander zusammen, und zwar in doppelter Weise: Einmal determiniert der Herkunftsstatus bzw. der Beruf des Vaters über die Sozialisationsmechanismen *die Startposition* (Intergenerationen-Mobilität), zum anderen werden eben durch die Wahl des »First Job« die späteren Karrierechancen bestimmt (Intragenerationen-Mobilität)[41].

»While social class background helps to get an individual into a more or less favorable position *vis a vis* entry into labour force, the qualifications of the individual, are indexed by his educational attainement . . .«[42]

Die Startposition oder der »First Job« wird unter dem Aspekt einer »Verfestigung« der Beziehung zwischen Schulbildung und Beruf[43] insofern besonders wichtig, weil die bis dahin erreichten Qualifikationen die Einstiegshöhe in der Berufshierarchie bestimmen, d. h. die Zeit *vor* dem Eintritt in das Berufsleben wird fast wichtiger als spätere Anstrengungen, im Beruf aufzusteigen[44]. Die Entscheidung über den Ausbildungsgang und damit über die Lebenschancen liegen jedoch weitgehend bei den Eltern und werden durch deren Aspirationsniveau bestimmt[45].

In welchem Umfange berufliche Erfahrungen die schulische Ausbildung substituieren, müßte untersucht werden[46]. Nach Pross und Boetticher[47] startete z. B. schon jeder zweite der leitenden Angestellten auf

Schaubild 6

Die Berufsposition in Abhängigkeit von Herkunft, Ausbildung und Eintrittsberuf

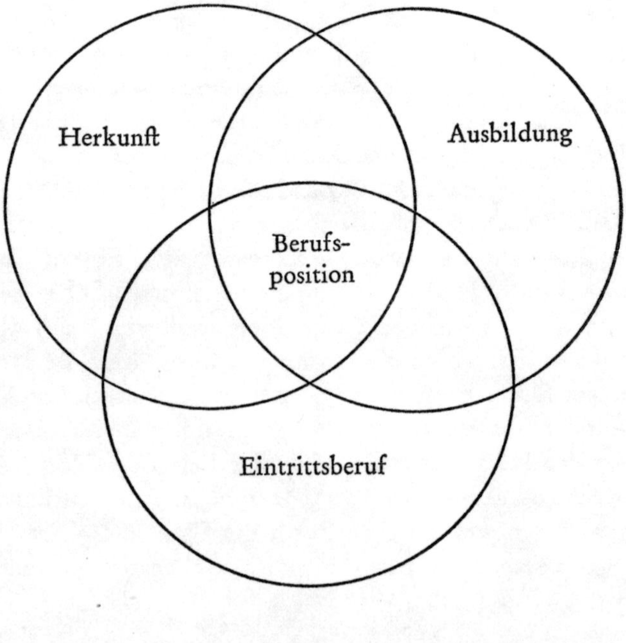

der sozialen Ebene, der sein heutiger Beruf zuzurechnen ist. Die andere Hälfte ist aufgestiegen. Inwieweit diese Tendenz, aufgrund von »Erfahrung« aufzusteigen, in Zukunft geringer werden wird, läßt sich nur vermuten. Es ist jedoch denkbar, daß die Möglichkeiten, im Laufe des Berufslebens aufzusteigen, vom Erwerb zusätzlicher Qualifikationen abhängig gemacht wird, während die Intergenerationen-Mobilität nahezu vollständig über den Besuch von Schulen und Hochschulen gesteuert wird. Die Erweiterung der schulischen Ausbildungsmöglichkeiten gewinnt unter diesem Aspekt für die Kinder der Unterschicht besondere Bedeutung, da eine Verbreiterung des Bildungsangebotes die Mobilitätschancen jener Bevölkerungsschichten erhöht, in denen bisher ein weiterführender Schulbesuch infolge des eigenen niedrigen Berufsstatus nicht gefordert wurde. »Chancengleichheit« würde in diesem Fall bedeuten, allen Kindern die *gleiche* Förderung und Ausbildung bis zum Eintritt in das Berufsleben zu geben, unabhängig vom Herkunftsstatus, so wie es die Bildungsreform beabsichtigte[48].

DIE BEDEUTUNG DER SCHUL- UND BERUFSAUSBILDUNG FÜR DIE AUFSTIEGSCHANCEN

Blau und Duncan konnten bestätigen, daß »the chances of upward mobility are directly related to education«[49], eine Feststellung, die bereits von Hall und Glass[50] als Folge des »1944 Education Act« in Großbritannien gemacht wurde. Für Kinder aus den unteren sozialen Schichten bedeutet eine über die Volksschule hinausgehende Ausbildung nahezu immer einen sozialen Aufstieg[51]. Eine Erleichterung des Zuganges zu den weiterführenden Schulen durch Schulgeldfreiheit, Lehrmittelfreiheit usw. *und* eine Verlängerung der allgemeinen Schulpflicht[52] wirken sich nach den Erfahrungen in Großbritannien in einem gewissen Umfang fördernd auf eine Mobilisierung der Unterschichten aus. »Education as such appears to modify, but not to destroy, the characteristic association between the social status of fathers and sons.«[53] Die Untersuchungen von Blau und Duncan weisen jedoch darauf hin[54], daß lediglich eine *abgeschlossene* Schul- oder Hochschulausbildung diese aufstiegsfördernde Wirkung hat. Eine abgebrochene Ausbildung hat den gegenteiligen Effekt[55]. »Men who started but did not complete college are more likely to experience downward mobility not only than those with more education but also than most of those with less education.«[56]

Schaubild 7

Herkunft, Schulbildung und Mobilität

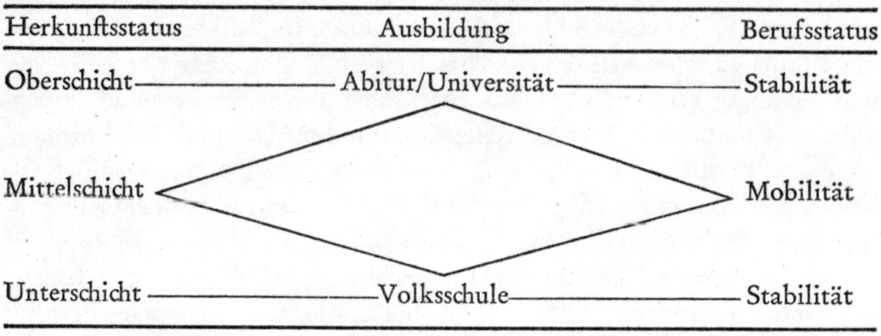

Das obenstehende Schaubild 7 soll deutlich machen[57], daß die »Chance«, sozial auf- oder abzusteigen, jeweils in Verbindung mit dem Herkunftsstatus zu betrachten ist:

Die Aussage, daß eine unvollendete Schul- oder Hochschulausbildung nachteiliger ist als eine abgeschlossene Volksschulbildung und insofern häufiger einen sozialen Abstieg bedingt, erklärt sich vorwiegend aus dem höheren Herkunftsstatus von Oberschülern und Studenten. Der Sohn einer Arbeiterfamilie, der nach zwei Klassen Oberschule wieder auf die Volksschule zurückkehrt, wird nicht als abwärtsmobil bezeichnet[58]. Eine abgeschlossene höhere Schulausbildung lockert sehr wahrscheinlich die Verbindung zum niedrigen Herkunftsstatus, da eine über die Volksschule hinausgehende Ausbildung für Arbeiter nahezu die Ausnahme ist. Gelingt es dem Kind aus der Arbeiterfamilie, die mittlere oder höhere Schule abzuschließen, nimmt entsprechend unserer früheren Ausführungen[59] die Verbindung zwischen Vater-und-Sohn-Status sukzessive ab. »If that stage is attained, further education ... still further increases the social ascent of the sons of lower status fathers.«[60]

DIE DIFFERENZIERUNG DER BERUFSSTRUKTUR DURCH DIE AUSGESTALTUNG DER SOZIALEN KORRELATE BERUFLICHER TÄTIGKEITEN

Die Diskussion über die Abhängigkeit von Schulausbildung und Eintrittsberuf einerseits, Schulausbildung und Mobilitätschancen andererseits wurde in der bisherigen Darstellung mobilitätsrelevanter Mechanismen weitgehend im Hinblick auf die den Statuserwerb steuernden *Qualifikationen* geführt. Die übrigen Korrelate von Berufstätigkeiten wie Arbeitsbedingungen, Freiheitsspielraum, Belohnungen, Sicherheit und Prestige[61], die zur näheren Bestimmung aufstiegshemmender und aufstiegsfördernder Mechanismen als zusätzlich differenzierende Merkmale isoliert wurden, sind in die Überlegungen über die Wirkungsweise beruflicher Selektionsmechanismen bisher nicht mit einbezogen worden, weil sie nicht als Voraussetzungen für die berufliche Plazierung oder die Aufstiegschancen des einzelnen gelten können.

Da wir nahezu über keinerlei Untersuchungen verfügen[62], in welchem Umfange diese sozialen Korrelate, deren Ausgestaltung teilweise gesetzlichen oder tariflichen Bestimmungen unterliegt[63], die Berufspositionen strukturieren, können wir lediglich hypothetische Überlegungen vortragen. Das sei noch einmal ausdrücklich betont[64]. Was u. E. genauer analysiert werden sollte, ist der Tatbestand, daß Berufspositionen, für die gleiche Zugangsvoraussetzungen bestehen – z. B. ein abgeschlossenes Fachhochschulstudium – hinsichtlich ihrer inhaltlichen Beschreibung im allgemeinen sehr ungenau definiert sind, und daß ihre Einordnung in die Berufshierarchie sich nicht auf die Funktionsvoraussetzungen allein zurückführen läßt[65].

Im Gegensatz zu der Annahme, daß zwischen der Ausbildung, dem Berufseinstieg und den Aufstiegschancen eine enge Korrelation besteht, müssen die Aussagen in gewisser Weise vor allem im Hinblick auf die privilegierten Positionen wieder relativiert werden[66]. Die berufliche Karriere wird nicht nur durch die Bewertung der individuellen Qualifikation gesteuert. Es wird durch die verfügbaren Daten die Annahme gestützt[67], daß vor allem bei der Zuweisung zu den »höheren«, mit besonderen Privilegien ausgestatteten Positionen, Leistungskriterien bei der Rekrutierung nur eine untergeordnete Rolle[68] spielen. Die Herkunft erweist sich neben den erworbenen Qualifikationen als wesentliches Zuweisungskriterium, wobei für die Qualität der Ausbildung weniger die fachspezifischen Kenntnisse als der Prestigewert des akademischen Diploms von Bedeutung ist.

Diese, bisher nur in Teilbereichen nachgewiesene Rekrutierungspraxis, in der die »offiziellen« Auswahlkriterien durch andere, funktionsfremde Beurteilungen ersetzt werden, die sich nicht an den funktionalen Erfordernissen der Tätigkeiten orientieren, verdeutlicht die lockere Beziehung, die zwischen den Arbeitsanforderungen und der Bewertung der geleisteten Arbeit besteht. Hier existieren spezifische Möglichkeiten über variabel verwendbare, nicht zu überprüfende Mechanismen die Positionszuweisungsprozesse zu regulieren.

Trotz gleicher Startvoraussetzungen, d. h. gleichem Ausbildungsstand, wird durch das Zusammenspiel der verschiedenen, mit der beruflichen Tätigkeit verknüpften sozialen Korrelate, die sich in bestimmten Privilegien, Rechten, Einflußkonstellationen manifestieren, die personelle Rekrutierung zusätzlich zu den bereits durch die familiäre Sozialisation gesteuerten Prozessen möglicherweise wirkungsvoll im Sinne einer Tradierung der bestehenden Positionsverteilung fortgesetzt[69]. In analoger Weise kann ein erhöhter Bedarf an qualifiziertem Personal, wie er in fortgeschrittenen Industriegesellschaften auftritt, durch eine Umstrukturierung der mit bestimmten Berufen oder Berufsgruppen verbundenen sozialen Korrelate zu einer Reduktion des Anspruchsniveaus führen, d. h. trotz Erhöhung der Qualifikationsbarriere werden durch eine Veränderung z. B. der Arbeitsbedingungen, Einengung des Freiheitsspielraums, Berufe oder Berufsgruppen zu weniger angesehenen und geringer »belohnten« Tätigkeiten umprogrammiert[70].

Da die Verbindung zwischen beruflichen Tätigkeiten und ihren sozialen Korrelaten nicht fest verankert ist, ergeben sich für die Ausgestaltung von Berufen hinsichtlich ihrer sozialen Determiniertheit zahlreiche Alternativen, die sowohl zu einer Erweiterung des Freiheitsspielraums im Sinne individueller Entfaltungsmöglichkeiten wie auch zu einer zunehmenden Beschränkung der »Lebenschancen« des einzelnen führen können. Welche Mobilitätsprozesse unter diesen Perspektiven als ungleichheitserhaltend bzw. ungleichheitsverringernd anzusehen sind, läßt sich erst nach genauer Analyse des Zusammenspiels der verschiedenen sozialen Korrelate angeben[71].

X

Über den Zusammenhang von Mobilitätsforschung und Bildungsplanung. Kritische Gedanken zu einem aktuellen Problem

Die Erforschung vertikaler sozialer Mobilitätsbewegungen gewinnt im Zusammenhang mit der geplanten Umstrukturierung des Bildungswesens[1] und der verstärkten Förderung von Ausbildung und Fortbildung[2] erneute Aktualität. Die zur Verwirklichung der »Chancengleichheit« aller Mitglieder der Gesellschaft angestrebte Demokratisierung des Bildungswesens trifft sich in hochindustrialisierten Gesellschaften mit einem erhöhten Bedarf an qualifiziertem Personal[3], der mit herkömmlichen Ausbildungsgängen nicht mehr gedeckt werden kann. Die Mobilisierung der Begabungsreserven und die Erhöhung des Qualifikationsniveaus werden als wesentliche Voraussetzungen des zukünftigen wirtschaftlichen Wachstums angesehen.

Die Vorschläge zur Neuordnung des Bildungswesens orientierten sich anfangs jedoch keineswegs am Begriff der »Chancengleichheit« im Sinne sozialer Gerechtigkeit oder eines emanzipativen Interesses am einzelnen[4].

Überlegungen, welchen »Bedarf«[5] an hochqualifizierten Arbeitskräften wachsende Industriegesellschaften in Zukunft haben werden[6], führten zu der These, daß der »technische Fortschritt« als entscheidender Wachstumsfaktor von einem verstärkten Einsatz qualifizierter Arbeit abhängig ist. Da das ökonomische Wachstum somit vor allem mehr und besser ausgebildetes Personal benötigte, war es das Ziel der Bildungspolitik, sowohl das Qualifikationsniveau der Beschäftigten insgesamt zu erhöhen, als auch verstärkt jene Schichten in einen längeren Ausbildungsprozeß einzubeziehen[7], die bisher aus dem weiterführenden Schulwesen weitgehend ausgeschlossen waren[8]. Die Betrachtung des Bildungsaufwandes als eine das wirtschaftliche Wachstum fördernde Investition mußte jedoch in der Bundesrepublik erst ins öffentliche Bewußtsein gehoben werden. Dabei blieben folgende Feststellungen nicht ohne Einfluß auf die Forderung nach einer Erhöhung der Ausgaben für den Bildungssektor[9]:

1. Die technische Entwicklung in der Sowjetunion, deren Erfolge vor allem in der Raumfahrt auf intensive Bildungsbemühungen und ein effektiveres Bildungssystem zurückgeführt wurden[10];

2. die Frage nach den Ursachen für die trotz hoher Kapitalinvestitionen niedrigen ökonomischen Wachstumsraten in den Entwicklungsländern[11], und schließlich
3. die internationalen Vergleichszahlen, nach denen die Bundesrepublik trotz wirtschaftlicher Prosperität in ihrem Bildungssystem als merklich hinter anderen Ländern zurückgeblieben charakterisiert wurde[12].

Die Forderung, durch den Ausbau der Bildungseinrichtungen neben einer Verbesserung des Qualifikationsniveaus auch den bisher unterprivilegierten und unterrepräsentierten Bevölkerungsgruppen bessere Möglichkeiten zu geben, ihre Talente und Fähigkeiten auszubilden, um damit eine wichtige Voraussetzung für den sozialen Aufstieg zu schaffen, rekurriert auf die empirisch nachgewiesene Bedeutung der Schul- und Berufsausbildung für den Positionszuweisungsprozeß[13]. Die vorhandenen Mobilitätsstudien weisen übereinstimmend darauf hin[14], daß der Zugang zu den verschiedenen Berufspositionen durch formale Qualifikationsnachweise vorstrukturiert wird[15]. Damit werden die Lebenschancen des einzelnen, seine berufliche Stellung, sein Ansehen, sein gesellschaftlicher Einfluß entscheidend von der Qualität seiner Ausbildung bestimmt[16].

Alle diese Überlegungen führten unter der demokratischen Parole nach mehr »Chancengleichheit« zu einer verstärkten Bildungserwerbung in den unteren Schichten.

Das Bemühen, Begabungsreserven zu erschließen, mobilisierte jedoch nicht nur die bisher benachteiligten, sondern auch die privilegierten Bevölkerungsgruppen, die für ihre Kinder schon immer lange Ausbildungszeiten in Kauf genommen hatten. Die Zunahme der Abiturientenzahlen und der starke Andrang zu den Hochschulen produzierte einen erhöhten »output« an Akademikern, ohne den Anteil der Arbeiterkinder wesentlich zu erhöhen[17]. Die eigentlichen Gewinner der Erweiterung des Zuganges zu den Gymnasien waren jene Berufsschichten, die sich immer schon zu den »Gebildeten« zählen konnten[18].

Dieses Ergebnis widerspricht nicht eigentlich dem vorrangigen Ziel der Bildungspolitik, das Qualifikationsniveau insgesamt zu erhöhen, um im internationalen Wettbewerb konkurrenzfähig zu bleiben[19], tangiert jedoch das Selbstverständnis einer demokratischen Gesellschaft, die vorgibt, jedem Bürger die gleiche »Chance« zu geben, seine Begabungen und Fähigkeiten zu entwickeln[20]. Der Begriff der »Fähigkeit« umfaßt jedoch nicht allein eine biologisch vorgegebene Anlage, sondern zugleich einen sozio-kulturellen Lernprozeß, der durch die Sozialisationsbedingungen der Herkunftsfamilie vermittelt wird. Unter der Annahme, daß die Begabungen in der Gesellschaft annähernd normal verteilt sind, läßt sich die hohe Korrelation zwischen Herkunftsstatus und Berufsstatus, wie ihn alle Mobilitätsuntersuchungen nachweisen, nur als Bestätigung der sozio-kulturellen Determiniertheit von Begabungsunterschieden interpretieren.

Obgleich sich in letzter Zeit die Stimmen mehren, die den individuellen Anspruch auf »Bildung« stärker als bisher am gesellschaftlichen »Bedarf« messen wollen, bleibt das Problem völlig ungelöst, aufgrund welcher Konzeption eine Übereinstimmung herbeigeführt werden soll[21]. In einem System marktwirtschaftlicher Prägung lassen sich weder der zukünftige »Bedarf« an Bildung und Ausbildung verläßlich fixieren[22], noch individuelle Bildungsbedürfnisse zur Grundlage von Kapazitätsberechnungen machen: eine Bedarfsfeststellung ist nahezu unmöglich, eine von Bedarfsprognosen unabhängige Ausbildungsförderung führt mit Sicherheit zu sozialen Problemen, eine Gefahr, die von konservativer Seite seit einiger Zeit verstärkt artikuliert wird[23].

Die doppelte Zielsetzung der Bildungspolitik, im Sinne des Chancengleichheitspostulats individuelles Bildungsstreben zu fördern, um zugleich den gesellschaftlichen Bedarf an qualifiziertem Personal sicherzustellen, läßt sich durch einen ungeplanten und unkoordinierten Ausbau der Bildungseinrichtungen nicht lösen[24].

So bietet sich nur die pessimistische Einsicht an, daß die Ausweitung des existierenden Bildungssystems ohne strukturelle Änderungen zunehmend ein Ungleichgewicht zwischen angebotenen und nachgefragten beruflichen Qualifikationen produzieren wird. Es ist weiterhin zu bezweifeln, ob der Ausbau bestehender Einrichtungen, die bisher geübte Praxis, auf eine Lockerung der engen Beziehung zwischen Vater- und Sohn-Beruf hinwirken kann[25], indem sie die Modalitäten des Statuserwerbs von der Herkunft unabhängiger gestaltet. Wahrscheinlicher ist, daß auf diese Weise eine unter technologischen Maximen hochmobile Gesellschaft geschaffen wird, ohne einen Abbau der Diskriminierungsbarrieren zu bewirken.

Auch in modernen industrialisierten Gesellschaften wird der Berufsstatus vorwiegend durch den Herkunftsstatus determiniert[26], indem die Ursprungsfamilie über den Faktor »Bildung« die spätere Berufswahl vorstrukturiert[27]. Die Hoffnung der Reformer, durch Vorschulerziehung über die Gesamtschule und die Gesamthochschule bis zur Institutionalisierung lebenslangen Lernens[28] die bestehende Ungleichheit der Bildungschancen abzubauen, um mit Hilfe von Wissenskriterien und ihrer Überprüfung eine gerechtere, den »Leistungen« des einzelnen adäquate Auslese zu treffen, wird ihr Ziel wahrscheinlich verfehlen müssen. Denn »Bildung« im herkömmlichen Sinne[29] setzt immer schon voraus, was sie zu vermitteln vorgibt: Sprachempfinden, Vertrautheit mit kulturellen Normen, Verhaltenssicherheit und eine spezielle Leistungsmotivation[30], d. h., das Bildungssystem verlangt bisher eine spezifische Sprache und Kultur, die außerhalb von Schule und Universität in der Familie erworben wird. Die Annahme, durch Reformen eine allgemeine »Chancengleichheit« installieren zu können, die jedem die gleiche Chance gibt, sozial aufzusteigen[31], sofern er die »Fähigkeit«[32] dazu besitzt, ist aufgrund des existierenden Stratifikationssystems eine Fiktion. Die unterschiedlichen »starting-points« verhindern einen »freien« Wettbewerb von vornherein[33].

»Erfolgreicher denn je – und in einer Gesellschaft, die sich auf ihre demokratischen Werte beruft, auf die einzig mögliche Weise – kann das Bildungswesen seine Funktion der Perpetuierung sozialer und kultureller Privilegien wahrnehmen, indem es die Ausübung dieser Funktion besser denn je zu verbergen versteht.«[34]

Die Positionszuweisung reguliert sich nach wie vor weitgehend nach dem bereits vorhandenen strukturellen Muster, wenn nicht institutionelle Änderungen den Verteilungsmechanismus umstellen. Es ist deshalb zu fragen, inwieweit eine Expansion formaler Schulbildung allein diesen Trend verändern kann. Mobilitätsuntersuchungen konnten für die letzten 50 Jahre, die bestimmt waren durch Industrialisierung, Urbanisierung und eine Expansion formaler Schulbildung *keine bedeutsamen Veränderungen in der Gesamttendenz der Statusvererbung zwischen Vater und Sohn feststellen*[35], obgleich die Mobilitätsrate insgesamt »hoch« war[36].

Die Ergebnisse der Mobilitätsforschung sollten deshalb nachdenklich stimmen und sowohl dem Bemühen um »Chancengleichheit« als auch der Forderung nach Abbau der Bildungsbarrieren kritisch und, was die Verwirklichung betrifft, leider auch pessimistisch gegenüberstehen. Die überwiegende Zahl der Auf- und Abstiegsbewegungen findet zwischen benachbarten Schichten statt, ist also eine »Mobilität« über kurze Distanzen[37] zwischen Positionen, die sich in ihrem sozialen Status nur wenig unterscheiden[38].

Die Feststellung, daß trotz »hoher« Mobilitätsfrequenzen sich die Modalitäten des Statuserwerbs kaum verändert haben, ist deshalb durchaus nicht kontradiktorisch.

Anhand des Strukturmodells[39] konnte gezeigt werden, daß die Bedeutung formaler Schulbildung ihrer Ausrichtung nach auf die mittleren Schichten beschränkt war, weil für die oberen und unteren Schichten bisher der Faktor »Bildung« keine notwendige Voraussetzung für den Statuserwerb darstellte.

Wenn alle bildungspolitischen Reformvorschläge das Ziel verfolgen, durch schulische und pädagogische Maßnahmen die Unterprivilegierung bestimmter Bevölkerungsgruppen zu beseitigen, um damit zugleich im Interesse des weiteren wirtschaftlichen Wachstums eine bessere Ausschöpfung der »Begabungsreserven« zu bewirken, hat dies für die »Klassenstruktur« Konsequenzen. Hier stellt sich die Frage, ob die Mobilitätsforschung künftig ihre Aufgabe darin sehen kann, die Häufigkeit von Mobilitätsbewegungen zur Grundlage ihrer Analysen zu machen, ohne deutlich zu artikulieren, ob sich mit dem Vorgang »Mobilität« eine Verbesserung oder Verschlechterung der individuellen Lebenslage verbindet[40].

Die Begriffe »Mobilität« und »Chancengleichheit« werden in der gegenwärtigen Diskussion durchaus »politisch« verstanden; die »Mobilisierung von Begabungsreserven« erfordert nicht nur eine Verbreiterung des Zugangs zu den Bildungsinstitutionen, sondern auch eine Umstrukturierung des existierenden Belohnungssystems, des Systems sozialer Ungleichheit. Daß zwischen beiden Zielen ein Interessenkonflikt besteht, wird allerdings selten explizit betont[41].

Anmerkungen

EINLEITUNG

1. Vgl. Baran, P. A., und Sweezy, P. M., *Monokapital*, Frankfurt am Main 1967, S. 58 ff.

2. Vgl. GG., Art. 3, Satz 1: »Alle Menschen sind vor dem Gesetz gleich«, bedeutet allerdings nur, daß sie durch das Gesetz nicht ungleich behandelt werden dürfen (Grundsatz der Rechtsgleichheit). Die amerikanische Verfassung von 1776 drückt den Gleichheitsanspruch viel umfassender aus: »... we hold these truths to be self-evident that all men are created equal, that they are endowed by their creator with certain unlienable rights, that among these are life, liberty and the pursuit of happiness ...«

3. Kritiker werden mir vorhalten, daß Mobilitätsuntersuchungen lediglich den Wandel der Statuszuweisungskriterien in einem System sozialer Ungleichheit analysieren, ohne Rückschlüsse hinsichtlich einer möglichen Umstrukturierung zu implizieren.

4. Vgl. Blau, P. M., und Duncan, O. D., »Eine Untersuchung beruflicher Mobilität in den Vereinigten Staaten«, in: *Soziale Schichtung und Mobilität, Sonderheft 5 der KZSS*, hg. v. D. V. Glass und R. König, 3. Aufl., 1968, 171–188, S. 171.

5. Ebd., S. 171.

6. Vgl. Mayer, K. U., *Einige kritische Bemerkungen zum gegenwärtigen Stand der Mobilitätsforschung*, unveröfftl. Manuskript, Frankfurt am Main 1969, S. 7.

7. Es handelt sich hier um eine von bestimmten Forschern aufgestellte Behauptung (Lipset, Kerr), die sehr populär wurde. Vgl. hierzu Goldthorpe, J. H., »Social Stratification in Industrial Society«, in: *Class, Status and Power*, hg. v. R. Bendix und S. M. Lipset, 2. Aufl., New York 1966, 648–659, S. 651 ff. »It is that once societies have reached a certain level of industrialisation, their overall rates of social mobility tend to become relatively high ...«, ebd., S. 651.

8. Vgl. Kapitel VII.

9. »Man darf die Bedeutung der Vorstellung über Mobilitätsvorgänge durchaus nicht unterschätzen. Die Ansichten über die soziale Wirklichkeit sind immer auch ein Faktor, der diese selbst beeinflußt.« Bolte, K. M., »Vertikale Mobilität«, in: R. König (Hg.), *Handbuch der empirischen Sozialforschung*, II. Bd., Stuttgart 1969, 1–42, S. 31.

10. Hier die wichtigsten Werke: Bolte, K. M., *Sozialer Aufstieg und Abstieg. Eine Untersuchung über Berufsprestige und Berufsmobilität,* Stuttgart 1959; Glass, D. V. (Hg.), *Social Mobility in Britain,* London 1954; Lipset, S. M., und Bendix, R., *Social Mobility in Industrial Society,* London und Berkeley 1959; Smelser, N. J., und Lipset, S. M., *Social Structure and Mobility in Economic Development,* Chicago 1966; Svalastoga, K., *Prestige, Class and Mobility,* Kopenhagen 1959; Blau, P. M., und Duncan, O. D., *The American Occupational Structure,* New York und London 1967, um nur die bekanntesten zu nennen. Eine ausführliche Bibliographie findet sich bei Bolte, K. M., Artikel »Vertikale Mobilität«, in: R. König (Hg.), *Handbuch der empirischen Sozialforschung,* Bd. 2, Stuttgart 1969, 1–42, S. 33ff., und in Goldhammer, H., Artikel »Social Mobility«, in: *International Encyclopedia of Social Science,* Bd. 14, New York 1968, 429–438.

11. Vgl. zur Neuorientierung Kap. VIII.

12. Vgl. den Entwurf eines Strukturmodells in Kapitel IX

I. ZUR PROBLEMATIK DES MOBILITÄTSBEGRIFFS

1. Vgl. Bolte, K. M., Sozialer Aufstieg und Abstieg, *a.a.O.*

2. Ebd., S. 8.

3. Vgl. Sorokin, P., *Social Mobility,* New York 1927; erweiterte Neuauflage: *Social and Cultural Mobility,* Illinois 1959, S. 133f.

4. Vgl. Sorokin, P., *Social and Cultural Mobility,* a.a.O., S. 133f. u. S. 381f.

5. Besonders in den vierziger und fünfziger Jahren läßt sich ein regelrechter »boom« in der Mobilitätsforschung konstatieren, der teilweise den intensiven Bemühungen des Committee on Social Startification and Social Mobility der International Sociological Association (ISA) zu verdanken ist.

6. Mobilitätsraten als Strukturmerkmal ganzer Gesellschaften sollen Aufschluß über eine ganze Reihe von soziologischen Variablen erlauben wie: wirtschaftliches Wachstum, Formen politischer Herrschaft und den Umfang sozialer Ungleichheit.

7. Dieser Eindruck entsteht manchmal, wenn von »Mobilitätsraten« gesprochen wird, ohne ihr Zustandekommen mitzureflektieren.

8. Ein besonderes Interesse an »vertikalen Mobilitätsprozessen« in den Vereinigten Staaten läßt sich aus der wirtschaftlichen Entwicklung in den dreißiger Jahren feststellen, das zu bestimmten »ideologischen Implikationen in der Mobilitätsforschung führte«. Vgl. Kapitel V über Warner.

9. Vgl. Mayntz, R., »Die soziologische Problematik umfassender Mobilitätsuntersuchungen«, in: *KZSS,* 10 (1958), 222–232, S. 222f.

10. Vgl. hierzu Schelsky, H., »Die Bedeutung des Klassenbegriffs für die

Analyse unserer Gesellschaft«, in: *Auf der Suche nach Wirklichkeit,* Düsseldorf-Köln 1965, 352–382, S. 353 f.

11. Vgl. v. Heek, F., »Sozialer Auf- und Abstieg während des Hochkapitalismus«, in: *Soziale Welt,* 2 (1951), S. 255–268.

12. Vgl. Kapitel VI.

13. Vgl. Lepsius, H. M., »Ungleichheit und soziale Schichtung«, in: *Sonderheft 5 der KZSS,* a.a.O., 54–64, S. 63.

14. Ebd., S. 63.

15. Vgl. Smith, A., *An Inquiry into the Nature and Causes of the Wealth of Nations,* London 1776, dt. Ausgabe: *Untersuchung über die Natur des Volkswohlstandes und die Ursachen des Nationalreichtums,* 3. Aufl., Breslau-Leipzig 1810, vgl. hier das berühmte »Stecknadelbeispiel«.

16. Vgl. Klages, H., *Soziologie zwischen Wirklichkeit und Möglichkeit. Plädoyer für eine projektive Soziologie,* Köln und Opladen 1968, S. 12 f.

17. Vgl. Bolte, K. M., und Kreckel, R., »Internationale Mobilitätsvergleiche im Bereich der Soziologie. Versuch einer kritischen Bilanz«, in: Gruber, U., u. a., *Soziale Mobilität heute,* Herford 1968, S. 63.

18. Vgl. Lipset, S. M., und Zetterberg, H. L., »Eine Theorie der sozialen Mobilität«, in: Hartmann, H. (Hg.), *Moderne amerikanische Soziologie,* Stuttgart 1967, S. 368.

19. Vgl. Mayntz, R., »Die soziologische Problematik umfassender Mobilitätsuntersuchungen«, a.a.O., S. 223 f.

20. Vgl. Bolte, K. M., und Kreckel, R., »Internationale Mobilitätsvergleiche ...«, *a.a.O.*, S. 49, wo dieser Vergleich rechnerisch vorgeführt wird.

21. Vgl. hierzu Rogoff, N., *Recent Trends in Occupational Mobility,* Glencoe 1953, S. 23 f., Lenski, G. E., »Trends in Intergenerational Occupational Mobility in the United States«, in: *Am. Soc. Rev.*, 23 (1958), 514–523; Bolte, K. M., *Sozialer Aufstieg und Abstieg,* a.a.O., S. 216 ff.

22. Vgl. Jaffe, A. J., und Carlton, R. O., *Occupational Mobility in the United States 1930–1960,* New York 1954; Rossi, P. H., und Ornstein, M. D., *Quantitative Studien in Intra-Generational Mobility,* John Hopkins University 1971, unveröff. Manuskript.

23. Vgl. Taussig, F. W., und Joslyn, C. S., *American Business Leaders,* New York 1932; Warner, W. L., und Abegglen, J. C., *Big Business Leaders in America,* New York 1955; Girard, A., *La réussite sociale en France,* Paris 1961; Zapf, W., *Wandlungen der deutschen Elite. Ein Zirkulationsmodell deutscher Führungsgruppen 1919–1961,* 2. Aufl., München 1966.

24. Als Beispiel seien hier genannt: Für Amerika die wohl technisch versierteste und neueste Studie in diesem Bereich: Blau, P. M., und Duncan, O. D., *The American Occupational Structure,* New York 1967; für England: Glass, D. V. (Hg.), *Social Mobility in Britain,* London 1954, und für Deutschland: Janowitz, M., »Soziale Schichtung und Mobilität in Westdeutschland«, in: *KZSS,* 10 (1958), 1–38.

25. Vgl. die Aussagen über den Umfang sozialer Mobilität in unserer Gesellschaft und über die Aufstiegsmöglichkeiten des einzelnen in Sozialkundelehrbüchern, z. B. Hartwich, H. H., u. a., *Politik im 20. Jahrhundert*, 3. Aufl., Braunschweig 1967, S. 21 f.

26. Vgl. Sorokin, P., *Social Mobility*, a.a.O., S. 133.

27. Vgl. Bolte, K. M., *Sozialer Aufstieg und Abstieg*, a.a.O., S. 12 ff.

28. Geiger, T., »Eine dynamische Analyse sozialer Mobilität«, in: T. Geiger, *Arbeiten zur Soziologie*, Neuwied 1962, 100–113, S. 113.

29. Vgl. die Kritik von Rose, A. M., »Social Mobility and Social Values«, in: *Arch. Europ. de Sociol.*, 5 (1964), 324–330, S. 324 ff., und Miller, S. M., »The Concept of Mobility«, in: *Social Problems*, 12 (1955), 65–72.

30. Vgl. das Literaturverzeichnis im Anhang.

31. Svalastoga, K., *Prestige, Class and Mobility*, a.a.O., S. 285.

32. Vgl. ebd., S. 284.

33. Vgl. Glass, D. V. (Hg.), *Social Mobility in Britain*, a.a.O., S. 3 ff.

34. Vgl. Lipset, S. M., und Zetterberg, H., »Eine Theorie der sozialen Mobilität«, *a.a.*O., S. 361–384.

35. Vgl. Kahl, J., *The American Class Structure*, New York 1957, S. 8 f.

36. Vgl. dazu die Einleitung.

37. Vgl. Lipset, S. M., und Zetterberg, H. J., »Eine Theorie der sozialen Mobilität«, *a.a.*O., S. 362 ff.

38. Vgl. Kahl, J., *The American Class Structure*, a.a.O., S. 8 f.

39. Vgl. Ausführungen in Kapitel III.

40. Vgl. Ausführungen in Kapitel IV.

41. Vgl. Lipset, S. M., und Zetterberg, H. J., »Eine Theorie der sozialen Mobilität«, *a.a.*O., S. 362 ff.

42. Vgl. Kahl, J., *The American Class Structure*, a.a.O., S. 8 ff.

43. Vgl. Wiehn, E., *Theorien der sozialen Schichtung. Eine kritische Diskussion*, München 1968.

44. Vgl. Dahrendorf, R., *Soziale Klassen und Klassenkonflikt in der industriellen Gesellschaft*, Stuttgart 1957, S. 62.

45. Vgl. Müller, K. V., *Begabung und soziale Schichtung in der hochindustrialisierten Gesellschaft*, Köln und Opladen 1956, S. 20 ff.

46. Vgl. Seyfarth, C., *Zur Logik der Leistungsgesellschaft, Dissertation*, München 1969, S. 77.

47. Vgl. hierzu vor allem den Einfluß der Warnerschen »Klassentheorie« und die darauf aufbauende Diskussion in der Mobilitätsforschung, die ausführlich in Kapitel V dargestellt wird.

48. Vgl. Blau, P. M., und Duncan, O. D., »Eine Untersuchung beruflicher Mobilität in den Vereinigten Staaten«, a.a.O., S. 171.

49. Vgl. die Einleitung.

50. Vgl. Mayer, K. B., »Recent Changes in the Class Structure of the

United States«, in: *Transactions of the Third World Congress of Sociology*, Vol. III, Amsterdam 1956, 66–80, S. 66f.

51. Vgl. Kreckel, R., *Vorüberlegungen zu einer theoretischen Neuorientierung der Soziologie der vertikalen Mobilität*, überarbeitete Fassung eines Referats mit dem Titel »Toward a Theoretical Reorientation of the Sociology of Vertical Mobility«, das bei der Arbeitstagung des »Subcommittee on Social Stratification and Mobility« der ISA am 21.–24. April 1971 in Konstanz zur Diskussion gestellt wurde, S. 2.

52. In dieser Arbeit wird versucht, sich auf »Stratifikation« als vergleichsweise neutralem Begriff festzulegen, was sich jedoch infolge Zitierungen nicht strikt durchhalten läßt.

II. DIE SOZIALE STRATIFIKATION ALS BEZUGSRAHMEN DER VERTIKALEN MOBILITÄTSFORSCHUNG

1. Vgl. hierzu Kahl, J., *The American Class Structure*, a.a.O., S. 8ff.; Mayntz, R., *Soziale Schichtung und sozialer Wandel in einer Industriegemeinde*, Stuttgart 1958, S. 75ff.

2. Vgl. Kapitel V über Warner.

3. Vgl. die folgenden Ausführungen über die Konstruktion des Stratifikationsgefüges nach »subjektiven« Kriterien.

4. Baumert, G., »Kritische Bemerkungen über empirische Ansätze zur Bestimmung der sozialen Schichtung«, in: *Sonderheft 5 der KZSS*, a.a.O., 316–328, S. 316.

5. Vgl. die Schichtungsmodelle der deutschen Gesellschaft nach 1945 bei Dahrendorf, R., *Gesellschaft und Demokratie in Deutschland*, München 1966, S. 100.

6. Vgl. bei Bolte, K. M., u. a., »Soziale Schichtung«, in: *Deutsche Gesellschaft im Wandel*, Opladen 1967, 2. überarb. Auflage, S. 250ff.

7. Vgl. Ossowski, S., *Die Klassenstruktur im sozialen Bewußtsein*, Neuwied am Rhein 1962, S. 122.

8. Nach Ossowski läßt sich das Verhältnis zwischen der Skala der sozialen Ungleichheiten und der Bedeutung der Stratifikation durch folgende Formel ausdrücken: *»Die Klassenstratifikation tritt um so schärfer in Erscheinung* a) je größer die allgemeine Spannweite der sozialen Ungleichheiten, b) je kleiner die Spannweite der sozialen Ungleichheiten innerhalb der Grenzen jeder Klasse, c) je kleiner die Zahl der Klassen, d) je größer die Distanz zwischen den höchsten Positionen der niedrigeren und den untersten Positionen der nächsthöheren Klasse ist.« Ossowski, S., *Die Klassenstruktur*, a.a.O., S. 120/121.

9. Vgl. dazu die Schichtfeststellung bei Bolte und Mayntz, deren Abgren-

zung der Prestigeschichten sich aus »Ballungen« bzw. Einschnitten in der Statuszuordnung ergibt. Vgl. Bolte, K. M., *Sozialer Aufstieg und Abstieg,* a.a.O., S. 106ff., und Mayntz, R., *Soziale Schichtung und sozialer Wandel* ..., a.a.O., S. 134ff.

10. Vgl. Baumert, G., »Kritische Bemerkungen über empirische Ansätze ...«, *a.a.O.*, S. 317.

11. Ebd., S. 317.

12. Vgl. Pfautz, H. W., und Duncan, O. D., »A Critical Evaluation of Warner's Work in Community Stratification«, in: *ASR*, 15 (1950), 205–215; Bolte, K. M., u. a., »Soziale Schichtung«, *a.a.O.*, S. 252.

13. Wenn von der Registrierung des statusspezifischen sozialen *Verhaltens* ausgegangen wird, wie z. B. bei Warner, läßt sich eindeutig von *subjektiven* Kriterien der Sozialschichtung sprechen; vgl. Bolte, K. M., »Soziale Schichtung«, *a.a.O.*, S. 252ff.

14. Unter *objektiven* Kriterien der Sozialschichtung soll die Unterscheidung nach Merkmalen verstanden werden, die sich aus der statistischen Gliederung der Bevölkerung ablesen lassen, *ohne* daß diesen Merkmalen bereits eine bestimmte Wertschätzung im Sinne von »höher« und »tiefer« unterlegt wurde. Diese Merkmale sollen also nicht als »sozialrelevant« im Sinne möglichen Verhaltens verwendet werden. *Diese Definition wird im Hinblick auf spätere Ausführungen bewußt abweichend vorgenommen.*

Vgl. im Gegensatz zu dieser Definition Bolte, K. M., »Soziale Schichtung«, *a.a.O.*, S. 246; siehe auch die Unterscheidung Geigers in »subjektive« und »objektive« Klassenbegriffe: Geiger, T., Artikel »Schichtung«, in: *Wörterbuch der Soziologie*, hg. v. W. Bernsdorff und F. Bülow, Stuttgart 1955, 432–446, S. 436.

15. Mayntz, R., *Soziale Schichtung und sozialer Wandel* ..., a.a.O., S. 78.

16. Vgl. ebd., S. 78.

17. Ebd., S. 78.

18. Vgl. Bolte, K. M., *Sozialer Aufstieg und Abstieg,* a.a.O., S. 90ff.

19. Vgl. ebd., S. 80.

20. Vgl. Carlsson, G., »Ökonomische Ungleichheit und Lebenschancen«, in: *Sonderheft 5 der KZSS,* 189–199, S. 189.

21. Vgl. Lipset, S. M., und Bendix, R., »Social Status and Social Structure«, II, in: *British Journ. of Sociology,* 2 (1951), 230–254, S. 241ff.; ebenso Mayer, K. B., *The Theory of Social Classes, Transactions of the Second World Congress of Sociology,* London 1954, S. 321–335.

22. Vgl. die Überlegungen zu einer Neuorientierung der vertikalen Mobilitätsforschung in Kapitel VIII dieser Arbeit.

23. Bolte, K. M., »Soziale Schichtung«, *a.a.O.*, S. 246.

24. Vgl. die verschiedenen Methoden zur empirischen Ermittlung von Statusdifferenzierungen wie Selbsteinschätzung, Fremdeinschätzung, Statusindi-

zes bei Bolte, K. M., »Soziale Schichtung«, *a.a.O.*, S. 250 ff.; ders., *Sozialer Aufstieg und Abstieg*, a.a.O., S. 21 ff.; ebenso Scheuch, K., u. a.; »Sozialprestige und soziale Schichtung«, in: *Sonderheft 5 der KZSS*, a.a.O., 65–103, S. 67 ff.

25. Kahl, J., *The American Class Structure*, a.a.O., S. 19.

26. Vgl. Duncan, O. D., »A Socioeconomic Index for all Occupations«, in: *Occupations and Social Status*, hg. v. Reiss, A. J. jr., New York 1961, 109–138.

27. Vgl. Hodge, R. W., Siegel, P. M., und Rossi, P. H., »Occupational Prestige in the United Staates: 1925–1963«; ebenso: Hodge, R. W., Treimann, D. J., und Rossi, P. H., »A Comparative Study of Occupational Prestige«, beide in: *Class, Status, and Power*, a.a.O., S. 309–334; vgl. ebenso die frühere Studie von Inkeles, A., und Rossi, P. H., »National Comparisons of Occupational Prestige«, in: *AJS*, 61 (1956), 329–339.

28. Vgl. hierzu Bolte, K. M., *Sozialer Aufstieg und Abstieg*, a.a.O., S. 67 ff., der die Bestimmungsgründe des Berufsprestiges analysiert.

29. Vgl. hierzu die Berufsprestigeskalen von Bolte, K. M., *Sozialer Aufstieg und Abstieg*, a.a.O., S. 30 ff., und von Mayntz, R., *Soziale Schichtung und sozialer Wandel* . . ., a.a.O., S. 178 ff.

30. Vgl. Hodge, R. W., Treimann, D. J., und Rossi, P. H., »A Comparative Study of Occupational Prestige«, *a.a.O.*, S. 309 ff.

31. Vgl. Duncan, O. D., »A Socioeconomic Index . . .«, *a.a.O.*, S. 109 ff.

32. Vgl. Bolte, K. M., *Sozialer Aufstieg und Abstieg*, a.a.O., S. 83.

33. Vgl. Reiss, A. J. jr., *Occupations and Social Status*, a.a.O., S. 1 ff.

34. Ebd., S. 1.

35. Die Fragestellung der NORC-Studie lautete: »What people thought were the best jobs in the sense of the most desirable.« Vgl. Goldthorpe, J. H., und Hope, K., *Occupational Grading and Occupational Prestige;* unveröffentl. Paper des »Workshop on Occupational Mobility«, Konstanz, April 1971, S. 9.

36. Die NORC-Studie des National Opinion Research Centers von 1947 wurde 1963 wiederholt. Vgl. eine Gegenüberstellung in: Hodge, R. W., u. a., »Occupational Prestige in the United States: 1925–1963«, *a.a.O.*, S. 342 ff.; Zur Methode dieser Untersuchung vgl. Reiss, A. J. jr., *Occupations and Social Status*, a.a.O., S. 1–89.

37. Vgl. Goldthorpe, J. H., u. a., *Occupational Grading* . . ., a.a.O., S. 9.

38. Vgl. Diskussionspapiere des »Workshop on Occupational Mobility«, Konstanz, April 1971, nachmittags, den 22. 4. 1971, Sprecher: Rossi, S. 2.

39. Vgl. ebd., S. 1 ff.

40. Vgl. Duncan, O. D., »A Socioeconomic Index . . .«, *a.a.O.*, S. 109 ff.

41. Vgl. die Diskussionspapiere des »Workshop on Occupational Mobility«, a.a.O., Sprecher: Goldthorpe, S. 11 ff.

42. Vgl. Goldthorpe, J. H., u. a., *Occupational Grading ...*, a.a.O., S. 13 ff.

43. Ebd., S. 13.

44. Vgl. zu den verschiedenen Methoden der Statusfeststellung Bolte, K. M., »Soziale Schichtung«, *a.a.O.*, S. 250 ff.

45. Vgl. die verschiedenen Möglichkeiten der Validierung von Statusunterschieden bei Baumert, G., »Kritische Bemerkungen über empirische Ansätze ...«, *a.a.O.*, S. 323 f.

46. Vgl. Mayntz, R., »Begriff und emprirische Erfassung des sozialen Status in der heutigen Soziologie«, in: *KZSS*, 10 (1958), 58–73, S. 70.

47. Vgl. die Methoden zur Messung des Berufsprestiges bei Bolte, K. M., *Sozialer Aufstieg und Abstieg*, a.a.O., S. 16 ff.

48. Vgl. Mayntz, R., »Begriff und empirische Erfassung ...«, *a.a.O.*, S. 70.

49. Vgl. dazu Kapitel III, IV, V.

50. Vgl. Reiss, A. J. jr., »Social Correlates of Occupational Prestige Status«, in: *Occupations and Social Status*, a.a.O., S. 83 ff.; ebenso: Hatt, P. K., »Occupation and Social Stratification«, ebd., S. 239 ff.

51. Vgl. Mayntz, R., »Begriff und empirische Erfassung des sozialen Status in der heutigen Soziologie«, *a.a.O.*, S. 60.

52. Ebd., S. 60.

53. Vgl. Reiss, A. J. jr., »Social Correlates ...«, *a.a.O.*, S. 83 ff.

54. Vgl. Schaubild 1, die Berufsgliederung der Bevölkerung nach Ranggruppen, die bestimmt nicht als »verhaltensrelevante« Abgrenzungen verstanden werden können. Vgl. ebenso bei Bolte, K. M., u. a., *Beruf und Gesellschaft in Deutschland*, a.a.O., S. 65 ff., die Überlegungen, inwieweit z. B. die Angestellten als soziale »Schicht« oder als »Sozialkategorie« zu betrachten sind.

55. Vgl. Geiger, T., Artikel »Schichtung«, in *Wörterbuch der Soziologie*, a.a.O., S. 432.

56. Bolte, K. M., u. a., »Soziale Schichtung«, *a.a.O.*, S. 248.

57. Vgl. Lenski, G., »Status Crystallisation: A Non-Vertical Dimension of Social Status«, in: *Am. Soc. Rev.*, 19 (1954), 405–413.

58. Barber, B., *Social Stratification. A Comparative Analysis of Structure and Process*, New York 1957, S. 73; ebenso vgl. Bolte, K. M., *Sozialer Aufstieg und Abstieg*, a.a.O., S. 107 f.

59. Vgl. Warner, W. L., Meeker, M., und Eells, K., *Social Class in America. A Manual of Procedure for Measurement of Social Status*, New York 1960, S. 47 ff.

60. Vgl. Bolte, K. M., *Sozialer Aufstieg und Abstieg*, a.a.O., S. 106 ff.

61. Vgl. Mayntz, R., *Soziale Schichtung und sozialer Wandel ...*, a.a.O., S. 132 ff. und S. 179 ff.

62. Bolte, K. M., *Sozialer Aufstieg und Abstieg*, a.a.O., S. 106.

63. Vgl. hierzu den Scheuchschen Index, der auf ein Punktsystem aufgebaut ist und eine sehr willkürliche Konstruktion von »Schichten« darstellt. Vgl. Scheuch, E. K., und Daheim, H. J., *Sozialprestige und sozialer Status*, a.a.O., S. 65 ff.

64. Vgl. Bolte, K. M., *Sozialer Aufstieg und Abstieg*, a.a.O., S. 12 f.; Mitgau, H., *Familienschicksal und soziale Rangordnung. Untersuchungen über den sozialen Auf- und Abstieg*, hg. v. der Zentralstelle für deutsche Personen- und Familiengeschichte e. V., Leipzig 1928; Nothaas, J., »Sozialer Aufstieg und Abstieg im deutschen Volk«, in: Heft 17 der *Beiträge zur Statistik Bayerns*, München 1930.

65. Vgl. z.B. Counts, G. S., »The Social Status of Occupations: A Problem in Vocational Guidance«, in: *School Review*, 33 (1925), 16–27.

66. Bolte, K. M., *Sozialer Aufstieg und Abstieg*, a.a.O., S. 112.

67. Mayntz, R., *Soziale Schichtung und sozialer Wandel*, a.a.O., S. 179.

68. Welche Probleme sich dadurch aus der Deutung von Mobilitätsprozessen ergeben, vgl. Kapitel VII.

69. Vgl. Centers, R., *The Psychology of Social Classes*, Princeton 1949, S. 7 ff.

70. Geiger, T., *Soziale Umschichtungen in einer dänischen Mittelstadt*, Aarhus 1951, S. 7.

71. Geiger, T., Artikel »Schichtung«, *a.a.O.*, S. 437.

72. Vgl. Marx, K., und Engels, F., »Lohn, Preis und Profit«, *MEW* 16, S. 152; und Lukacs, G., *Geschichte und Klassenbewußtsein, Studien über marxistische Dialektik*, Neuwied und Berlin 1968, S. 155 ff.

73. Vgl. die Definitionen bei Geiger, T., *Die soziale Schichtung des deutschen Volkes*, Stuttgart 1923, S. 5 ff.

74. Marx hat das Verhältnis von »objektiven« und »subjektiven« Faktoren sehr differenziert gesehen, vgl. dazu Marx, K., »Der 18. Brumaire des Louis Bonaparte«, *MEW*, Bd. 8, S. 111 ff.

75. Vgl. Centers, R., *The Psychology of Social Classes*, a.a.O., S. 27; und Reissmann, L., *Class in American Society*, London 1959, S. 134 ff.

76. Vgl. Mayntz, R., *Soziale Schichtung und sozialer Wandel* . . ., a.a.O., S. 75.

77. Lipset, S. M., und Bendix, R., *Social Status and Social Structure:* I, a.a.O., S. 151.

78. Diese »Uminterpretation« wird in den Kapiteln III, IV und V ausführlich diskutiert; trotz einer inhaltlichen Neudefinition des »Schichtbegriffes« wird die Aussageabsicht des Marxschen Klassenbegriffes nicht ganz aufgegeben.

79. Vgl. dazu die Ausführungen über Warner in Kapitel V.

80. Vgl. dazu das Kapitel V über Warner.

81. Inwieweit das nur formal zutrifft, gerade ohne die Aussageabsicht einzubeziehen, vgl. die Ausführungen in Kapitel V.

82. Warner beschreibt im ersten Band der Yankee-City-Serie, *The Social Life in Modern Community,* a.a.O., auf den Seiten 81–125 explizit seinen Untersuchungsansatz, erwähnt Weber aber nirgends.

83. Vgl. Weber, M., *Wirtschaft und Gesellschaft,* 2. Halbb., Köln-Berlin 1964, S. 678 ff.

84. Vgl. dazu auch Veblen, T., *Theorie der feinen Leute,* Köln und Berlin, o. J., ein Buch, das 1898 zuerst erschienen ist, zur Bedeutung des Statuswußtseins in den Vereinigten Staaten.

85. Reissman, L., Artikel »Klasse«, in: *Wörterbuch der Soziologie,* hg. v. W. Bernsdorff, 2. neub., erw. Auflage, Stuttgart 1969, 540–546, S. 544.

86. Warners Werk ist außerordentlich umfangreich. Sein Einfluß in der Schichtungs- und Mobilitätsforschung erklärt sich schon aus der Fülle des veröffentlichten Materials.

87. Vgl. »The Social Perspectives of the Social Class«, in: Warner, W. L., Meeker, M., und Eells, K., *Social Class in America,* a.a.O., S. 10, ein häufig reproduziertes Schaubild.

88. Vgl. Bolte, K. M., »Vom Umfang der Mobilität in unserer Gesellschaft«, in: *KZSS,* 10 (1958), 39–57, S. 40.

89. Vgl. ebd., S. 40.

90. Vgl. dazu die Zusammenfassung der Ergebnisse der Mobilitätsforschung in Kapitel VII.

91. Vgl. GG. Artikel 12, Abs. 1; Satz 1: Alle Deutschen haben das Recht, Beruf, Arbeitsplatz und Ausbildungsstätte frei zu wählen.

92. Vgl. dazu die Ausführungen in Kapitel VIII über Mobilität und Chancengleichheit.

93. Vgl. Svalastoga, K., *Social Differentiation,* New York 1965, S. 40.

94. Vgl. dazu die Zusammenfassung der Ergebnisse der Mobilitätsforschung in Kapitel VII.

95. Miller, S. M., »The Future of Social Mobility Studies«, in: *Am. Soc. Rev.,* 77 (1971), 62–65, S. 63.

96. Vgl. das Strukturmodell zur Identifizierung von Barrieren oder Sperren vertikaler Mobilitätsbewegungen, Schaubild 5, S. 124.

97. Vgl. Überlegungen zu einer Neuorientierung der Erforschung vertikaler sozialer Mobilität, Kapitel VIII.

98. Tumin, M. M., »Some Unapplauded Consequences of Social Mobility in a Mass Society«, in: Tumin, M. M. (Hg.), *Readings on Social Stratification,* Englewood Cliffs 1970, 333–340, S. 338.

III. ASPEKTE SOZIALER UNGLEICHHEIT: DIE UMINTERPRETATION DES KLASSENBEGRIFFS IN DEN PRESTIGEBEGRIFF

1. Vgl. Heek, F. v., »Some Introductory Remarks on Social Mobility and Class Structure«, in: *Transactions of the Third World Congress of Sociology*, III, a.a.O., 129–143, S. 131.

2. Lichtheim, G., »Is there a Sociologist in the House«, in: *Partizan Review*, 27 (1960), 295–310, S. 295.

3. Vgl. Strachey, J., *The Coming Struggle for Power*, New York 1933.

4. In den Vereinigten Staaten existiert eine ganze Literaturgattung, die »Rags to Riches Story«, deren Thema sich als das Märchen des Aufstieges vom »Tellerwäscher zum Millionär« bezeichnen läßt. Vgl. Wohl, H. H., »The Rags to Riches Story. An Episode of Secular Idealism«, in: *Class, Status and Power. A Reader in Social Stratification*, 2. Aufl., hg. v. H. Bendix und S. M. Lipset, New York 1966, 501–506.

5. Vgl. Lynd, R. S., und Lynd, H. M., *Middletown*, New York 1929; dies., *Middletown in Transition. A Study in Cultural Conflicts*, New York 1937, S. 471; ebenso: Hollingshead, A. B., *Elmtown's Youth*, New York 1949, S. 452 f.

6. Vgl. Heek, F. v., »Some Introductory Remarks ...«, *a.a.O.*, S. 131; Lipset, S. M., und Bendix, R., »Ideological Equalitarism and Social Mobility in the United States«, *Transactions of the Second World Congress of Sociology*, II, a.a.O., 34–54, S. 35 ff. und Fußnote 6, S. 52.

7. Reissman, L., *Class in American Society*, London 1960, S. 38.

8. Diese Behauptung läßt sich nicht direkt belegen; wir können nur auf die noch zu diskutierenden Warner-Studien verweisen.

9. »Yankee City« ist der Phantasiename für eine Gemeinde in Neu-England von etwa 17 000 Einwohnern, die Warner untersuchte.

10. Vgl. Warner, W. L., und Lunt, P. S., *The Social Life in Modern Community*, a.a.O., S. 82.

11. Vgl. dazu das ausführliche Kapitel über Warner.

12. In der amerikanischen Sozialforschung wird in Anlehnung an Warner der Begriff »class« synonym für »social layer«, »stratum«, »rank« benutzt, ohne sich dabei auf Marx zu beziehen.

13. Vgl. Reissman, L., *Class in American Society*, a.a.O., S. 3 ff., der eine ähnliche Argumentation vorträgt.

14. Ebd., S. 8.

15. Vgl. Corey, L., *The Crisis of the Middle Class*, New York 1935; Hook, S., *Toward The Understanding Karl Marx*, New York 1933; Goldschmidt, W. R., »America's Social Classes; Is Equality a Myth?«, in: *Commentatory*, 10 (1950), 175–181.

16. Der institutionelle Aufschwung der Methoden der empirischen Sozialforschung, deren Techniken der Beobachtung und Befragung vor allem durch die Meinungsforschungsinstitute bekannt wurden, verdeckte zeitweise völlig die Angemessenheit von Messungen und die Signifikanz der Aussagen.

17. Schelsky, H., *Die Bedeutung des Klassenbegriffs für die Analyse unserer Gesellschaft,* a.a.O., S. 353.

18. Es soll hier nicht der Eindruck erweckt werden, die Marxsche Betrachtung sei die »richtige«, die Warnersche dagegen die »falsche« gewesen. Beide stellen mögliche Untersuchungsperspektiven dar.

19. Heek, F. v., »Some Introductory Remarks ...«, *a.a.O.*, S. 129.

20. Vgl. Ramm, T., »Die künftige Gesellschaftordnung nach der Theorie von Marx und Engels«, in: *Marxismusstudien,* 2. Folge, hg. v. I. Fetscher, Tübingen 1957, 77–119, S. 79 ff.

21. Dahrendorf führt den Nachweis, daß die kommunistische Ordnung nach den Vorstellungen von Marx »absolut« gerecht und endgültig ist. Vgl. Dahrendorf, R., *Marx in Perspektive,* Hannover 1952, S. 7 ff.

22. Vgl. Marx, K., und Engels, F., »Das kommunistische Manifest«, in: *Die Frühschriften,* a.a.O., S. 548.

23. In der umfangreichen Literatur über den Marxismus fehlt bisher eine systematische Untersuchung darüber, welche Vorstellungen Marx und Engels über die Ausgestaltung der zukünftigen gesellschaftlichen Ordnung hatten. Vgl. hierzu Ramm, T., »Die künftige Gesellschaftsordnung«, *a.a.O.*, S. 77 ff.

24. Vor allem die Auslegung seiner Gedanken durch Engels nach seinem Tode ist sehr umstritten und muß sorgfältig von Marxens eigenen Ideen getrennt werden. So wird Engels seit einiger Zeit die Vulgarisierung der Marxschen Theorie vorgeworfen.

25. Vgl. Marx, K., »Zur Kritik der politischen Ökonomie«, Vorwort, *MEW,* Bd. 13, S. 7–11.

26. Vgl. Marx, K., »Zur Kritik der Hegelschen Rechtsphilosophie«, in: *Die Frühschriften,* a.a.O., 207–224, S. 215 ff.

27. Vgl. Smith, A., *An Inquiry into the Nature and Chances of the Wealth of Nations,* London 1776; Ferguson, A., *An Essay on the History of Civil Society,* Edinburgh 1767.

28. Vgl. Korsch, K., *Karl Marx,* Frankfurt 1967, S. 5.

29. Vgl. Landshut, S. (Hg.), *Karl Marx. Die Frühschriften,* a.a.O., Einleitung, S. X.

30. Vgl. Schumpeter, S., *Kapitalismus, Sozialismus und Demokratie,* Bern 1950, S. 23 ff.

31. Marx, K., »Zur Kritik der politischen Ökonomie«, Vorwort, *MEW,* Bd. 13, S. 8/9.

32. Marx, K., *Das Kapital, MEW,* Bd. 23, S. 534 ff.

33. Marx, K., »Randglossen zum Programm der deutschen Arbeiterpartei«, *MEW,* Bd. 19, S. 15.

34. Vgl. Fetscher, I., »Von der Philosophie des Proletariats zur proletarischen Weltanschauung«, in: *Marxismusstudien*, 2. Folge, a.a.O., 26–60, S. 27.

35. Vgl. Engels, F., *Herrn Eugen Dührings Umwälzung der Wissenschaft* (Anti-Dühring), zuerst London 1878, o. O., o. J.

36. Vgl. hierzu: Gneuss, C., »Um den Einklang von Theorie und Praxis. Eduard Bernstein und der Revisionismus«, in: *Marxismusstudien*, 2. Folge, a.a.O., 198–226, S. 202.

37. Vgl. Marx, K., »Das Elend der Philosophie«, in: *Die Frühschriften*, a.a.O., S. 522/523.

38. Marx, K., »Die deutsche Ideologie 1845/46«, in: *Die Frühschriften*, a.a.O., S. 373 f.

39. Vgl. Preiser, E., »Die Marxsche Prognose über die Entwicklung des Kapitalismus«, in: *Politische Ökonomie im 20. Jahrhundert*, München 1970, 44–47, S. 44.

40. Vgl. Schumpeter, J., *Kapitalismus, Sozialismus und Demokratie*, a.a.O., S. 23 ff.

41. Das klassische Marxsche Schema besteht aus einer Kreuzung mehrerer dichotomischer Teilungen. Vgl. dazu: Ossowski, S., *Klassenstruktur im sozialen Bewußtsein*, a.a.O., S. 97 ff.

42. Vgl. Smith, A., *An Inquiry into the Nature and Causes of the Wealth of Nations*, a.a.O., dt. Ausgabe S. 66 ff. u. S. 82 ff.

43. Marx, K., *Das Kapital*, Frankfurt a. M. 1967, S. 892.

44. Vgl. Mauke, M., *Die Klassentheorie von Marx und Engels*, Frankfurt a. M. 1970, S. 7.

45. Vgl. Preiser, E., »Die Marxsche Prognose über die Entwicklung des Kapitalismus«, *a.a.O.*, S. 44 f.

46. Vgl. Preiser, E., »Das Wesen der Marxschen Krisentheorie«, in: *Politische Ökonomie im 20. Jahrhundert*, a.a.O., S. 48.

47. Vgl. Marxens Brief an Engels vom 27. Juni 1967, *MEW*, Bd. 31, S. 312 f.

48. Korsch, K., *Karl Marx*, a.a.O., S. 183.

49. Marx, K., und Engels, F., »Das kommunistische Manifest«, *a.a.O.*, S. 538.

50. Ebd., S. 536.

51. Geiger, T., *Die Klassengesellschaft im Schmelztiegel*, a.a.O., S. 31 f.

52. Bernstein, E., *Die Voraussetzungen des Sozialismus und die Aufgaben der Sozialdemokratie*, 2. Aufl., neue Ausgabe, Stuttgart-Berlin 1921, S. 108.

53. Typisch in diesem Zusammenhang ist die Feststellung von Engels: »Alles was der Proletarier zur Verbesserung seiner Lage selbst tun kann, verschwindet wie ein Tropfen am Eimer gegen die Fluten von Wechselfällen, denen er ausgesetzt ist und über die er nicht die geringste Macht hat.« Engels, F., »Die Lage der arbeitenden Klassen in England«, *MEW*, Bd. 2, S. 247.

54. In Wirklichkeit löste sich aber durch eine Betonung der »subjektiven« Betrachtung die Verbindung zur ökonomischen Struktur und zur gesamtgesellschaftlichen Analyse völlig. Ein Überbleibsel dieser ursprünglich mit den Gesetzen und Entwicklungen einer kapitalistischen Industriegesellschaft verbundenen Betrachtungsweise findet sich in der These der Interdependenz von Industrialisierungsgrad und Mobilitätsfrequenz. Vgl. hierzu die Einleitung.

55. »Wenn die Wirklichkeit der Doktrin gefolgt wäre, müßte die seit 1880 neu entstandene und rasch anschwellende Schicht der Angestellten sich ohne weiteres politisch der Arbeiterklasse angegliedert haben.« Geiger, T., *Klassengesellschaft im Schmelztiegel*, a.a.O., S. 76.

56. Ein dritter Einwand bezieht sich auf die zunehmend »nationale« Orientierung der sozialistischen Arbeiterparteien im 20. Jahrhundert. Die Identifizierung mit der »Nation« war der der »Klasse« überlegen.

57. Vgl. Bernstein, E., *Die Voraussetzungen des Sozialismus* ..., a.a.O., S. 89f.

58. Vgl. ebd., S. 89f.

59. Ebd., S. 89.

60. Weber weist in seinem Aufsatz über den Protestantismus häufig auf Bernstein hin und gibt zu, daß eine seiner Grundeinsichten, der Zusammenhang von Kapitalbildung und asketischem Sparzwang bereits von Bernstein erwähnt wurde. Vgl. Weber, M., *Gesammelte Aufsätze zur Religionssoziologie*, 4. Aufl., Tübingen 1947, S. 204f.

61. Vgl. hierzu: Bolte, K. M., *Sozialer Aufstieg und Abstieg*, a.a.O., S. 1 bis 30; Croner, F., *Soziologie der Angestellten*, Köln-Berlin 1962, S. 25–29; Geiger, T., *Die Klassengesellschaft im Schmelztiegel*, a.a.O., S. 6–105.

IV. DIE ANALYTISCHE AUFSPALTUNG DES KLASSENBEGRIFFS DURCH WEBER

1. Vgl. Weber, M., »Die protestantische Ethik und der Geist des Kapitalismus«, in: *Gesammelte Aufsätze zur Religionssoziologie*, a.a.O., S. 205/206.

2. Vgl. Klages, H., *Soziologie zwischen Wirklichkeit und Möglichkeit. Plädoyer für eine projektive Soziologie*, Köln und Opladen 1968, S. 30ff.

3. Vgl. hierzu Löwith, H., *Gesammelte Abhandlungen. Zur Kritik der gesellschaftlichen Existenz*, Stuttgart 1960, S. 208f.

4. Gemeint ist der Kapitalbesitz an Produktionsmitteln.

5. Salomon, A., *German Sociology. Twentieth-Century Sociology*, hg. v. G. Gurvitch und W. Moore, New York 1945, S. 596, Übers.

6. Vgl. Zeitlin, I. M., *Ideology and Development of Sociological Theory*, New Jersey 1968, S. 111ff.; Roth, G., »Das historische Verhältnis der Weberschen Soziologie zum Marxismus«, *KZSS*, 20 (1968), 429–447, S. 438ff., der

darauf hinweist, daß Marx und Weber uns heute in einer historisch vereinfachenden Perspektive gegenübertreten; da zwar Marx und Weber, kaum jedoch die übrige zeitgenössische Literatur gelesen werde, stünden sich die beiden sozusagen »umgebungslos« gegenüber. Zur Diskussion darüber, inwieweit Webers Werk eine Auseinandersetzung mit Marx gewesen ist, vgl. Birnbaum, N., »Conflicting Interpretations of the Rise of Capitalism: Marx und Weber«, in: *British Journ. of Sociology*, 4 (1953), 125–141, S. 125 ff.; Giddens, A., »Marx, Weber and the Development of Capitalism«, in: *Sociology*, 4 (1970), 289–291; Lichtheim, G., *Marxism, An Historical and Critical Study*, London 1964, S. 385; Löwith, K., »Max Weber and Karl Marx«, in: *Archiv für Sozialwissenschaft und Sozialpolitik*, Bd. 67, Teil I, S. 58 ff.; Lukács, G., *Geschichte und Klassenbewußtsein, Studien über marxistische Dialektik*, Sonderausgabe, Neuwied und Berlin 1970, S. 186 ff.

7. Weber, M., »Der Sozialismus«. Rede zur allgemeinen Orientierung von österreichischen Offizieren in Wien 1918, in: *Gesammelte Aufsätze zur Soziologie und Sozialpolitik*, Tübingen 1924, S. 504/505.

8. »Positive Kritik der materialistischen Geschichtsauffassung« war der Titel in einer Vorlesungsreihe über die Wirtschaftsethik der Weltreligionen, die Weber 1918 in Wien hielt. Vgl. Weber, M., *Max Weber*, Tübingen 1926, S. 617.

9. Vgl. *Archiv für Sozialwissenschaft und Sozialpolitik*, hg. v. W. Sombart, Max Weber, E. Jaffé, 19. Band (der neuen Folge), Tübingen 1904, Geleitwort der Herausgeber. Vgl. auch Webers Auseinandersetzung mit Stammler in seinem Beitrag »R. Stammlers Überwindung der materialistischen Geschichtsauffassung«, in: *Gesammelte Aufsätze zur Wissenschaftslehre*, 2. Aufl., Tübingen 1951, S. 291–395.

10. *Archiv für Sozialwissenschaft und Sozialpolitik*, hg. v. W. Sombart u. a., 19. Band, a.a.O., S. V.

11. Vgl. Mannheim, K., *Ideologie und Utopie*, a.a.O., S. 113; Landshut, S., *Kritik der Soziologie und andere Schriften zur Politik*, Neuwied 1965, S. 52; Freyer, H., *Soziologie als Wirklichkeitswissenschaft*, Leipzig und Berlin 1930, S. 157; Lewalter, W., »Zur Systematik der Marxschen Staats- und Gesellschaftslehre«, in: *Arch. f. Sozialw. und Sozialpolitik*, Bd. 68 (1933), 641–675, S. 650 f.

12. Löwith, K., *Gesammelte Abhandlungen. Zur Kritik der geschichtlichen Existenz*, a.a.O., S. 62. Vgl. dazu auch Lenk, K., *Marx in der Wissenssoziologie*, Neuwied und Berlin 1972, S. 206 ff. und Anmerkung 344, S. 365, der darauf hinweist, daß mit Löwith – wenn auch unter Vorbehalten hinsichtlich des »späten« Marx – übereinzustimmen ist.

13. Weber hat mit Sicherheit die ihm zugänglichen Werke von Marx gekannt; andererseits dürften seine Überlegungen durch die Veröffentlichungen und Meinungsäußerungen über Marx – etwa durch Engels, Sombart, Tönnies, Bernstein – mitbestimmt worden sein.

14. Vgl. Landshut, S., *Kritik der Soziologie,* a.a.O., S. 64.

15. Vgl. Salomon, A., *German Sociology,* a.a.O., S. 596 ff.

16. Weber, M., »Die protestantische Ethik und der Geist des Kapitalismus«, in: *Gesammelte Aufsätze zur Religionssoziologie,* 1. Bd., Tübingen 1947, S. 205/206.

17. Vgl. ebd., S. 238.

18. Vgl. Weber, M., »Die ›Objektivität‹ sozialwissenschaftlicher und sozialpolitischer Erkenntnis«, in: *Methodologische Schriften,* Studienausgabe, Frankfurt a. M. 1968, 1–64.

19. Vgl. Weber, M., »Der Sinn der ›Wertfreiheit‹ der soziologischen und ökonomischen Wissenschaften«, in: *Methodologische Schriften,* a.a.O., 229 bis 277.

20. Weber, M., »Die ›Objektivität‹ sozialwissenschaftlicher und sozialpolitischer Erkenntnis«, in: *Methodologische Schriften,* a.a.O., S. 63.

21. Vgl. Weber, M., »Die ›Objektivität‹ ...«, *a.a.O.,* S. 63.

22. Vgl. Parsons, T., »Max Weber«, in: *Am. Soc. Rev.,* 30 (1965), 171–175, S. 173.

23. Vgl. Weber, M., *Gesammelte Aufsätze zur Wissenschaftslehre,* 2. Aufl., Tübingen 1951, S. 213.

24. Vgl. Löwith, K., *Gesammelte Abhandlungen,* a.a.O., S. 11.

25. Weber, M., *Gesammelte Aufsätze zur Wissenschaftslehre,* a.a.O., S. 157.

26. Weber, M., *Gesammelte Aufsätze zur Wissenschaftslehre,* a.a.O., S. 170.

27. Vgl. Löwith, K., *Gesammelte Abhandlungen,* a.a.O., S. 20.

28. Vgl. Freyer, H., *Soziologie als Wirklichkeitswissenschaft,* a.a.O., S. 157.

29. Vgl. Weber, M., »Die protestantische Ethik und der Geist des Kapitalismus«, in: *Religionssoziologie,* a.a.O., S. 205–206.

30. Vgl. Francis, E. K., »Kultur und Gesellschaft in der Soziologie Max Webers«, in: *Max Weber, Gedächtnisschrift der Ludwig-Maximilians-Universität München zur 100. Wiederkehr seines Geburtstages,* hg. v. K. Engisch, E. Pfister, J. Winkelmann, Berlin 1966, S. 103.

31. Siegfried Landshut machte in seiner Kritik der Soziologie den Versuch, den ursprünglichen Bedeutungszusammenhang um den Begriff der »Rationalität« freizulegen. Landshut will nachweisen, daß die Unterscheidung rational-irrational aus dem ökonomischen Verhalten als einem spezifisch rationalen Verhalten übertragen sei, wodurch die Identität des Themas mit Marx, nämlich der Kapitalismus, gegeben ist. Vgl. Landshut, S., *Kritik der Soziologie,* a.a.O., S. 48.

32. Weber, M., *Wissenschaftslehre,* a.a.O., S. 226.

33. Weber, M., »Der Sozialismus«. Rede zur allgemeinen Orientierung von österreichischen Offizieren, *a.a.O.,* S. 502.

34. Löwith, K., *Gesammelte Abhandlungen,* a.a.O., S. 26.

35. Vgl. Löwith, K., *Gesammelte Abhandlungen,* a.a.O., S. 25.

36. Landshut glaubt, Weber in seiner idealtypischen Konstruktion einen »Abfall« von seiner ursprünglichen Forschungsabsicht nachweisen zu können, indem er eine Zusammenhanglosigkeit von Wertgesichtspunkt und Wirklichkeit der Weberschen Methode konstatiert. Weber übernimmt die aus dem Marxschen Fragenzusammenhang sich ergebende »Struktur der Wirklichkeit«, ohne die »Voraussetzungen« dieser Struktur zu berücksichtigen. Da es Weber nicht auf eine »Veränderung« der Welt, sondern auf das »Verstehen« ihres Zusammenwirkens ankommt, läuft die Webersche Fragestellung auf eine Zurechnung kausaler Faktoren auf die einzelnen Phänomene hinaus. Landshut kritisiert, ». . . daß die gesellschaftlich-geschichtliche Wirklichkeit von vornherein unter einem Aspekt aufgefaßt wird, der aus einer ganz heterogenen Fragetendenz resultierend unbestritten übernommen wurde«. Landshut, S., *Kritik der Soziologie,* a.a.O., S. 67, vgl. auch die Ausführungen S. 64 ff.

37. »›Handeln‹ soll dabei ein menschliches Verhalten (einerlei, ob äußeres oder innerliches Tun, Unterlassen oder Dulden) heißen, wenn und insofern als der oder die Handelnden mit ihm einen subjektiven *Sinn* verbinden. ›Soziales‹ Handeln aber soll ein solches Handeln heißen, welches seinem von dem oder den Handelnden gemeinten Sinn nach auf das Verhalten *anderer* bezogen wird und daraus in seinem Ablauf orientiert ist.« Weber, M., *Wirtschaft und Gesellschaft,* a.a.O., S. 3.

38. Vgl. Weber, M., *Wirtschaft und Gesellschaft,* a.a.O., S. 4.

39. Vgl. ebd., S. 17.

40. Vgl. Löwith, K., *Gesammelte Abhandlungen,* S. 17.

41. Ebd., S. 18.

42. Vgl. Tönnies, F., *Gemeinschaft und Gesellschaft, Grundbegriffe der reinen Soziologie,* 8. verb. Aufl., Leipzig 1935.

43. »›Vergemeinschaftung‹ soll eine soziale Beziehung heißen, wenn und soweit die Einstellung des sozialen Handelns – im Einzelfall oder im Durchschnitt oder im reinen Typus – auf subjektiv *gefühlter* (affektueller oder traditionaler) *Zusammengehörigkeit* der Beteiligten beruht.« Weber, M., *Wirtschaft und Gesellschaft,* a.a.O., S. 29.

44. Weber unterscheidet das vergesellschaftete Handeln im Rationalitätsfall als: a) vertrational (im Glauben an die *eigene* Verbindlichkeit), b) zweckrational (in Erwartung der Loyalität des *Partners*), ebd., S. 29.

45. Vgl. ebd., S. 29/30.

46. Vgl. Parsons, T., *The Structure of Social Action,* Vol. III, New York 1968, S. 686 ff.

47. Vgl. Weber, M., *Wirtschaft und Gesellschaft,* a.a.O., S. 22.

48. Vgl. ebd., S. 22.

49. Vgl. Francis, E. K., *Wissenschaftliche Grundlagen soziologischen Denkens,* 2. Aufl., Bern 1957, S. 49 ff.

50. Vgl. Weber, M., *Wirtschaft und Gesellschaft,* a.a.O., S. 679.

51. Ebd., S. 678.
52. Ebd., S. 679.
53. Vgl. ebd., S. 678.
54. Ebd., S. 679.
55. Ebd., S. 679.
56. Ebd., S. 683.
57. Ebd., S. 683.
58. Ebd., S. 683.
59. Ebd. S. 688.
60. Vgl. ebd., S. 688.
61. Vgl. ebd., S. 688.
62. »Während die ›Klassen‹ in der ›Wirtschaftsordnung‹, die ›Stände‹ in der ›sozialen Ordnung‹, also in der Sphäre der Verteilung der ›Ehre‹, ihre eigentliche Heimat haben und von hier aus einander gegenseitig und die Rechtsordnung beeinflussen und wiederum durch sie beeinflußt werden, sind die ›Parteien‹ primär in der Sphäre der ›Macht‹ zu Hause.« Weber, M., *Wirtschaft und Gesellschaft,* a.a.O., S. 688.
63. Vgl. Bottomore, T. B., *Die sozialen Klassen in der modernen Gesellschaft,* München 1967, S. 28 ff.
64. Vgl. Weber, M., *Wirtschaft und Gesellschaft,* a.a.O., S. 681.
65. Ebd., S. 681.
66. Vgl. ebd., S. 683.
67. Vgl. Roth, G., und Bendix, R., »Max Webers Einfluß auf die amerikanische Soziologie«, in: *KZSS,* 11 (1959), 38–53, S. 47.
68. Vgl. hierzu als typisches Beispiel Kahl, J. A., *The American Class Structure,* a.a.O., S. 7f., wo der Übergang von den theoretischen Orientierungen eines Marx und Weber fast übergangslos zur »empirischen« Operationalisierung wird.

V. DIE ISOLIERUNG DER PRESTIGEDIMENSION DURCH WARNER

1. Vgl. Warner, W. L., u. a., *Democracy in Jonesville. A Study of Equality and Inequality,* New York 1949; ders., *American Life, Dream an Reality,* rev. ed., Chicago 1962; ders., *Structure of American Life,* Edinburgh 1952; Warner, W. L., und Lunt, P. S., *The Social Life of a Modern Community,* New Haven 1942; Warner, W. L., Meeker, L. M., und Eells, K., *Social Class in America. A Manual of Procedure for the Measurement of Social Status,* New York 1960; insgesamt wurden von Warner etwa dreißig Studien veröffentlicht. Vgl. hierzu die Literaturliste in: Herzog, D., *Klassengesellschaft ohne Klassenkonflikt,* Berlin 1965, S. 166f.

2. Vgl. Reissman, L., »Social Stratification«, in: *Sociology. An Introduction*, ed. by N. J. Smelser, New York 1967, 206–268, S. 223.

3. Vgl. Blau, P. M., und Duncan, O. D., *The American Occupational Structure*, a.a.O., S. 5: »... and was apparently not even aware of it.«

4. Vgl. dazu die späteren Ausführungen zum Begriff der »social class«.

5. Vgl. Warner, W. L., u. a., *Social Class in America*, a.a.O., S. V; Lipset, S. M., und Bendix, R., *Social Status and Social Structure*, II, a.a.O., S. 236; Herzog, D., *Klassengesellschaft ohne Klassenkonflikt*, a.a.O., S. 57.

6. Vgl. Warner, W. L., u. a., *Social Class in America*, a.a.O., S. 3.

7. Warner, W. L., und Lunt, P. S., *The Social Life of a Modern Community*, a.a.O., S. 83; vgl. auch S. 231.

8. Vgl. Mayer, K. B., »William Lloyd Warner«, in: *Internationales Soziologenlexikon*, hg. v. W. Bernsdorff, und F. Bülow, a.a.O., S. 611. Ebenso: Reissman, L., *Class in American Society*, London 1960, S. 3 f.

9. Vgl. Herzog, D., *Klassengesellschaft ohne Klassenkonflikt*, a.a.O., S. 6 ff.

10. Vgl. Moore, H., und Kleining, G., »Das soziale Selbstbild der Gesellschaftsschichten in Deutschland«, in: *KZSS*, 12 (1960), 86–119; Scheuch, E. K., und Rüschemeyer, D., »Scaling Social Status in Western Germany«, in: *Brit. Journ. of Sociology*, 11 (1960), 151–168.

11. Vgl. Lynd, R. S., und Lynd, H. M., *Middletown*, a.a.O.; Lynd, R. S., und Lynd, H. M., *Middletown in Transition*, a.a.O.; vgl. hierzu ebenso Gordon, M. M., *Social Class in American Sociology*, Durham 1958, S. 85 ff.; Kahl, J., *The American Class Structure*, a.a.O., S. 54 ff.; Lipset, S. M., und Bendix, R., *Social Status and Social Structure: A Re-Examination of Data and Interpretation:* I; II; a.a.O., S. 165.

12. Man darf nicht vergessen, daß in den Vereinigten Staaten die Zusammenarbeit zwischen Anthropologie und Soziologie viel enger ist als in Europa oder speziell in Deutschland, wo die Soziologie mehr mit der Nationalökonomie, der Sozialphilosophie und der Historie verbunden ist. Diese Zusammenhänge wirken sich notwendigerweise auch auf die Beziehungen zwischen Theorie und Methodologie der theoretischen Grundkonzeption aus.

13. Vgl. Herzog, D., *Klassengesellschaft ohne Klassenkonflikt*, a.a.O., S. 71 ff.

14. Vgl. Warner, W. L., *Structure of American Life*, a.a.O., S. 33 f.

15. Vgl. Warner, W. L., und Lunt, P. S., *The Social Life of a Modern Community*, a.a.O., S. 11 ff.

16. Vgl. ebd., S. 21 f.

17. Vgl. ebd., S. 28 ff.

18. Vgl. ebd., S. 35.

19. Vgl. ebd., S. 35 f.

20. Herzog, D., *Klassengesellschaft ohne Klassenkonflikt*, a.a.O., S. 11.

21. »... social classes were what the people in the community said they

were. This strikes me being an American attitude; it is democratic, located in community consensus.« Reissman, L., »Social Stratification«, in: *Sociology*, a.a.O., S. 223.

22. Insgesamt besteht die »Yankee-City-Reihe« aus fünf Teilen: Warner, W. L., und Lunt, P. S., *The Social Life of a Modern Community*, New Haven 1941; Warner, W. L., und Lunt, P. S., *The Status System of a Modern Community*, New Haven 1942; Warner, W. L., und Srole, L., *The Social System of American Ethnic Groups*, New Haven 1945; Warner, W. L., und Low, J. O., *The Social System of the Modern Factory*, New Haven 1947; Warner, W. L., *The Living and the Dead*, New Haven 1959. Die Feldforschung fand von 1930–1935 statt, die erste Veröffentlichung in Buchform war »The Social Life of a Modern Community«. Dieser erste Band der »Yankee-City-Reihe« ist für die Untersuchung des von Warner verwandten »Klassenbegriffes« insofern interessant, weil er hier einen Überblick über das Entstehen des Projektes und der dabei verwandten empirischen Forschungstechniken gegeben hat. Vgl. Herzog, D., *Klassengesellschaft ohne Klassenkonflikt*, a.a.O., S. 12 ff.

23. Vgl. in Kapitel III dieser Arbeit die »ideologischen Implikationen« dieses Vorgehens bei Warner im Zusammenhang mit der Weltwirtschaftskrise.

24. Warner, W. L., und Lunt, P. S., *The Social Life of a Modern Community*, a.a.O., S. 81.

25. Ebd., S. 81/82.

26. Warner, W. L., *American Life. Dream and Reality. Revised form of »Structure of American Life«*, a.a.O., S. 53.

27. Herzog, D., *Klassengesellschaft ohne Klassenkonflikt*, a.a.O., S. 75.

28. Allison, B. B., Gardener, B. B., und Gardner, M. R., *Deep South*, Chicago 1941, S. 63.

29. Warner, W. L., und Lunt, P. S., *The Social Life of a Modern Community*, a.a.O., S. 82.

30. Vgl. auch: Warner, W. L., »American Class and Caste«, in: *AJS*, 42 (1936), 234–237, S. 234 ff. Diese Unterscheidung hat Warner später zu einer Typologie der sozialen Stratifikation ausgebaut. Vgl. Warner, W. L., »The Study of Social Stratification«, in: J. B. Gittler (Hg.), *Review of Sociology; Analysis of a Decade*, New York 1957, S. 234.

31. Vgl. in diesem Zusammenhang Herzog, D., *Klassengesellschaft ohne Klassenkonflikt*, a.a.O., S. 71 ff.

32. Warner, W. L., *Democracy in Jonesville*, a.a.O., S. xii/xiv.

33. Warner, W. L., *The Social Life in a Modern Community*, a.a.O., S. 90/91.

34. Vgl. Warner, W. L., Meeker, M., und Eells, K., *Social Class in America*, a.a.O., S. 47–117. Warner unterschied: a) »Rating by matched Agree-

ment«, b) »Rating by Symbolic Placement«, c) »Rating by Status Reputation«, d) »Rating by Comparison«, e) »Rating by simple Assignment to the Class«, f) »Rating by Institutional Membership«.

35. Vgl. Kahl, J., *The American Class Structure*, a.a.O., S. 34/35.

36. Warner, W. L., und Lunt, P. S., *The Social Life in a Modern Community*, a.a.O., S. 40.

37. Vgl. Warner, W. L., *The Structure of American Life*, a.a.O., S. 12 ff.

38. Vgl. Warner, W. L., u. a., *Democracy in Jonesville*, a.a.O., S. 261 ff.

39. Vgl. Warner, W. L., *The Structure of American Life*, a.a.O., S. 4 ff.

40. Vgl. Goldschmidt, W. R., *America's Social Classes: Is Equality a Myth?*, *Commentary*, 10 (1950), 175–181, S. 175 ff.

41. Vgl. die Zusammenfassung der Warner-Kritik durch R. Rosner-Kornhauser, »The Warner Approach to Social Stratification«, in: Bendix, R., und Lipset, S. M. (Hg.), *Class, Status and Power. A Reader in Social Stratification*, Glencoe 1953, 224–255, S. 243 ff.

42. Vgl. Lipset, S. M., und Bendix, R., *Social Status and Social Structure*, II, a.a.O., S. 241 ff.

43. Warner konstatiert, daß Marx seine Klassenkonzeption »entirely on economic criteria of owners and workers« aufbaute. Vgl. Warner, W. L., u. a., *Social Class in America*, a.a.O., S. 259.

44. Warner, W. L., u. a., *Social Class in America*, a.a.O., S. 129.

45. Warner, W. L., *American Life*, a.a.O., S. 105/106.

46. Vgl. Hollingshead, A. B., *Elmtown's Youth. The Impact of Social Classes on Adolescents*, a.a.O., S. 448 ff.

47. Warner, W. L., u. a., *Social Class in America*, a.a.O., S. 3.

48. Vgl. Herzog, D., *Klassengesellschaft ohne Klassenkonflikt*, a.a.O., S. 16.

49. Vgl. Corey, L., *The Crisis of the Middle Class*, New York 1935; Hook, S., *Toward an Understanding of Karl Marx*, New York 1933.

50. Vgl. Goldschmidt, W. R., »Social Class in America. A Critical Review«, in: *Am. Anthropologist*, 52 (1950), 483–498.

51. Vgl. Herzog, D., *Klassengesellschaft ohne Klassenkonflikt*, a.a.O., S. 49 f.

52. Warner führt diesen Gedanken im Zusammenhang mit seinen »Streik-Untersuchungen« in Yankee-City aus. Warner sieht zwei Probleme durch die technische Entwicklung an Bedeutung gewinnen: 1. Durch die fortschreitende Arbeitsteilung wird die bisherige »skill hierarchie« zerstört, indem viele Arbeiten zunehmend von Maschinen gemacht werden und damit die Möglichkeiten des einzelnen, beruflich aufzusteigen, eingeengt werden. 2. Die wachsende Komplexität der industriellen Produktionsweise führt zu einer starken Differenzierung der existierenden Berufe. Der Abstand zwischen den niedrig und den hoch eingeschätzten Statusgruppen wird größer, da die Chance, aufzusteigen, sich stetig vermindert. Die Statuspyramide entzerrt

sich. Statt dessen treten Gewerkschaften und Interessengruppen auf, die den Aufstieg des Individuums insofern behindern, da sie seine Belange kollektiv vertreten und es damit an seine bisherige Position binden. Vgl. Lipset, S. M., und Bendix, R., *Social Status and Social Structure,* II, a.a.O., S. 236.

53. Warner, W. L., u. a., *Social Class in America,* a.a.O., S. V.

54. Mayer, K., »The Theory of Social Classes«, in: *Transactions of the Second World Congress of Sociology,* London und Hereford 1954, Vol. II, 321–335; S. 327/328.

55. Als »objektiver« Ansatz wird jener Versuch bezeichnet, das statusbestimmende Verhalten aufgrund »objektiv« feststellbarer Kriterien, wie Einkommen, Beruf, Ausbildung, zu bestimmen, wie es z. B. in der Marktforschung üblich ist. Die Betonung liegt jedoch immer auf dem antizipierten *Verhalten* des Individuums und läßt sich auf Warners »Index of Status Characteristics« zurückführen. Vgl. Pfautz, H. W., und Duncan, O. D., »A Critical Evaluation of Warner's Work in Community Stratification«, in: *Am. Soc. Rev.,* 15 (1950), S. 205 ff.

56. Der »subjektive« Ansatz entwickelte sich aus Warners »Evaluated-Participation«-Methode, aus der eine Vielzahl von Techniken abgeleitet wurden. Vgl. dazu Barber, B., *Social Stratification,* New York 1957, bes. Kap. 5–8; Bolte, K. M., »Einige Anmerkungen zur Problematik der Analyse von ›Schichtungen‹ in sozialen Systemen«, in: *Sonderheft 5 der KZSS,* a.a.O., S. 29–53; Scheuch, E. K., und Daheim, H., »Sozialprestige und soziale Schichtung«, in: *Sonderheft 5 der KZSS,* a.a.O., S. 85–103.

57. Indexkonstruktionen, die »multiple Statusindizes« zugrunde legen, stellen eine Mischung verschiedener Methoden dar. Vgl. Bolte, K. M., *Sozialer Aufstieg und Abstieg,* Stuttgart 1959, S. 21 ff.

58. Vgl. Pfautz, H. W., und Duncan, O. D., »A Critical Evaluation of Warner's Work in Community Stratification«, *a.a.O.,* S. 210.

59. Vgl. die Ausführungen zur Problematik dieses Ansatzes in der Mobilitätsforschung in Kapitel II.

60. Vgl. Rosner-Kornhauser, R., *The Warner Approach to Social Stratification,* a.a.O., S. 245.

61. Vgl. Rosner-Kornhauser, R., *The Warner Approach to Social Stratification,* a.a.O., S. 251.

62. Vgl. Lipset, S. M., und Bendix, R., *Social Status and Social Structure,* II, a.a.O., S. 246 ff.

63. Ebd., S. 247.

64. Vgl. Mayer, K., *The Theory of Social Classes,* a.a.O., S. 329 ff.

65. Zur strukturell-funktionalen Schichtungstheorie vgl. Wiehn, E., *Theorien der sozialen Schichtung,* a.a.O., und das folgende Kapitel dieser Arbeit, in dem auf diese Problematik besonders eingegangen wird.

66. Warner, W. L., und Low, J. O., *The Social System of the Modern Factory,* a.a.O., S. 183.

67. Lipset, S. M., und Bendix, R., *Social Status and Social Structure*, II, S. 246.

68. Roth, G., und Bendix, R., *Max Webers Einfluß auf die amerikanische Soziologie*, a.a.O., S. 47.

69. Vgl. Kapitel VIII die Überlegungen zur Neuorientierung der Erforschung vertikaler sozialer Mobilität, wo einige strukturbezogene Ansätze referiert werden. Auf die Versuche von Kahl, J., *The American Occupational Structure*, a.a.O., S. 8 ff., und von Lipset, S. M., und Zetterberg, H. J., *Eine Theorie der sozialen Mobilität*, wurde bereits hingewiesen, sie sind in der Forschungspraxis jedoch kaum wirksam geworden.

70. Vgl. Kapitel IX Untersuchung der Korrelate von Arbeitstätigkeiten.

71. Miller, S. M., »The Concept and Measurement of Mobility«, in: *Transactions of the Third World Congress ...*, a.a.O., 144–154, S. 147.

72. Berufsprestigerangordnungen, der meistgebrauchte Bezugsrahmen in vertikalen Mobilitätsstudien, beziehen sich immer auf ein Berufsrangordnungsverfahren und nicht etwa auf eine Statusbestimmung nach einem Index, wie ihn Warner verwandte. Auf die Verwandtschaft von Herkunftsstudien und vertikalen Mobilitätsstudien war bereits hingewiesen worden.

73. Vgl. dazu die Ausführungen im Kapitel VI.

VI. UNTERSUCHUNGEN ZUR VERTIKALEN SOZIALEN MOBILITÄT IN DER BUNDESREPUBLIK SEIT 1945

1. Die Untersuchungen der Sozialstruktur des Landes Schleswig-Holstein durch Mackenroth und Bolte entstanden teilweise aus der Befürchtung, die Vertriebenen könnten zu einer benachteiligten Minderheit werden.

2. Hier sei vor allem auf Geiger, T., *Die soziale Schichtung des deutschen Volkes. Soziographischer Versuch auf statistischer Grundlage*, Stuttgart 1932, verwiesen.

3. Man kann regelrecht von einem »boom« in der internationalen Mobilitätsforschung sprechen. Die Titel der Veröffentlichungen zu diesem Thema sind unübersehbar. Vgl. das Literaturverzeichnis im Anhang.

4. Vgl. Bolte, K. M., *Sozialer Aufstieg und Abstieg*, a.a.O., S. 1.

5. Vgl. die »Transactions« der Weltkongresse für Soziologie in Lüttich 1953 und Amsterdam 1956.

6. Die Zahl der empirischen Studien und der Buchveröffentlichungen, die hier diskutiert werden, entsprechen sich nicht. Meist wurden umfangreiche Studien von DIVO oder Allensbach nur unvollkommen ausgewertet. Teilweise gehen die Grundgesamtheiten, die Auswahlverhältnisse u. a. aus den zusammenfassenden Berichten gar nicht hervor. Das erschwert die Kritik des Materials.

7. Die einzige »umfassende« und immer wieder zitierte Mobilitätsstudie der BRD von Janowitz erfaßt z. B. die Berufsgruppen in verschobenen Relationen und enthält viel zu wenig Arbeiter.

8. Die Gründe für die Beschränkung auf die Mobilitätsstudien der BRD werden im Vorwort artikuliert.

9. Vgl. die Ausführungen über die Problematik des Statusbegriffes in Kapitel II.

10. Vgl. die Berufskataloge von Bolte, K. M., *Sozialer Aufstieg und Abstieg*, a.a.O., S. 34, und von Mayntz, R., *Soziale Schichtung und sozialer Wandel*, a.a.O., S. 107.

11. »Die Prestigelage einer Position – uns interessiert nur die Berufsposition – ergibt sich vielmehr aus einer Aufsummierung von Wertakzenten, die aus Kriterien herrühren, die als die Position kennzeichnend angesehen ... werden ...« Bolte, K. M., *Sozialer Aufstieg und Abstieg*, a.a.O., S. 72.

12. Vgl. Ausführungen zu der Konstruktion des Stratifikationsgefüges nach »subjektiven« Kriterien in Kapitel II.

13. Vgl. Inkeles, A., und Rossi, P. H., »National Comparisons of Occupational Prestige«, in: *AJS*, 16 (1956), 329–339, S. 329 ff.

14. Vgl. dazu Kahl, J. A., *The American Class Structure*, a.a.O., S. 84.

15. Vgl. zur Technik der Berufsprestigemessung die ausführliche Darstellung bei Bolte, K. M., *Sozialer Aufstieg und Abstieg*, a.a.O., S. 30 ff.

16. Vgl. Schaubild 1 und die Ranggruppeneinteilung bei Kleining und Daheim, die acht bzw. sechs Schichten aufführen.

17. Vgl. dazu Kapitel II.

18. Das Schaubild wurde aus der Literatur zusammengestellt.

19. Vgl. die frühen Studien für Deutschland von Nothaas, J., *Sozialer Aufstieg und Abstieg im deutschen Volk*, a.a.O., und Mitgau, H., »Familienschicksal und soziale Rangordnung«, in: *Flugschriften der Zentralstelle für deutsche Personen- und Familiengeschichte*, Heft 10, Leipzig 1928, und Michels, R., *Umschichtungen in den herrschenden Klassen nach dem Kriege*, Stuttgart-Berlin 1934, die jedoch alle nicht den Bezugsrahmen des »Sozialprestiges« wählten.

20. Vgl. die Anleitung zum Lesen von Mobilitätstabellen bei Mayntz, R., *Soziale Schichtung und sozialer Wandel* ..., a.a.O., S. 153 ff.

21. Auf die verschiedenen Methoden der Schichtkonstruktion kann hier nicht eingegangen werden. Vgl. Bolte, K. M., *Sozialer Aufstieg und Abstieg*, a.a.O., S. 90 ff.; Moore, H., und Kleining, G., »Soziale Selbsteinstufung«, in: *KZSS*, 20 (1968), 502–552, und die umfangreiche amerikanische Literatur auf diesem Gebiet.

22. Vgl. das Schaubild 1, S. 83.

23. Messung von Zu- und Abstromquoten unter Verwendung des Attraktionsindex und des Bernini-Index. Vgl. im einzelnen Bolte, K. M., *Sozialer Aufstieg* ..., a.a.O., S. 171 ff.

24. Vgl. Ausführungen zu Bolte.

25. Vgl. Ausführungen zu Mayntz.

26. Das wird noch deutlicher bei der Darstellung der neuesten Untersuchungen von Kleining, der die Strukturmobilität mit Hilfe von 10 Berufskreisen mißt. Vgl. Ausführungen zu Kleining.

27. Wir beziehen uns bei dieser Zusammenstellung auf Kreckel, R., Brock, D., und Thode, H., *Vertikale Mobilität und Immobilität in der Bundesrepublik Deutschland. Bericht einer Untersuchung im Auftrage des Bundesministeriums des Innern,* Bonn-Bad Godesberg 1972, S. 11ff.

28. Vgl. Reigrotzki, E., *Soziale Verflechtungen in der Bundesrepublik,* Tübingen 1956.

29. Vgl. Janowitz, M., »Soziale Schichtung und Mobilität in Westdeutschland«, in: *KZSS,* 10 (1958), 1–38.

30. Vgl. Daheim, H. J., »Berufliche Intergenerationen-Mobilität in der komplexen Gesellschaft«, in: *KZSS,* 16 (1964), 92–124.

31. Vgl. WEMA-Institut für empirische Sozialforschung, *Soziale Voraussetzungen beruflicher Mobilität,* Köln 1968.

32. Vgl. Kleining, G., »Struktur- und Prestigemobilität in der Bundesrepublik Deutschland«, in: *KZSS,* 23 (1971), 1–32.

33. Vgl. Kreckel, R., u.a., *Vertikale Mobilität und Immobilität,* a.a.O., S. 11.

34. Eine Ausnahme macht die Arbeit von Bolte, K. M., *Sozialer Aufstieg ...,* a.a.O., dessen Untersuchung schon 1955 als Habilitationsschrift der Universität Kiel vorlag und deren Veröffentlichung durch widrige Umstände verzögert wurde.

35. Vgl. Bolte, K. M., *Sozialer Aufstieg und Abstieg,* a.a.O.

36. Vgl. ebd., S. 3.

37. Vgl. ebd., S. 16–106, wie das aus dem Untertitel deutlich hervorgeht.

38. Vgl. die Ausführungen im Kapitel I; vgl. dazu auch das Literaturverzeichnis.

39. Vgl. Bolte, K. M., *Sozialer Aufstieg ...,* a.a.O., S. 114–226.

40. Vgl. Nothaas, J., *Sozialer Aufstieg und Abstieg im deutschen Volk,* a.a.O.

41. Vgl. Geiger, T., *Die soziale Schichtung des deutschen Volkes,* a.a.O.

42. Vgl. vor allem Bolte, K. M., *Sozialer Aufstieg und Abstieg,* a.a.O., Kapitel II und VIII.

43. Diese »Voruntersuchung« ist allerdings außerordentlich differenziert und bezieht sich in ihrem Vorgehen weitgehend auf die bereits verfügbaren internationalen Studien.

44. Vgl. Bolte, K. M., *Sozialer Aufstieg und Abstieg,* a.a.O., S. 108; selbständige Landwirte wurden zu gleichen Teilen auf Stufen II und III verteilt, Arbeitslose entsprechend der letzten Position eingeordnet.

45. Vgl. ebd., S. 93, die Techniken zur Bestimmung des Berufsprestiges werden nicht dargestellt, sondern nur die Ergebnisse.

46. Schaubild aus: Bolte, K. M., *Sozialer Aufstieg und Abstieg*, a.a.O., S. 110, die Zahlen ergeben sich als Durchschnittsberechnung aus Tabelle 1.

47. Vgl. Bolte, K. M., *Sozialer Aufstieg und Abstieg*, a.a.O., S. 167.

48. Vgl. ebd., S. 170.

49. Dieser Anteil ist nach Bolte deshalb so hoch, weil viele der Väter selbständige Landwirte waren, deren Söhne zu jener Zeit als Landarbeiter beschäftigt wurden (Flüchtlinge).

50. Zu ähnlichen Ergebnissen war in den zwanziger Jahren bereits Nothaas gekommen, vgl. Nothaas, J., *Sozialer Aufstieg und Abstieg im deutschen Volk*, a.a.O., S. 110.

51. Ein *Indexwert unter 1* bedeutet, daß weniger Söhne den Beruf des Vaters ergriffen haben, als aufgrund einer zufälligen Verteilung zu erwarten gewesen wäre; ein *Indexwert über 1* bedeutet, daß diese Prestigestufe überproportional von Söhnen besetzt ist, deren Väter ebenfalls zu dieser Prestigestufe gehören. Zu der Gegenüberstellung von relativen und absoluten Herkunftsquoten und der Problematik bei der Berechnung des Assoziationsindex vgl. Bolte, K. M., *Sozialer Aufstieg und Abstieg*, a.a.O., S. 171 ff. und S. 199 f.

52. Vgl. ebd., S. 187.

53. Vgl. ebd., Tabelle 51, S. 186.

54. Vgl. die Zusammenfassung in Kapitel VII.

55. Bolte, K. M., *Sozialer Aufstieg und Abstieg*, a.a.O., S. 202.

56. Vgl. Mayntz, R., *Soziale Schichtung und sozialer Wandel in einer Industriegemeinde*, a.a.O.; die gesamte Veröffentlichung von Mayntz zeichnet sich dadurch aus, daß alle Schritte der Untersuchung genau gezeigt und auch erklärt werden, so daß man den Untersuchungsgang ausgezeichnet nachvollziehen kann.

57. Vgl. ebd., S. 132 ff.

58. Vgl. hierzu ebenfalls die Statusindexberechnung von Scheuch, E. K., (in Zusammenarbeit mit Daheim, H. J.), »Sozialprestige und soziale Schichtung«, in: *Sonderheft 5 der KZSS*, a.a.O., 65–103.

59. Vgl. Mayntz, R., *Soziale Schichtung* ..., a.a.O., S. 134.

60. In das Schaubild 3 sind die Ranggruppen zur besseren Verdeutlichung des Gesagten mit eingetragen worden. Vgl. die Ausführungen zur Mobilität weiter unten.

61. Vgl. Schaubild 2, S. 88.

62. Vgl. Mayntz, R., *Soziale Schichtung* ..., a.a.O., S. 138; diese Untersuchung der Selbsteinordnung der Befragten wurde nicht reproduziert. Vgl. dazu Janowitz, M., »Schichtung und Mobilität in Westdeutschland«, a.a.O., S. 28, und Moore, H., und Kleining, G., »Soziale Selbsteinstufung (SSE)«, in: *KZSS*, a.a.O., S. 502 ff.

63. Mayntz geht auf diese Problematik in einer ausführlichen Erörterung der Bestimmungsgründe des Prestiges ein, in der die vorliegende, auch heute noch relevante Diskussion zusammengefaßt ist. Sehr lesenswert. Vgl. Mayntz, R., *Soziale Schichtung* ..., a.a.O., S. 75 ff.

64. Ebd., S. 139.

65. Vgl. Schaubild 1, S. 83.

66. Vgl. dazu die verhältnismäßig einfache Berufsgruppeneinteilung von Janowitz.

67. Vgl. Mayntz, R., *Soziale Schichtung* ..., a.a.O., S. 180.

68. R. Mayntz untersucht an anderer Stelle den Berufswechsel und die Änderung der Ranggruppenzugehörigkeit unter den Aspekten der »gewollten« oder »durch die Verhältnisse erzwungenen« Mobilität.

69. Der Gedanke, daß die Mobilität weitgehend »erzwungen« war, liegt nahe.

70. Vgl. Mayntz, R., *Soziale Schichtung* ..., a.a.O., S. 180 ff.

71. Vgl. Janowitz, M., »Soziale Schichtung und Mobilität in Westdeutschland« a.a.O.

72. Das soll heißen, die einzige Studie, die international vergleichbare Daten erbringt, da sie vergleichbare berufliche Klassifikationsschemata benutzt.

73. Vgl. die Ausführungen zu Beginn dieses Kapitels.

74. Auf diese Faktoren soll im Zusammenhang mit den strukturellen Determinanten sozialer Mobilitätsprozesse in Kapitel IX eingegangen werden.

75. Vgl. hierzu die späteren Ausführungen. »Schichten« sind bei Janowitz nicht einfach Ranggruppen von Berufen, sondern tatsächlich vorfindbare Gruppierungen.

76. Vgl. Janowitz, M., *Soziale Schichtung* ..., a.a.O., S. 9/10.

77. Vgl. das Schaubild 1, wo das Kategorieschema wiedergegeben ist.

78. Janowitz untersuchte sowohl Intra- als auch Intergenerationenmobilität. Der besseren Vergleichbarkeit wegen beschränken wir uns auf eine Darstellung der Daten zur Intergenerationen-Berufsmobilität.

79. Vgl. Janowitz, M., *Soziale Schichtung* ..., a.a.O., S. 28.

80. Vgl. ebd., S. 6.

81. Vgl. ebd., S. 10.

82. Vgl. ebd., S. 11, Tabelle 5.

83. Vgl. ebd., S. 13 ff.

84. Vgl. ebd., S. 13 ff.; ein Vergleich mit weiteren Daten soll die Problematik der Aufstiegs-Abstiegs-Relationen besonders berücksichtigen. Vgl. Tabelle 15.

85. Tabelle 8 wurde aus den Janowitz-Tabellen 6 und 7 zusammengestellt; vgl. Janowitz, M., *Soziale Schichtung* ..., a.a.O., S. 12 f.

86. Grundgesamtheit 3 385 Personen = 100 %.

87. Grundgesamtheit 2 211 Personen = 100 %.
88. Vgl. Janowitz, M., *Soziale Schichtung* ..., a.a.O., Tabelle 8, S. 15.
89. Ebd., S. 13.
90. Vgl. Daheim, H. J., »Berufliche Intergenerationen-Mobilität in der komplexen Gesellschaft«, in: *KZSS* 16 (1964), 92–124.
91. Vgl. Daheim, H. J., »Vorstellungen vom Mittelstand«, in: *KZSS*, 12 (1960), 235–277.
92. Vgl. die Ausführungen über die Euskirchen-Studie von R. Mayntz.
93. Vgl. Schaubild 1.
94. Daheim, H. J., »Berufliche Intergenerationen-Mobilität«, *a.a.O.*, S. 97.
95. Vgl. das Kategorienschema von Daheim in Tabelle 9.
96. Daheim, H. J., »Vorstellungen vom Mittelstand«, *a.a.O.*, S. 238: Dieser soziale »Rang« wurde von Daheim sowohl durch Fremdeinschätzung nach verschiedenen Kriterien (Einkommen, Schulbildung u. a.) als auch durch Selbsteinschätzung bestimmt.
97. Vgl. Daheim, H. J., »Berufliche Intergenerationen-Mobilität«, *a.a.O.*, S. 95.
98. Vgl. ebd., S. 95.
99. Vgl. ebd., S. 94.
100. Vgl. ebd., S. 102, Tabelle 3.
101. Vgl. ebd., S. 105; die Tabelle umfaßt sechs Bereiche (ohne Landwirtschaft) in v. H.
102. Vgl. ebd., dazu auch die Mobilitäts-Indizes in Tabelle 2 b, S. 101.
103. Ebd., S. 104.
104. Vgl. ebd., Tabelle 4, S. 105; die meisten Auf- und Abstiege finden zwischen ein oder zwei Stufen statt.
105. Vgl. Kleining, G., »Struktur- und Prestigemobilität in der Bundesrepublik Deutschland«, *a.a.O.*, S. 1 ff.
106. Vgl. ebd., S. 1; das Sample umfaßte rd. 20 000 Personen.
107. Vgl. ebd., S. 5 ff.
108. Vgl. ebd., S. 4 f.
109. Vgl. Daheim, H. J., »Berufliche Intergenerationen-Mobilität«, *a.a.O.*, S. 94 f., und die Ausführungen in dieser Arbeit.
110. Vgl. die Ausführungen über Mayntz, die ebenfalls zwischen Statusschichtung und Berufsschichtung unterschied.
111. Vgl. Daheim, H. J., »Berufliche Intergenerationen-Mobilität«, *a.a.O.*, S. 103; der Begriff selbst stammt allerdings von Geiger, T., *Soziale Umschichtungen in einer dänischen Mittelstadt*, a.a.O., S. 16 ff.
112. Vgl. die Ausführungen über Daheim.
113. Vgl. Kleining, G., »Struktur- und Prestigemobilität ...«, *a.a.O.*, S. 5.
114. Vgl. Kleining, G., und Moore, H., »Soziale Selbsteinstufung (SSE). Ein Instrument zur Messung sozialer Schichten«, in: *KZSS*, a.a.O., S. 502 ff.

115. Kleining und Moore beziehen sich in ihren »Methodischen Grundlagen« dabei ausdrücklich auf das Vorbild der Warner-Studien. Vgl. ebd., S. 509 ff.

116. Vgl. Kleining, G., »Struktur- und Prestigemobilität ...«, *a.a.O.*, S. 5.

117. Ebd., S. 5.

118. Ebd., S. 5.

119. Vgl. Kleining, G., »Struktur- und Prestigemobilität ...«, *a.a.O.*, S. 6.

120. Vgl. die Berufsgliederung nach Kleining, Tabelle 13, S. 104.

121. Vgl. die Einteilung bei Bolte, Mayntz und Janowitz in Schaubild 1 und bei Daheim, Tabelle 9, S. 99.

122. Das gleiche gilt für die Angestelltenberufe.

123. Diese Rückprojektion heutiger Prestige- oder Berufsdifferenzierungen ist zwar problematisch, aber möglicherweise schwer zu umgehen.

124. Vgl. Kleining, G., »Struktur- und Prestigemobilität...«, *a.a.O.*, S. 25.

125. Vgl. ebd., Tabelle 19, S. 26.

126. Vgl. ebd., Tabelle 15, S. 23.

127. Vgl. ebd., Tabelle 2, S. 10.

128. Vgl. ebd., Tabelle 2, S. 10.

129. Die Daten zu den Geburtszeiträumen 1930 und 1940 sind weggelassen worden. Vgl. ebd., S. 10.

130. Vgl. die Zusammenfassung der Daten in größere Einheiten bei Kleining, G., »Struktur- und Prestigemobilität ...«, *a.a.O.*, S. 12.

131. Vgl. Tabelle 13.

132. Vgl. die Argumentation in Kapitel VII.

133. Kleining geht offensichtlich davon aus, daß mit dem technischen Fortschritt eine Zunahme der Mobilitätshäufigkeit notwendigerweise verbunden sein müsse. Vgl. die These über den Zusammenhang von Industrialisierungsgrad und Mobilitätsfrequenz in der Einleitung und die Ausführungen zu Daheim.

134. Vgl. Kleining, G., »Struktur- und Prestigemobilität ...«, *a.a.O.*, Tabelle 4, S. 12.

135. Vgl. ebd., S. 12.

136. Vgl. ebd., S. 29.

137. Vgl. ebd., S. 9.

138. Vgl. ebd., S. 29/30.

139. Vgl. Kapitel IX.

140. Vgl. Kapitel IX.

141. Vgl. hierzu die Kritik von Mayer, K. U., u. a., »Trendanalyse in der Mobilitätsforschung«, in: *KZSS* 23 (1971), 761–768, S. 761 ff., die diese Schlußfolgerungen ablehnen.

VII. DIE ERGEBNISSE DER VERTIKALEN SOZIALEN MOBILITÄTSFORSCHUNG IN DER BUNDESREPUBLIK

1. Vgl. dazu die Ausführungen von Bolte, Mayntz, Janowitz, Daheim und Kleining im vorigen Kapitel.

2. Vgl. Tabelle 15.

3. Zu ähnlichen Feststellungen kommt Rogoff für die Vereinigten Staaten für die Zeit von 1910 bis 1940 aufgrund des von ihr untersuchten Materials. »For the population as a whole, the average mobility rate did not change over the thirty years time span.« Rogoff, N., *Recent Trends in Occupational Mobility*, Illinois 1953, S. 46; ebenso für Deutschland Nothaas, J., *Sozialer Aufstieg und Abstieg* ..., a.a.O., S. 110; die sowohl von Daheim als auch von Kleining ausgesprochene Annahme, daß *vor* der eigentlichen Industrialisierung die Mobilitätsraten höher waren als nach 1870, hat viel für sich.

4. Vgl. die durch die Assoziationsindices belegte Feststellung bei Bolte, Mayntz, Kleining.

5. Vgl. dazu Daheim, H. J., »Berufliche Intergenerationen-Mobilität«, *a.a.*O., Tabelle 4, S. 105.

6. Vgl. ebd., S. 109.

7. Vgl. ebd., S. 102.

8. Vgl. Geiger, T., *Soziale Umschichtungen in einer dänischen Mittelstadt*, a.a.O., S. 109, der auf die »funktionelle Kapazität« eines Berufsbereiches verweist. Steigende oder sinkende Bereichsvolumen können als Erklärung für die hohe Selbstrekrutierungsquote der Selbständigen oder generell der untersten und obersten Schicht gelten.

9. Vgl. Bolte, K. M., *Sozialer Aufstieg und Abstieg*, a.a.O., S. 144, die Problematik bezüglich der Eingliederung der Flüchtlinge in einen neuen Wirtschaftsraum. Ähnliches dürfte für die aus der Landwirtschaft Abwandernden gelten.

10. Vgl. bei Bolte die Zahlen über die Zunahme der Angestellten; Bolte, K. M., u. a., *Beruf und Gesellschaft in Deutschland*, a.a.O., S. 120.

11. Vgl. hierzu die Aufstellung von Kreckel, R., u. a., *Vertikale Mobilität und Immobilität* ..., a.a.O., S. 15.

12. Vgl. Capécchi, W., »Problèmes méthodologiques dans la mésure de la mobilité sociale«, in: *Arch. Europ. Soc.*, 8 (1967), 285–318, S. 285 ff.

13. Vgl. die unterschiedlichen Auf- und Abstiegsraten in Tabelle 15, S. 108.

14. Vgl. z. B. bei Daheim, H. J., »Berufliche Intergenerationen-Mobilität«, *a.a.*O., S. 115, die Gegenüberstellung einer Drei-Bereiche-Mobilität mit einer Fünf-Bereiche-Mobilität, aus der ersichtlich ist, daß sich durch die verschiedenen Klassifikationsschemata Mobilitätshäufigkeiten ändern.

15. Dieses Argument taucht immer dann auf, wenn die Ergebnisse der Ausgangshypothese widersprechen. Vgl. z. B. Smelser, N. J., und Lipset, S. M., *Social Structure and Mobility in Economic Development*, Chicago 1966, S. 20.

16. Vgl. Kreckel, R., u. a., *Vertikale Mobilität und Immobilität* . . ., a.a.O., S. 12f.

17. Vgl. ebd., S. 12.

18. Diese Zusammenstellung der Befunde der vertikalen Mobilitätsforschung soll lediglich einen Überblick ermöglichen. Die ausgewiesenen Daten sind teilweise aus den bisher referierten Studien errechnet. Die Daten von Bolte für Schleswig-Holstein und von Daheim für Köln wurden nur zu Vergleichszwecken aufgeführt.

19. Vgl. Tabelle 2, S. 88.

20. Es wurden lediglich die Zahlen der älteren Einheimischen aufgeführt.

21. Wie bereits erwähnt, hat R. Mayntz Mobilitätsraten in ihrer Untersuchung nicht errechnet.

22. Vgl. Tabelle 8.

23. 6,4 % der Befragten konnten nicht eingeordnet werden.

24. Vgl. Tabelle 10.

25. Die höheren Mobilitätsraten erklären sich aus dem 6-Schichten-Modell von Daheim.

26. Vgl. Tabelle 12.

27. Kleining benutzte ebenfalls ein Mehrschichtenmodell.

28. Vgl. die Ergebnisse von Mayntz und Kleining. Daheim weist für Köln steigende Mobilitätsraten und eine Zunahme der Abstiege seit 1870 nach.

29. Vgl. Kleining, G., »Struktur- und Prestigemobilität«, *a.a.*O., S. 1–33.

30. Vgl. Kleining, G., »Die Veränderung der Mobilitätschancen . . .«, *a.a.*O., S. 789.

31. Vgl. Mayer, K. U., und Müller, W., »Trendanalyse in der Mobilitätsforschung«, *a.a.*O., S. 761 ff.

32. Ebd., S. 784. Mayer/Müller nennen jedoch auch Gründe, warum die Zustimmung zu dieser Behauptung *nicht zwingend ist.*

33. Vgl. Kleining, G., »Die Veränderung der Mobilitätschancen . . .«, *a.a.*O., S. 796.

34. Rogoff, Lenski, Mills, Warner, Lipset, Bendix und viele andere kommen in ihren Studien zu dem Schluß, daß sich für die Vereinigten Staaten keine *steigende* Mobilitätsrate nachweisen läßt. Meinungsunterschiede gibt es, wenn überhaupt, nur hinsichtlich der Tatsache, ob die Mobilitätsrate stabil oder sogar tendenziell rückläufig ist. Vgl. Barber, B., *Social Stratification,* a.a.O., S. 373 ff. und S. 463 ff.; Rogoff, N., *Recent Trends in Occupational Mobility,* a.a.O., S. 106. Eine Analyse der Daten von Rogoff durch Blau und Duncan 1967 bestätigte die Annahme, daß zwar die Berufsstruktur sich insgesamt änderte, die Modalitäten des Statuserwerbs jedoch gleichblieben. Jackson, E., und Crockett, H. Jr., »Occupational Mobility in the United States: A Point Estimate and Trend Comparison«, in: *ASR,* 29, (1964), S. 5–15, kommen sogar zu dem Schluß, daß »the system of occupational inheritance is growing more rigid«. Ebd., S. 15.

35. Vgl. Kleining, G., »Struktur- und Prestigemobilität ...«, *a.a.O.*, S. 29.
36. Ebd., S. 29/30.
37. Vgl. dazu Mayer, K. U., und Müller, W., »Trendanalyse ...«, *a.a.O.*, S. 777.
38. Vgl. die Ausführungen zu Beginn dieses Kapitels.
39. Und ist infolge des Methodenpluralismus auch nicht zu entscheiden.
40. Kleining erreicht in seinen Untersuchungen eine Mobilitätsrate von 55% bei 6 Berufskreisen und 66% bei 10 Berufskreisen. Außerordentlich »hohe« Mobilitätsraten, die trotzdem zu einer pessimistischen Interpretation Anlaß geben.
41. Die bisher überwiegende Forschungsperspektive, vertikale Mobilität als sozialen Auf- und Abstieg zu untersuchen.
42. D. h. vornehmlich als sozialen Aufstieg.
43. Vgl. Tabelle 15 und die zusammenfassenden Ausführungen: grosso modo weisen alle Mobilitätsstudien ähnliche Ergebnisse aus.
44. Vgl. die Ausgangshypothesen der Mobilitätsforschung in Kapitel I.
45. Kleining, G., »Struktur- und Prestigemobilität ...«, *a.a.O.*, S. 29.
46. Vgl. die Überlegungen im folgenden Kapitel.

VIII. ÜBERLEGUNGEN ZU EINER NEUORIENTIERUNG DER ERFORSCHUNG VERTIKALER SOZIALER MOBILITÄTSPROZESSE

1. Vgl. Kreckel, R., u. a., *Vertikale Mobilität und Immobilität* ..., a.a.O., S. 18 f.
2. Ebd., S. 19.
3. Infolge der Inflation und des Lohnsteuerwesens verschiebt sich diese »Barriere« ständig, ohne die Einkommensverteilung als solche zu verändern.
4. Kreckel, R., u. a., *Vertikale Mobilität und Immobilität* ..., a.a.O., S. 25.
5. Vgl. dazu Borchardt, K., »Zur Theorie der sozialökonomischen Entwicklung der gegenwärtigen Gesellschaft«, in: *Spätkapitalismus oder Industriegesellschaft*, T. W. Adorno (Hg.), Verhandlungen des 16. Deutschen Soziologentages, Stuttgart 1969, S. 38 ff.
6. Kreckel, R., u. a., *Vertikale Mobilität und Immobilität* ..., a.a.O., S. 26.
7. Vgl. ebd., S. 26 ff.
8. Vgl. ebd., S. 28 ff.
9. Vgl. ebd., S. 30 f.
10. Vgl. ebd., S. 30.
11. Ebd., S. 32.
12. Ebd., S. 34.
13. Vgl. ebd., ungefähr 2% der Erwerbstätigen.

14. Vgl. Kreckel, R., u. a., *Vertikale Mobilität und Immobilität...*, a.a.O., S. 34.

15. Vgl. Kleining, G., »Struktur- und Prestigemobilität in der Bundesrepublik Deutschland«, *a.a.O.;* ders., »Die Veränderung der Mobilitätschancen in der Bundesrepublik«, in: *KZSS*, 23 (1971), 789–796, S. 789 ff.

16. Vgl. Kapitel VI.

17. Vgl. Mayer, K. U., und Müller, W., »Trendanalyse in der Mobilitätsforschung«, a.a.O., S. 764 ff.

18. Vgl. die früheren Ausführungen in Kapitel VI.

19. Wieso Kleining glaubt, die Zuordnung zu Berufskreisen informiere über das »Klassenbewußtsein« und die »Klassenlage« der Betroffenen, ist völlig unverständlich.

20. Die Bezeichnung »strukturelle Mobilität« hat überdies in der Literatur die Bedeutung »erzwungener« Mobilität, die sich aus den veränderten Randverteilungen von Mobilitätstabellen ablesen läßt.

21. Mayer, K. U., und Müller, W., »Trendanalysen in der Mobilitätsforschung«, a.a.O., S. 766 f.

22. Vgl. die Darstellung in Kapitel VI.

23. Vgl. Hatt, P., »Occupation and Social Stratification«, in: *Occupation and Social Status*, a.a.O., S. 239, die Unterscheidung von »status« und »situs« Mobilität.

24. »Occupational position is not identical either with economic class or with prestige status, but it is closely connected with both, particularely with the former«, Blau, P. M., und Duncan, O. D., *The American Occupational Structure*, a.a.O., S. 6.

25. Vgl. im vorigen Kapitel die Kontroverse über den Umfang vertikaler sozialer Mobilität in der BRD.

26. Vgl. Kleining, G., »Die Veränderungen der Mobilitätschancen ...«, *a.a.O.*, S. 796.

27. Vgl. dazu die Ausführungen in Kapitel VI zu Kleining.

28. Diese Definition ist vor allem deshalb »falsch«, weil sie zur Operationalisierung den konventionellen Berufskatalog benutzt und die Begriffe »Klassenlage« und »Klassenbewußtsein« durchaus unmarxistisch verwendet.

29. Vgl. Ammassari, P., *Occupational Opportunity Structure in Advanced Societies*. Excerpt from: Proceedings of the First Italo-Hungarian Meeting of Sociology, Milan-Rome, November 1967.

30. Vgl. dazu die Annahme über die Interdependenz von Industrialisierungsgrad und Mobilitätsfrequenz in der Einleitung und die daraus sich ergebenden Folgerungen für die Bildungsreform im Schlußkapitel.

31. Ammassari, P., *Occupational Opportunity Structure*, a.a.O., S. 29.

32. Ebd., S. 31.

33. Ebd., S. 34.

34. Ammassari führt sein Modell der »Opportunity Structure« nur ansatzweise aus. Vgl. ebd., S. 36 ff.

35. Ammassari, P., *Occupational Opportunity Structure* ..., a.a.O., S. 36; vgl. dazu eine neue Veröffentlichung der TU Berlin: *Vorstudien zur sozialwissenschaftlichen Computersimulation. Qualifikationsstruktur und Schichtung.* Bericht einer Arbeitsgruppe am Institut für Soziologie der TU Berlin, Meisenheim am Glan 1971.

36. Vgl. Ammassari, P., *Occupational* ..., a.a.O., S. 38.

37. Vgl. Ausführungen von Ammassari, P., *Occupational Opportunity Structure* ..., a.a.O., S. 38.

38. Vgl. ebd., S. 38 ff.

39. Vgl. ebd., S. 38 ff.

40. Ebd., S. 40.

41. Dazu gehören z. B. die Interpretationen über Statusinkonsistenz und politischem Verhalten, die Erklärung sozialen Verhaltens mittels der Mobilitätsbegriffs überhaupt und anderes mehr. Vgl. Miller, S. M., »The Future of Social Mobility Studies«, in: *AJS*, 77 (1971), 62–65, S. 64.

42. Vgl. Miller, S. M., *The Concept and Measurement of Mobility*, a.a.O., S. 145, der eine Liste der verschiedenen relevanten Untersuchungsperspektiven bringt, allerdings betont, daß fast ausschließlich der Berufsprestigeaspekt untersucht wurde.

43. Vgl. Miller, S. M., »The Future of Social Mobility Studies«, *a.a.O.*, S. 64.

44. Vgl. Kapitel IX.

45. Vgl. die Zusammenfassung in Kapitel V.

46. Vgl. dazu Brater, M., *Die Forschungsperspektive des Soziologischen Instituts der Universität im Rahmen des SFB 020*, München 1971, S. 1.

47. Vgl. Schaubild 4, S. 121.

48. Das bedeutet zugleich eine Aufhebung der terminologischen Unterscheidung in vertikale und horizontale Mobilität, die Trennung der Berufswechseln *ohne* Statusänderung von jenen, die sich als Auf- oder Abstieg in der Prestigedimension erfassen lassen. Die Trennung war weitgehend formal, da die horizontale Berufsmobilität mit der vertikalen Berufsprestigemobilität stets interferierte. Die Interferenz dieser beiden Untersuchungsbereiche ergab sich vor allem aus der Verwendung von Berufsprestigeskalen zur Erfassung des sozialen Status anstelle anderer Techniken, wie sie etwa Warner entwickelt hatte.

IX. ENTWURF EINES STRUKTURMODELLS ZUR IDENTIFIZIERUNG AUFSTIEGSHEMMENDER »BARRIEREN« ODER »KLASSENGRENZEN«

1. Vgl. Kapitel VI.

2. Vgl. Kapitel II.

3. Vgl. dazu die Argumentation von Goldthorpe, J. H., und Hope, K., *Occupational Grading* ..., a.a.O., S. 23 ff.

4. Rogoff weist darauf hin, daß die Attribute von beruflichen Tätigkeiten kaum im Zusammenhang mit Mobilitätsbewegungen analysiert wurden. Vgl. Rogoff, N., *Recent Trends in Occupational Mobility,* a.a.O., S. 19; ebenso Hatt, P. K., »Occupation and Social Stratification«, *a.a.*O., S. 239 ff., der im einzelnen Vorschläge macht.

5. Eine Verbindung, die sowohl der Schicht- wie der Klassenbegriff intendierte.

6. Vgl. Schaubild 5, S. 124.

7. Vgl. Tabelle 16, S. 118.

8. Die Daten wurden lediglich zu Übersichtszwecken zusammengestellt.

9. Quelle: *Statistisches Jahrbuch 1970,* S. 122, und Kreckel, R., u. a., *Mobilität und Immobilität* ..., a.a.O., S. 31.

10. Erwerbstätige, einschließlich der Selbständigen in der Landwirtschaft.

11. Ohne Selbständige in der Landwirtschaft, mith. Familienangehörige, Lehrlinge, Soldaten.

12. Einschließlich Berufsfachschulen.

13. Vgl. Einkommensverteilung nach Stellung im Beruf (Nettoeinkommen), Quelle: Bolte, K. M., u. a., *Beruf und Gesellschaft in Deutschland,* Opladen 1970, S. 293. Zahlen aus dem Jahre 1969.

14. Es sei daran erinnert, daß alle Lehrer, Studienräte, Hochschullehrer Beamte sind.

15. Bei den Selbständigen bieten sich als weitere Unterscheidungen die Höhe des Vermögens oder die Höhe des Umsatzes oder des Gewinns an.

16. Die Zahlen sind für das Jahr 1969. Seitdem sind die Einkommen insgesamt kräftig gestiegen, so daß sich die Relationen verschoben haben, die Unterschiede zwischen den verschiedenen Berufsgruppen sind jedoch im wesentlichen erhalten geblieben.

17. Das heißt, ein Arbeiter mit Abitur bleibt ein Arbeiter; der Besitzer eines Großbetriebes mit Volksschulbildung leitet diesen ohne Zweifel im Bewußtsein seiner Qualifikation als »Unternehmer«.

18. Vgl. dazu Kreckel, R., u. a., *Vertikale Mobilität und Immobilität* ..., a.a.O., S. 35/36.

19. Vgl. Bolte, K. M., u. a., *Beruf und Gesellschaft* ..., a.a.O., S. 88, der betont, daß exakte Aussagen über die Qualifikationsstruktur der Arbeiter

kaum möglich sind. Auch die Gruppe der »Selbständigen« ist außerordentlich inhomogen.

20. Vgl. dazu Goldthorpe, J. H., und Hope, K., *Occupational Grading and Occupational Prestige*, a.a.O., S. 36.

21. Dabei ist dem »Prestige« von Berufspositionen durchaus Verhaltensrelevanz zuzubilligen.

22. Vgl. Schaubild 4, S. 121.

23. Vgl. dazu die Ausführungen von Kreckel, R., *Mobilität und Immobilität*, a.a.O., S. 35, hinsichtlich der sozio-professionellen Untergruppen, die einer Mikrozensus-Zusatzbefragung vom April 1971 »Berufliche und soziale Umschichtung der Bevölkerung« zugrunde gelegen haben.

24. Vgl. Schaubild 5, S. 124.

25. »Besitz« oder »Bildung«.

26. Das heißt, trotz Qualifikationen, die jedoch veraltet sind oder für die keine Nachfrage besteht, kann ein sozialer Abstieg stattfinden.

27. Man könnte Mobilitätsuntersuchungen auf bestimmte Branchen konzentrieren, z. B. auf die Fahrzeugindustrie oder die Textilindustrie. Die Aufstiegschancen aufgrund bestimmter Qualifikationen sind wahrscheinlich sehr unterschiedlich. Das gilt auch für Unternehmer!

28. Vgl. Schaubild 5; die »Zonen« werden durch die am linken Rand aufgeführten Korrelate von Arbeitstätigkeiten bestimmt. Je weiter die Linie nach links verläuft, desto »mehr« im quantitativen Sinne enthalten bestimmte Berufskategorien des jeweiligen Korrelats.

29. Das gilt auch für das »Mittelklassenbewußtsein« der Angestellten.

30. In diesem Sinne wird ein über den notwendigen Bedarf hinausgehendes Einkommen zum »Besitz«, durch den Erwerb von Aktien, Immobilien, Industriebeteiligungen u. a.

31. Das gilt auch für den »kleinen« Selbständigen wie Milchmann, Papierwarenhändler u. a.

32. Vgl. Daheim, H. J., »Soziale Herkunft, Schule und Rekrutierung der Berufe«, in: *Sonderheft 5 der KZSS*, a.a.O., 200–217, S. 202 ff. In welchem Umfang die Schul- und Berufsausbildung tatsächlich für die Positionszuweisung in den mittleren Rängen an Bedeutung gewinnt, wissen wir jedoch nicht genau. Die Situation ist vermutlich uneinheitlich.

33. Diese Überlegungen spielen eine besondere Rolle in Anbetracht der Versuche, die berufliche Weiterbildung besonders zu fördern. Man denke an die Institutionalisierung lebenslangen Lernens oder an die finanziellen Erleichterungen durch das Arbeitsförderungsgesetz.

34. Vgl. Blau, P. M., und Duncan, O. D., *The American Occupational Structure*, a.a.O., S. 115 ff.

35. Vgl. Parnes, H. S., u. a., *Career Thresholds*, Vol. I. Ohio State University 1969, S. 65–80.

36. Vgl. Rossi, P. H., und Ornstein, M. D., *Quantitative Study in Intra-Generational-Mobility*, a.a.O., S. 67.

37. Diese Unterscheidung ist besonders schwierig im Falle von Umschulungen oder Berufswechseln. Vgl. die Definition von Rossi, P. H., und Ornstein, M. D., *Quantitative Study in Intra-Generational-Mobility*, a.a.O., S. 11.

38. »Prestige scores are average ratings given to occupations by samples of the American Occupation«, ebd., S. 19, Fußn.

39. »The Zero-order correlations with occupational status are .32 for fathers education, .40 for fathers occupations, .60 for education and .54 for first job.« Blau, P. M., und Duncan, O. D., *The American Occupational Structure*, a.a.O., S. 402.

40. Vgl. eine detaillierte Diskussion der Ergebnisse verschiedener Studien bei Rossi, P. H., u. a., *Quantitative Study* . . ., a.a.O., S. 1 ff.

41. Vgl. Blau, P. M., und Duncan, O. D., *The American Occupational Structure*, a.a.O., S. 402.

42. Rossi, P. H., u. a., *Quantitative Studies* . . ., a.a.O., S. 67.

43. Vgl. Daheim, H. J., »Soziale Herkunft . . .«, *a.a.O.*, S. 200 ff.

44. Da diese Relation jedoch nur für etwa die Hälfte der Fälle zutrifft, sollten andere Faktoren nicht unbeachtet bleiben. Ausbildung und Beruf sind keineswegs perfekt miteinander korreliert. Der Positionserwerb erfolgt realiter über die verschiedensten Mechanismen, z. B. Beziehungen, Sympathie u. ä.

45. Vgl. dazu Grimm, S., *Die Bildungsabstinenz der Arbeiter*, a.a.O., S. 88.

46. Das trifft z. B. wahrscheinlich für einen Großteil der Angestelltenpositionen vor allem der mittleren Ebene zu.

47. Vgl. Pross, H., und Boetticher, K. W., *Manager des Kapitalismus. Untersuchung über leitende Angestellte in Großunternehmen*, Frankfurt a. M. 1971, S. 63.

48. Vgl. *Deutscher Bildungsrat, Strukturplan des Bildungswesens*, a.a.O., S. 25 ff.

49. Blau, P. M., und Duncan, O. D., *The American Occupational Structure*, a.a.O., S. 156.

50. Vgl. Hall, J. R., und Glass, D. V., »Education and Social Mobility«, in: *Social Mobility in Britain*, a.a.O., S. 291 ff.

51. Jedenfalls unter den gegenwärtigen Bedingungen. Bisher haben fast alle Arbeiter lediglich eine Volksschulbildung (97 %).

52. Vgl. die Einleitung von Glass, D. V., *Social Mobility in Britain*, a.a.O., S. 3 ff.

53. Hall, J. R., und Glass, D. V., »Education and Social Mobility«, *a.a.O.*, S. 307.

54. Vgl. Blau, P. M., und Duncan, O. D., *The American Occupational Structure*, a.a.O., S. 156 ff.

55. Vgl. ebd., S. 157 ff.

56. Ebd., S. 157.

57. Vgl. Schaubild 7, S. 128.

58. Vgl. in diesem Zusammenhang Kreckel, R., u. a., *Mobilität und Immobilität* ..., a.a.O., S. 170, den abnehmenden Oberschulbesuch von Arbeiterkindern von der 1. bis zur 9. Klasse.

59. Vgl. Hall, J. R., und Glass, D. V., »Education and Social Mobility«, *a.a.O.*, S. 306f.

60. Ebd., S. 306.

61. Vgl. Schaubild 4, S. 121.

62. Vgl. Biermann, B., »Wer wird Unternehmer? Strukturfaktoren der unternehmerischen Rekrutierung«, in: *Soziale Welt*, 21/22 (1970/71), 33–54, S. 45, der empirisch nachweist, daß Angestellte mit unternehmerischer Funktion sich weitgehend aus den höheren sozialen Schichten rekrutieren.

63. So werden z. B. die Arbeitszeit, Löhne und Gehälter für die Mehrzahl der Beschäftigten tariflich vereinbart; Arbeiter- und Angestelltenrentenversicherung sind gesetzlich verankert. Für gehobene Positionen werden diese Regelungen jedoch vertraglich getroffen.

64. Es ist unser Bemühen, neue Forschungsperspektiven aufzuzeigen.

65. In dieser Hinsicht bestehen auch zwischen den verschiedenen Branchen weitgehende Unterschiede.

66. Die in den beiden vorhergehenden Kapiteln dargestellten Zusammenhänge hatten diese Annahme gestützt.

67. Vgl. Biermann, B., »Wer wird Unternehmer?«, *a.a.O.*, S. 53.

68. Biermann spricht von einem »elitären Rekrutierungsmuster horizontaler Zirkulation«. Ebd., S. 53.

69. Vgl. Ammassari, P., *Occupational Opportunity Structure* ..., a.a.O., S. 38ff.

70. Vgl. hierzu die Argumentation von Kreckel, R., *Mobilität und Immobilität*, a.a.O., S. 28, der davon spricht daß die Mehrzahl der Erwerbstätigen in die geringer gratifizierenden Positionen umdirigiert wird.

71. Möglicherweise ließen sich primäre und sekundäre Korrelate von Berufspositionen isolieren, z. B. privilegierte Positionen könnten durch den Umfang an Verfügungsmacht über Personen und/oder Sachen bestimmt werden.

X. ÜBER DEN ZUSAMMENHANG VON MOBILITÄTSFORSCHUNG UND BILDUNGSPLANUNG. KRITISCHE GEDANKEN ZU EINEM AKTUELLEN PROBLEM

1. Vgl. Deutscher Bildungsrat, *Empfehlungen der Bildungskommission. Strukturplan für das Bildungswesen*, 1. Aufl., Stuttgart 1970.

2. Vgl. Berufsbildungsgesetz: Bundesratsdrucksache 355, 1969; Arbeits-

förderungsgesetz v. 28. 6. 1969; BGBl. I, Nr. 51; Bundesausbildungsförderungsgesetz v. 26. 8. 1971; BGBl. I, Nr. 1409; Bildungsbericht '70. Die bildungspolitische Konzeption der Bundesregierung, Bonn 1970.

3. Vgl. Porter, J., »The Future of Upward Mobility«, in: *ASR*, 33 (1968), 5–19, S. 6f.

4. Vgl. Lempert, W., »Bildungsforschung und Emanzipation«, in: *Neue Sammlung*, 9. Jg., H. 4, 347–364.

5. Vgl. Edding, F., *Ökonomie des Bildungswesens*, Freiburg 1963, S. 24.

6. Vgl. Denison, E. F., »Measuring the Contribution of Education (and the Residual) to Economic Growth«, in: OECD (Hg.), *The Residual Factor and Economic Growth*, Paris 1964, S. 23–55.

7. Vgl. Grimm, S., *Die Bildungsabstinenz der Arbeiter*, a.a.O., Popitz, H., »Die Ungleichheit der Chancen im Zugang zur höheren Schulbildung«, in: L. v. Friedeburg (Hg.), *Jugend in der modernen Gesellschaft*, Köln 1965, S. 392ff.

8. Vgl. Dahrendorf, R., *Bildung ist Bürgerrecht. Plädoyer für eine aktive Bildungspolitik*, Hamburg 1965; Picht, G., *Die deutsche Bildungskatastrophe, Analyse und Dokumentation*, München 1965.

9. Vgl. Lutz, B., Krings, I., und Fleischer, J., »Überlegungen zum Problem des ›Bedarfs‹ an hochqualifizierten Arbeitskräften und seiner Prognose«, *HIS*, Brief 10, Hannover 1970, S. 6ff.

10. Es sei hier an den »Sputnik-Schock« erinnert.

11. Und das trotz hoher Kapitalinvestitionen.

12. Vgl. OECD, *Development of Secondary Education, Trends and Implications*, OECD, Paris 1969, S. 37.

13. Vgl. Kapitel VIII.

14. Vgl. die Ausführungen in dieser Arbeit, vor allem auch Kreckel und Ammassari.

15. Vgl. Kreckel, R., u.a., *Vertikale Mobilität und Immobilität ...*, a.a.O., S. 29.

16. Vgl. die Kritik von Anderson, A. C., »A Sceptical Note on the Relation of Vertical Mobility to Education«, in: *AJS*, 66 (1961), 560–570.

17. So erhöhte sich der Anteil der Studierenden aus Arbeiterfamilien in den Jahren 1954–1966 um etwa 0,8 % und betrug im Jahre 1970 etwa 10 % eines Geburtenjahrgangs.

18. Vgl. Bühl, W. L., *Schulreform. Daten – Fakten – Analysen. Eine soziologische Kritik zum Strukturplan des Bildungswesens*, München 1971, S. 38.

19. Vgl. Picht, G., *Die deutsche Bildungskatastrophe*, München 1965, S. 21ff.

20. Vgl. Deutscher Bildungsrat, *Empfehlungen der Bildungskommission*, a.a.O., S. 29ff.

21. Vgl. Berger, W., *Zur Theorie der Bildungsnachfrage. Ein Beitrag zur*

Identifizierung der Determinanten privater Nachfrage nach formaler Bildung. Studien und Berichte des Instituts für Bildungsforschung, Berlin 1971.

22. Vgl. dazu die Veröffentlichungen der Buchreihe »Texte und Dokumente zur Bildungsforschung« im Ernst Klett Verlag, Stuttgart, und vor allem: Hüfner, K., und Naumann, J. (Hg.), *Bildungsökonomie – eine Zwischenbilanz,* Stuttgart 1970.

23. So die Warnung vor einem »akademischen Proletariat«.

24. In letzter Zeit wird der Förderung »beruflicher« Bildung mehr Aufmerksamkeit zugewandt. Für Abiturienten gibt es jedoch neben dem Studium fast keine adäquate Möglichkeit, einen Beruf zu ergreifen.

25. Man müßte sich allerdings auch die Frage stellen, welchen sozialen Effekt die Auflösung »mobilitätshemmender Faktoren« haben könnte.

26. Vgl. Blau, P. M., und Duncan, O. D., *The American Occupational Structure . . .,* a.a.O., S. 295 ff.

27. Vgl. Lipset, S. M., und Bendix, R., *Social Mobility in Industrial Society,* a.a.O., S. 197 ff.

28. Vgl. Deutscher Bildungsrat, *Empfehlungen der Bildungskommission,* a.a.O., S. 29 ff.

29. Vgl. dazu: Bourdieu, P., und Passeron, J. C., *Die Illusion der Chancengleichheit,* a.a.O., S. 193; die Verfasser glauben, daß lediglich eine rationale Pädagogik Abhilfe schaffen könne, um die Chancen der bisher benachteiligten zu erhöhen, indem die Freiheit des Lehrens und Lernens eingeschränkt, Lernziele genau vorgegeben und Lernschritte abgesteckt werden, um den Erfolg zu kontrollieren und den Einfluß von Imponderabilien auszuschließen. Ungenau definierten und langen Studiengängen gelingt es, durch zeitliche Hinausschiebung des Mißerfolges, die Eliminierung der unterprivilegierten Klassen zu tarnen. Wahrscheinlich würde sich trotzdem wenig ändern, aber der Systemmechanismus würde offengelegt.

30. Vgl. Hymann, H. H., *The Value System of Different Classes,* a.a.O., S. 488 ff.; Katz, F. M., *The Meaning of Success. Some Differences in Value-Systems of Social Classes,* a.a.O., S. 141 ff.

31. Man überlege, was das in der Praxis bedeuten würde, wenn entsprechend dem Anteil der Berufsgruppen in der Bevölkerung – eine Rechnung, die immer wieder vorgeführt wird – der Zugang zu den Ausbildungseinrichtungen gesteuert würde. In Umwandlung des Dahrendorf-Zitats könnte man formulieren: Mehr Beamten- und Angestelltenkinder raus aus den Universitäten.

32. Es läßt sich annehmen, daß die ganze Breite der verfügbaren Talente in einer Gesellschaft bisher nicht im entferntesten erfaßt wurde. Vgl. Mühle, G., *Definitions- und Methodenprobleme der Begabungsforschung,* a.a.O., S. 69 ff.

33. Vgl. Tumin, M. M., *Some Principles of Stratification,* a.a.O., S. 385. »Social stratification systems function to limit the possibility of discovery of

the full range of talent available in society. This results from the fact of unequal access to appropriate motivation, channels of recruitment and centers of training.«

34. Bourdieu, P., und Passeron, J. C., *Die Illusion der Chancengleichheit*, a.a.O., S. 190.

35. Vgl. die Ausführungen in Kapitel VII.

36. Die Mobilitätsrate betrug ungefähr 50 %. Vgl. Tabelle 15.

37. Vgl. dazu die früheren Ausführungen in Kapitel VII. Die unterste und die oberste Schicht haben nahezu Ausschlußcharakter.

38. Vor allem zwischen unterer Mittelschicht und oberer Unterschicht. Das läßt sich aus der Mobilitätsrate allein nicht entnehmen, sondern nur aus einem Vergleich der Schichtzugehörigkeit von Vater-und-Sohn-Generation.

39. Vgl. Strukturmodell, Schaubild 5.

40. Daraus erklärt sich auch, daß der Begriff »Mobilität« in der allgemeinen Diskussion so populär wurde und mit ihm stets eine Verbesserung der Lebensbedingungen verbunden wurde. Nach den Ergebnissen der Mobilitätsforschung halten sich Auf- und Abstieg in etwa die Waage; es wäre deshalb denkbar gewesen, die »zahlreichen Abstiege in Industriegesellschaften« zum Gegenstand von Hypothesen zu machen, was kaum geschehen ist.

41. Vgl. Deutscher Bildungsrat, *Empfehlungen der Bildungskommission*, a.a.O., S. 31: »Individuelles Bildungsstreben und gesellschaftliche Forderungen können vielfach zusammen bestehen; sie können aber auch in Gegensatz zueinander treten und zu Konflikten führen.«

Bibliographie

ABBOT, J.: The Concept of Mobility. Students Concept of Higher Social Status, in: The Sociol. Rev., 14, (1966), 153–161

ALLISON, D.; GARDNER, B. B.; GARDNER, M. R.: Deep South, Chicago 1941

AMMASSARI, P.: Occupational Opportunity Structure in Advanced Societies. Excerpt from the First Italo-Hungarian Meeting of Sociology, Milan-Rome, November 1967

ANDERSON, A. C.: A Sceptical Note on the Relation of Vertical Mobility to Education, in: Am. Journ. of Sociology, 66, (1961), 560–570

ARBEITSFÖRDERUNGSGESETZ: Arbeitsförderungsgesetz v. 28. 6. 1969, BGBl. I, Nr. 51

BARAN, P. A.; SWEEZY, P. M.: Monopolkapital, Frankfurt am Main 1967

BARBER, B.: Social Stratification. A Comparative Analysis of Structure and Process, New York 1957

BAUMERT, G.: Kritische Bemerkungen über empirische Ansätze zur Bestimmung der sozialen Schichtung, in: Sonderheft 5 der KZSS, hg. v. D. V. Glass und R. König, 3. Aufl., Köln und Opladen 1968, 316–328

BELL, D.: The End of Ideology. On the Exhaustion of Political Ideas in the Fifties, Glencoe 1960

BENDIX, R.; LIPSET, S. M. (Hg.): Class, Status, and Power. A Reader in Social Stratification, Glencoe 1953

Dies.: Class, Status, and Power. Social Stratification in Comparative Perspective, New York 1966

BERGER, P.; LUCKMANN, T.: Social Mobility and Personal Identity, in: Arch. Europ. Soc., 5, (1964), 331–344

BERGER, W.: Zur Theorie der Bildungsnachfrage. Ein Beitrag zur Identifizierung der Determinanten privater Nachfrage nach formaler Bildung, Studien und Berichte des Instituts für Bildungsforschung, Berlin 1971

BERNSTEIN, B.: Der Unfug mit der »kompensatorischen Erziehung«, in: Lernen und soziale Struktur. Aufsätze 1965–1970, hg. v. B. Bernstein, Amsterdam 1970, 34–47

BERNSTEIN, E.: Die Voraussetzungen des Sozialismus und die Aufgaben der Sozialdemokratie, 2. Aufl., neue Ausgabe, Stuttgart–Berlin 1921

BERTEAUX, D.: Sur l'analyse des tables de mobilité sociale, in: Revue franc. Sociol., 10, (1969), 448–490

BERUFSBILDUNGSGESETZ: Berufsbildungsgesetz, Bundesratsdrucksache 355/69

BILDUNGSBERICHT: Bildungsbericht '70. Die bildungspolitische Konzeption der Bundesregierung, Bonn 1970

BIERMANN, B.: Wer wird Unternehmer?, in: Soziale Welt, 21/22, (1970/1971), 33–54

Ders.: Die soziale Struktur der Unternehmerschaft, Stuttgart 1971

BIRNBAUM, N.: Conflicting Interpretations of the Rise of Capitalism: Marx and Weber, in: British Journ. of Sociology, 4, (1953), 125–141

BLACKBURN, R. M.: Rezension von Smelser/Lipset: Social Structure and Mobility . . ., in: Econ. Journ., 77, (1967), 922–924

BLALOCK, H. M.: Status Inconsistency, Social Mobility, Status Integration and Structural Effects, in: Am. Soc. Rev., 32, (1967), 790–801

Ders.: Rezension von Blau/Duncan: The American Occupational Structure, in: Am. Soc. Rev., 33, (1968), 296–297

BLAU, P. M.; DUNCAN, O. D.: Eine Untersuchung beruflicher Mobilität in den Vereinigten Staaten, in: Sonderheft 5 der KZSS, hg. v. D. V. Glass und R. König, 3. Aufl., (1968), 171–188

Dies.: The American Occupational Structure, New York and London 1967

BOLTE, K. M.: Sozialer Aufstieg und Abstieg. Eine Untersuchung über Berufsprestige und Berufsmobilität, Stuttgart 1959

Ders.: Vom Umfang der Mobilität in unserer Gesellschaft, in: KZSS, 10, (1958), 39–57

Ders.: Einige Anmerkungen zur Problematik der Analyse von »Schichtungen« in sozialen Systemen, in: Sonderheft 5 der KZSS, hg. v. D. V. Glass und R. König, 3. Aufl., Köln und Opladen 1968, 29–53

Ders.: Artikel »Vertikale Mobilität«, in: König, R., (Hg.), Handbuch der empirischen Sozialforschung, Bd. 2, Stuttgart 1969, 1–42

Ders.: Soziale Schichtung, in: K. M. Bolte u. a. (Hg.), Deutsche Gesellschaft im Wandel, 2. Aufl., Opladen 1967

BOLTE, K. M.; KRECKEL, R.: Internationale Mobilitätsvergleiche im Bereich der Soziologie – Versuch einer kritischen Bilanz, in: Bolte, Gruber, Landwehrmann (Hg.), Soziale Mobilität heute. (Bochumer Schriften zur Arbeitswissenschaft), Herford und Bonn 1968

BOLTE, K. M.; ASCHENBRENNER, K.; KRECKEL, R.; SCHULTZ-WILD, R.: Beruf und Gesellschaft in Deutschland. Berufsstruktur und Berufsprobleme, Opladen 1970

BOLTE, K. M. u. a.: Soziale Ungleichheit, in: K. M. Bolte / D. Kappe / F. Neidhardt, Struktur und Wandel der Gesellschaft, Reihe B der Beiträge zur Sozialkunde, 3. Aufl., Opladen 1974

BORCHARDT, K.: Zur Theorie der sozial-ökonomischen Entwicklung der gegenwärtigen Gesellschaft, in: T. W. Adorno (Hg.); Spätkapitalismus oder Industriegesellschaft? Verhandlungen des 16. Deutschen Soziologentages, Stuttgart 1969

BOTTOMORE, T. B.: Die sozialen Klassen in der modernen Gesellschaft, München 1967

BOTTOMORE, T. B.; BLALOCK, H. M.; u. a.: Review Symposium of the American Occupational Structure, in: Am. Soc. Rev., 33, (1968), 294–300

BOURDIEU, P.; PASSERON, J. C.: Die Illusion der Chancengleichheit. Untersuchungen zur Soziologie des Bildungswesens am Beispiel Frankreichs, Stuttgart 1971

BRESSLEV, V.; WESTOFF, C. F.; SAGI, P. C.: The Concept of Social Mobility; An Empirical Inquiry, in: Am. Soc. Rev., 25, (1960), 375–385

BROOM, L.; JONES, F. L.: Father-To-Son-Mobility: Australia in Comparative Perspective, in: Am. Journ. of Soc., 74, (68/69), 333–342

Dies.: Career Mobility in Three Societies: Australia, Italy and the United States, in: Am. Soc. Rev., 34, (1969), 650–658

BUNDESAUSBILDUNGSFÖRDERUNGSGESETZ: Bundesausbildungsförderungsgesetz v. 26. 8. 71 BGBl. I, Nr. 1409

BUNDESMINISTER FÜR ARBEIT UND SOZIALFORSCHUNG: Klassifizierung der Berufe. Berufstätigkeiten in der Bundesrepublik Deutschland, beschrieben in der Zusammenfassung nach berufssystematischen Einheiten, Stuttgart 1966

BÜHL, W. L.: Schulaufbau und Verteilung der Bildungschancen in der Bundesrepublik Deutschland (1925–1960), Dissertation, München 1965

Ders.: Schulreform. Daten, Fakten, Analysen. Eine soziologische Kritik zum Strukturplan des Bildungsrates, München 1971

BUSCH, D.: Berufliche Wertorientierung und berufliche Mobilität, Stuttgart 1973

CAPECCI, V.: Problèmes méthodologiques dans la mésure de la mobilité sociale, in: Arch. Europ. Sociol., 8, (1967), 285–318

CARLSSON, G.: Pitrim A. Sorokin. Sorokin's Theory of Social Mobility, in: Allen, P. J. (Hg.), Pitrim A. Sorokin in Review, Durham 1963, 123–139

Ders.: Social Mobility and Class Structure, Lund 1958

Ders.: Ökonomische Ungleichheit und Lebenschancen, in: Sonderheft 5 der KZSS, hg. v. D. V. Glass und R. König, 3. Aufl., 1968, 189–199

CASERMAN, A.: Patterns of Career Mobility in Postrevolutionary Society. Paper prepared for the international workshop on career mobility, Konstanz 1971

CENTERS, R.: The Psychology of Social Classes. A Study of Class Consciousness, Princeton 1949

CHAPIN, F. S.: The Measurement of Social Status by the Use of Social Status Scale, Minneapolis 1933

COLEMAN, J.: Equality of Educational Opportunity, Washington 1966
COREY, L.: The Crisis of the Middle Class, New York 1935
COUNTS, G. S.: The Social Status of Occupations: A Problem in Vocational Guidance, School Review, 33, (1925), 16–27
CROCKETT, H. J. jr; JACKSON, E. F.: Occupational Mobility in the United States. A Point Estimate and Trend Comparison, in: Am. Soc. Rev., 29, (1964), 5–15
CRONER, F.: Die Angestellten in der modernen Gesellschaft, Wien 1954
Ders.: Soziologie der Angestellten, Köln–Berlin 1962
CUTRIGHT, P.: Studying Cross National Mobility Rates, in: Acta Sociologica, 11, (1968), 170–176
Ders.: Occupational Inheritance: A Cross-National Analysis, in: Am. Journ. of Soc., 73, (67/68), 400–416
DAHEIM, H. J.: Vorstellungen vom Mittelstand, in: KZSS, 12, (1960), 235–277
Ders.: Berufliche Intergenerationen-Mobilität in der komplexen Gesellschaft, in: KZSS, 16, (1964), 92–124
Ders.: Soziale Herkunft, Schule und Rekrutierung der Berufe, in: Sonderheft 5 der KZSS, hg. v. D. V. Glass und R. König, 3. Aufl., 1968, 200–217
DAHRENDORF, R.: Marx in Perspektive, Hannover 1952
Ders.: Soziale Klassen und Klassenkonflikt in der industriellen Gesellschaft, Stuttgart 1957
Ders.: Arbeiterkinder an deutschen Universitäten, Tübingen 1965
Ders.: Bildung ist Bürgerrecht. Plädoyer für eine aktive Bildungspolitik, Hamburg 1965
Ders.: Über den Ursprung der Ungleichheit unter den Menschen, Recht und Staat, Heft 232, Tübingen 1966
Ders.: Gesellschaft und Demokratie in Deutschland, München 1966
Ders.: Die gegenwärtige Lage der Theorie der sozialen Schichtung, in: Pfade aus Utopia, München 1967, 336–352
DAVIES, A. F.: Prestige of Occupations, in: British Journal of Sociology, 3, (1952), 134–147
DAVIS, K.: The Role of Class Mobility in Economic Development, in: Population Review, VI, (1962), 67–73
DENISON, E. F.: Measuring the Contribution of Education (and the Residual) to Economic Growth, in: OECD (Hg.), The Residual Factor and Economic Growth, Paris 1964, 23–55
DEUTSCHER BILDUNGSRAT: Deutscher Bildungsrat. Empfehlungen der Bildungskommission. Strukturplan für das Bildungswesen, 1. Aufl., Stuttgart 1970
DIVO-INSTITUT: DIVO-Institut. Mittelstandsstudie, Frankfurt am Main 1959

DUNCAN, O. D.: A Socioeconomic Index for all Occupations, in: Occupations and Social Status, hg. v. A. J. Reiss jr., New York 1961, 109–138

Ders.: Methodological Issues in the Analysis of Social Mobility, in: N. J. Smelser and S. M. Lipset (Hg.), Social Structure and Mobility in Economic Development, Chicago 1966

DUNCAN, O. D.; HODGE, R. W.: Education and Occupational Mobility. A Regression Analysis, in: Am. Journ. of Sociology, 68, (1963), 629–644

EDDING, F.: Ökonomie des Bildungswesens, Freiburg 1963

ELDER, G. H. jr.: Achievement Motivation and Intelligence in Occupational Mobility: A Longitudinal Analysis, in: Sociometrie, 31, (1968), 327–354

ELLIS, R. A.; LANE, W. C.: Structural Supports for Upward Mobility, in: Am. Soc. Rev., 28, (1963), 743–756

Dies.: Social Mobility and Career Orientation, in: Sociology and Social Research, 50, (1966), 280–296

Dies.: Social Mobility and Social Isolation: A Test of Sorokin's Dissosiative Hypothesis, in: Am. Soc. Rev., 32, (1967), 237–252

ENGELS, F.: Herrn Eugen Dührings Umwälzung der Wissenschaft (Anti-Dühring), Berlin 1953, (1. Ausgabe 1878)

ERWERBSTÄTIGKEIT: Erwerbstätigkeit, in: Wirtschaft und Statistik, Heft 12, Dezember 1966, 766–773

FERGUSON, A.: An Essay on the History of Civil Society (1767), dt.: Abhandlung über die Geschichte der bürgerlichen Gesellschaft, Jena 1922

FETSCHER, I. (Hg.): Der Marxismus. Seine Geschichte in Dokumenten, Bd. 2, Ökonomie und Soziologie, München 1964

Ders.: Von der Philosophie des Proletariats zur proletarischen Weltanschauung, in: Marxismusstudien, 2. Folge, hg. v. I. Fetscher, Tübingen 1957, 26–60

FLOUD, J. E. (Hg.): Social Class and Educational Opportunity, Melbourne, London–Toronto 1958, (zuerst 1957)

FOX, T. G.; MILLER, S. M.: Economic, Political and Social Determinants of Mobility. An International Crossectional Analysis, in: Acta Sociologica, 9, (1965), 76–93

Dies.: Occupational Stratification and Mobility, in: Class, Status and Power. Social Stratification in Comparative Perspective, hg. v. R. Bendix und S. M. Lipset, 2. Aufl., London 1966, 574–581

FRANCIS, E. K.: Wissenschaftliche Grundlagen soziologischen Denkens, 2. Aufl., Bern 1957

Ders.: Kultur und Gesellschaft in der Soziologie Max Webers, in: Max Weber, Gedächtnisschrift der Ludwig-Maximilians-Universität München zur 100. Wiederkehr seines Geburtstages, hg. v. K. Engisch, E. Pfister, J. Winkelmann, Berlin 1966, 89–114

FREYER, H.: Soziologie als Wirklichkeitswissenschaft, Leipzig und Berlin 1930

FÜRSTENBERG, F.: Das Aufstiegsproblem in der modernen Gesellschaft, Stuttgart 1962

GEIGER, T.: Zur Theorie des Klassenbegriffs und der proletarischen Klasse, Schmollers Jahrbuch 1930, 185–236

Ders.: Die soziale Schichtung des deutschen Volkes. Soziographischer Versuch auf statistischer Grundlage, Stuttgart 1923

Ders.: Die Klassengesellschaft im Schmelztiegel, Köln–Hagen 1949

Ders.: Soziale Umschichtungen in einer dänischen Mittelstadt, Kopenhagen 1951

Ders.: Artikel »Schichtung« im Wörterbuch der Soziologie, hg. v. W. Bernsdorff und F. Bülow, Stuttgart 1955, 432–446

Ders.: Theorie der sozialen Schichtung, in: T. Geiger, Arbeiten zur Soziologie, Neuwied 1962

Ders.: Eine dynamische Analyse sozialer Mobilität, in: T. Geiger, Arbeiten zur Soziologie, Neuwied 1962, 100–113

Ders.: Typologie und Mechanik der gesellschaftlichen Fluktuation, in: T. Geiger, Arbeiten zur Soziologie, Neuwied 1962, 114–151

GIDDENS, A.: Marx, Weber and the Development of Capitalism, in: Sociology, 4, (1970), 289–291

GINI, G.: Social and Political Consequences of Mobility, in: Smelser/Lipset (Hg.), Social Structure and Mobility in Economic Development, Chicago 1966

GIRARD, A.: La réussite sociale en France, ses charactères, ses lois, ses effets, Paris 1961

GIROD, R.: Family Background and Income, School Career and Social Mobility of Young Males of Working-Class Origin. A Geneva Survey, in: Acta Soziologica, 9, (1966), 94–109

GLASS, D. V. (Hg.): Social Mobility in Britain, London 1954

Ders.: Social Stratification and Social Mobility: Introduction and Report on the Discussions, in: Transactions of the Second World Congress of Sociology, London 1954, Vol. II, p. XIII–XXIX

GNEUSS, C.: Um den Einklang von Theorie und Praxis, in: Marxismusstudien, 2. Folge, hg. v. I. Fetscher, Tübingen 1957, 190–226

GOLDHAMER, H.: Artikel »Social Mobility«, in: Int. Enc. of Soc. Science, 14, New York 1968, 429–438

GOLDSCHMIDT, W. R.: Social Class in America. A Critical Review, in: Am. Anthropologist, 52, (1950), 483–498

Ders.: America's Social Classes : Is Equality a Myth?, in: Commentatory, 10, (1950), 175–181

GOLDTHORPE, J. H.: Social Stratification in Industrial Society, in: Class Status and Power. Social Stratification in Comparative Perspective, hg. v. R. Bendix und S. M. Lipset, 2. Aufl., New York 1966, 648–659

GOLDTHORPE, J. H.; HOPE, K.: Occupational Grading and Occupational Prestige, in: K. Hope, The Analysis of Social Mobility. Methods and Approaches, Oxford 1972

GOLDTHORPE, J. H.: Rezension von Smelser, N., Lipset, S. M. (Hg.) Social Structure and Mobility in Economic Development, in: Brit. Journ. of Sociol., 18, (1967), 324–325

GOODE, W. J.: Mobilität und Revolution, in: KZSS, 18, (1966), 227–252

GOODMAN, L. A.: On the Statistical Analysis of Mobility Tables, in: Am. Journ. of Sociology, 70, (1965), 564–585

Ders.: How to Ransack Social Mobility Tables and Other Kinds of Cross-Classification Tables, in: Am. Journ. of Soc., 75, (1969), 1–40

Ders.: On the Measurement of Social Mobility. An Index of Status Persistence, in: Am. Soc. Rev., 34, (1969), 831–850

GORDON, M. M.: Social Class in American Sociology, Durham 1958

GRIMM, S.: Die Bildungsabstinenz der Arbeiter. Eine soziologische Untersuchung, München 1966

GRUNDGESETZ: GRUNDGESETZ für die BUNDESREPUBLIK DEUTSCHLAND vom 23. Mai 1949

HALL, R. H.: Occupations and Social Structure, Englewood Cliffs 1969

HALL, J. D.; GLASS, D. V.: Education and Social Mobility, in: Social Mobility in Britain, hg. v. D. V. Glass, London 1954

HALSEY, A. H.; FLOUD, J.; ANDERSON, C. (Hg.): Education, Economy and Society: A reader in the Sociology of Education, New York 1961

HAMILTON, R. F.: Einkommen und Klassenstruktur. Der Fall der Bundesrepublik, in: KZSS, 20, (1968), 250–287

HARTWICH, H. H. u. a. Politik im 20. Jahrhundert, 3. Aufl., Braunschweig 1967

HEEK, F., v.: Sozialer Aufstieg und Abstieg während des Hochkapitalismus, in: Soziale Welt, 2, (1951), 255–268

Ders.: Some Introductiory Remarcs on Social Mobility and Class Structure, in: Transactions of the Third World Congress of Sociology, III, London 1956, 129–143

HERZOG, D.: Klassengesellschaft ohne Klassenkonflikt. Eine Studie über William Lloyd Warner und die Entwicklung der neuen amerikanischen Stratifikationsforschung, Berlin 1965

HIMMELWEIT, H. T.: Social Status and Secondary Education since the 1944 Act: Some Data from London, in: Social Mobility in Britain, hg. v. D. V. Glass, London 1954

HITPASS, J.: Einstellungen der Industriearbeiterschaft zur höheren Bildung, Ratingen 1965

HODGE, R. W.; SIEGEL, P. M.; ROSSI, P. H.: Occupational Prestige in the United States, 1925–1963, in: Am. Journ. of Soc., 70, (1964), 286–302

HODGE, R. W.; TREIMANN, D. J.; ROSSI, P. H.: A Comparative Study of Occupational Prestige, in: Class, Status and Power. Social Stratification in Comparative Perspective, hg. v. R. Bendix und S. M. Lipset, 2. Aufl., London 1966, 309–321

HODGE, R. W.; TREIMANN, D. J.: Social Participation and Social Status, in: Am. Soc. Rev., 33, (1968), II, 722–740

HOFBAUER, H.: Zur sozialen Gliederung der Arbeitnehmerschaft: Arbeiter und Angestellte in der Gesellschaftshierarchie, Köln und Opladen 1965

Ders.: Materialien zur Statusmobilität bei männlichen Erwerbstätigen in der Bundesrepublik Deutschland, in: Mitteilungen aus der Berufs- und Arbeitsmarktforschung, hg. v. K. M. Bolte u. a., 5. Jg. 1972, 4.2, 199 ff.

HOLLINGSHEAD, A. B.: Elmtown's Youth. The Impact of Social Classes on Adolescents, New York 1949

HONIGSHEIM, P.: Max Weber: His Religious and Ethical Background and Development, in: Church History, 19 (1950), 2–23

HOOK, S.: Toward Understanding KARL MARX, New York 1933

HORSTMANN, K.: Das Einkommen von Arbeitnehmerhaushalten 1957 in ihrer Differenzierung nach Haushaltsgröße und Kinderzahl, Hamburg 1961

HÜFNER, K.; NAUMANN, J. (Hg.): Bildungsökonomie. Eine Zwischenbilanz, Stuttgart 1970

HYMAN, H. H.: The Value System of Different Classes, in: Class, Status and Power. Social Stratification in Comparative Perspective, hg. v. R. Bendix und S. M. Lipset, New York 1966, 488–499

INKELES, A.; ROSSI, P. H.: National Comparisons of Occupational Prestige, AJS, 61, (1956), 329–339

INTERNATIONAL SOCIOLOGICAL ASSOCIATION: Transactions of the Second World Congress of Sociology, London 1954

Ders.: Transactions of the Third World Congress of Sociology, London 1956

JACKSON, E. F.; CROCKETT, H. J. jr.: Occupational Mobility in the United States, A Point Estimate and Trend Comparison, in: Am. Soc. Rev., 29, (1964), 5–15

JAFFE, A. J.; CARLETON, R. C.: Occupational Mobility in the United States 1930–1950, New York 1954

JANOWITZ, M.: Soziale Schichtung und Mobilität in Westdeutschland, in: KZSS, 10, (1958), 1–38

Ders.: Social Stratification and Mobility in West Germany, in: Am. Journ. of Sociology, 64, (1958), 6–24

JUNGBLUT, M.: Rebellion der Überflüssigen? Die ungeplante Zukunft der Berufe, Bergisch Gladbach 1967

KAHL, J. A.: The American Class Structure, New York 1957

Ders.: Some Measurement of Achievement Orientations, in: Am. Journ. of Sociology, 70, (1965), 669–681

KATZ, F. M.: The Meaning of Success. Some Differences in Value-Systems of Social Classes, in: Journ. of Psychology, 62, (1964), 141–148

KERR, C.; DUNLOP, J. T.; HARBISON, F. H.; MYERS, C. A.: Industrialism and Industrial Man, Cambridge 1960

KEYFITZ, N.: Rezension von Smelser, N. / Lipset, S. M. (Hg.), Structure and Mobility in Economic Development, in: Am. Soc. Rev., 32, (1967), 507–509

KLAGES, H.: Soziologie zwischen Wirklichkeit und Möglichkeit. Plädoyer für eine projektive Soziologie, Köln und Opladen 1968

KLEINING, G.; MOORE, H.: Soziale Selbsteinstufung. Ein Instrument zur Messung sozialer Schichten, in: KZSS, 20, (1968), 502–552

KLEINING, G.: Struktur- und Prestigemobilität in der Bundesrepublik Deutschland, in: KZSS, 23, (1971), 1–33

Ders.: Die Veränderung der Mobilitätschancen in der Bundesrepublik, in: KZSS, 23, (1971), 789–796

Ders.: Vertikale soziale Distanzen in sieben Ländern, in: Zeitschrift für experimentelle und angewandte Psychologie 4, (1971)

KORSCH, K.: Karl Marx, Frankfurt am Main 1967

KRECKEL, R.: Soziale Ungleichheit und »offene« Gesellschaft. Vorüberlegungen zu einer theoretischen Neuorientierung der Soziologie der vertikalen Mobilität, in: Soziale Welt, 23, (1972), 17–40

KRECKEL, R.; BROCK, D.; THODE, H.: Vertikale Mobilität und Immobilität in der Bundesrepublik Deutschland. Bericht einer Untersuchung im Auftrage des Bundesministers des Inneren, Bonn-Bad Godesberg, 1972

KUBAT, D.: Social Mobility in Czechoslovakia, in: Am. Soc. Rev., 28, (1963), 203–212

LANDSHUT, S.: Karl Marx. Die Frühschriften, hg. v. S. Landshut, Stuttgart 1953

Ders.: Die Gegenwart im Lichte der Marx'schen Lehre, Hamburger Jahrbuch für Wirtschafts- und Gesellschaftspolitik, 1. Jahr, Tübingen 1956, 42–55

Ders.: Kritik der Soziologie und andere Schriffen zur Politik, Neuwied 1965

LANE, A.: Occupational Mobility in Six Cities, in: Am. Soc. Rev., 33, (1968), II, 740–749

LANE, C. W.; ELLIS, R. A.: Social Mobility and Anticipatory Socialisation, in: The Pacific Sociological Review, 11, (1968), 5–14

LEMPERT, W.: Bildungsforschung und Emanzipation, in: Neue Sammlung, 9. Jahrg., H. 4, 347–364

LENK, K.: Ideologie. Problemgeschichtliche Einleitung. Soziologische Texte, Bd. 4, 4. Aufl., Neuwied und Berlin 1970

Ders.: Marx in der Wissenssoziologie, Neuwied und Berlin 1972

LENSKI, G. E.: Status Crystallization: A Non-Vertical Dimension of Social Status, in: Am. Soc. Rev., 19, (1954), 405–413

LENSKI, G. E.: Social Participation and Status Crystallization, in: Am. Soc. Rev., 21, (1956), 458–464

Ders.: Trends in Inter-generational Occupational Mobility in the United States, in: Am. Soc. Rev., 23, (1958), 514–523

LEPSIUS, R. M.: Ungleichheit und soziale Schichtung, in: Sonderheft 5 der KZSS, hg. v. D. V. Glass und R. König, 3. Aufl., Köln und Opladen 1965, 54–64

LEWALTER, W.: Zur Systematik der Marxschen Staats- und Gesellschaftslehre, in: Arch. für Sozialwissenschaft und Sozialpolitik, Bd. 63, (1933), 641–675

LICHTHEIM, G.: Is there a Sociologist in the House, Partizan Review, 27, (1960), 295–310

Ders.: Marxism. A Historical and Critical Study, London 1964

LIPSET, S. M.; BENDIX, R.: Social Status and Social Structure. A Reexamination of Data and Interpretations: I, II, in: British Journ. of Sociology, 2, (1951), 150–168; 230–254

LIPSET, S. M.; ROGOFF, N.: Class and Opportunity in Europe and America, Commentary, 18, (1954), 562–568

LIPSET, S. M.; BENDIX, R.: Ideological Equalitarianism and Social Mobility in the United States, in: Transactions of the Second World Congress of Sociology, London 1954, Bd. II, 34–54

LIPSET, S. M.; ZETTERBERG, H. L.: A Theory of Social Mobility, in: Transactions of the Third World Congress of Sociology, London 1956, III, 155–177

Dies.: Eine Theorie der sozialen Mobilität, in: H. Hartmann (Hg.), Moderne Amerikanische Soziologie, Stuttgart 1967, 361–383

LIPSET, S. M.; BENDIX, R.: Social Mobility in Industrial Society, London und Berkeley 1959

LIPSET, S. M.: Research Problems in Comparative Analysis of Mobility and Development, in: Int. Soc. Science Journ., 16, (1964), 35–48

LÖWITH, K.: Max Weber and Karl Marx, in: Arch. f. Sozialwissenschaft und Sozialpolitik, 67, (1932), S. 58 ff.

Ders.: Gesammelte Abhandlungen. Zur Kritik der geschichtlichen Existenz, Stuttgart 1960

LOPREATO, J.: Social Mobility in Italy, in: Am. Journ. of Sociology, 71, (1965), 311–314

Ders.: Upward Social Mobility and Political Orientation, in: Am. Soc. Rev., 32, (1967), 586–592

LOPREATO, J.; SALTZMAN CHAFETZ, J.: The Political Orientation of Skidders: A Middle Range Theory, in: Am. Soc. Rev., 35, (1970), 440–451

LUCKMANN, T.; BERGER, P.: Social Mobility and Personal Identity, in: European Journ. of Sociology, 5, (1964), 331–344

LUEPTOW, L. B.: Need for Achievement and Occupational Preference, in: Sociometry, 31, (1968), 304–312
LUKACS, G.: Geschichte und Klassenbewußtsein. Studien über marxistische Dialektik. Sonderausgabe, Neuwied und Berlin 1970
LUTZ, B.; KRINGS, I.; FLEISCHER, J.: Überlegungen zum Problem des »Bedarfs« an hochqualifizierten Arbeitskräften und seiner Prognose, HIS Brief 10, Hannover 1970
LYND, R. S.; LYND, H. M.: Middletown, New York 1929
Dies.: Middletown in Transition. A Study in Cultural Conflicts, New York 1937
MANNHEIM, K.: Ideologie und Utopie, 5. erw. Auflage, Frankfurt am Main 1969
MARX, K.; ENGELS, F.: Karl Marx, Friedrich Engels Werke (MEW), 26 Bände, Berlin 1969
MAUKE, M.:Die Klassentheorie von Marx und Engels, Frankfurt am Main 1970
MAYER, K. B.: The Theory of Social Classes, in: Transactions of the Second World Congress of Sociology, London 1954, Vol. II, 321–335
Ders.: Recent Changes in the American Class Structure of the United States, in: Transactions of the Third World Congress of Sociology, Vol. III, Amsterdam 1956, 66–80
Ders.: William Lloyd Warner, in: Internationales Soziologenlexikon, hg. v. W. Bernsdorff, Stuttgart 1959, S. 611 ff.
MAYER, K. U.: Soziale Mobilität – Vorarbeiten, unveröff. Manuskript, Frankfurt am Main 1969
Ders.: Einige kritische Bemerkungen zum gegenwärtigen Stand der Mobilitätsforschung, unveröff. Manuskript, Frankfurt am Main 1969
MAYER, K. U.; MÜLLER, W.: Trendanalyse in der Mobilitätsforschung, in: KZSS, 23, (1971), 761–788
Dies.: Progress in Social Mobility Research? in: Quality and Quantity, 1, (1971), 137–173
Dies.: Die Analyse von Mobilitätstrends, in: KZSS, 24, (1972), 761–788
MAYNTZ, R.: Begriff und empirische Erfassung des sozialen Status in der heutigen Soziologie, in: KZSS, 10, (1958), 58–73
Dies.: Die soziologische Problematik umfassender Mobilitätsuntersuchungen, in: KZSS, 10, (1958), 222–232
Dies.: Soziale Schichtung und sozialer Wandel einer Industriegemeinde, Stuttgart 1958
MICHELS, R.: Umschichtungen in den herrschenden Klassen nach dem Kriege, Stuttgart 1934
MILIC, V.: General Trends of Mobility in Yugoslavia, in: Acta Sociologica, 9, (1965), 116–136

MILLER, S. M.: The Concept of Social Mobility, in: Social Problems, 12 (1955), 65–72
Ders.: The Concept and Measurement of Mobility, in: Transactions of the Third World Congress of Sociology, London 1956, 144–154
Ders.: Comparative Social Mobiltiy, in: Current Sociology, IX, (1960), 1–89
Ders.: A Methodological Inquiry into Social Mobility, in: Am. Soc. Rev., 29, (1964), 16–23
MILLER, S. M.: The Future of Social Mobility Studies, in: Am. Journ. of Sociology, 77, (1971), 62–65
MILLER, S. M.; BRICE, H.: Soziale Mobilität, wirtschaftliches Wachstum und Struktur, in: Sonderheft 5 der KZSS, 3. Aufl., (1968), 303–315
MITGAU, H.: Familienschicksal und soziale Rangordnung. Untersuchungen über den sozialen Auf- und Abstieg, hg. v. der Zentralstelle für deutsche Personen- und Familiengeschichte e. V., Leipzig 1928
MOORE, H.; KLEINING, G.: Das soziale Selbstbild der Gesellschaftsschichten in Deutschland, in: KZSS, 12, (1960), 86–119
MÜHLE, G.: Definitions- und Methodenprobleme der Begabungsforschung, in: Begabung und Lernen, hg. v. H. Roth, Stuttgart 1969
MÜLLER, K. V.: Begabung und soziale Schichtung in der hochindustrialisierten Gesellschaft, Köln-Opladen 1956
MÜLLER, W.: Modelle des Mobilitätsprozesses, Arbeitspapier II: Herkunftsfamilie, Schulerfolg und beruflicher Status: Das varianzanalytische Modell zur Bestimmung der familienspezifischen Einflüsse auf die berufliche Stellung der Söhne, unveröffentl., hektograph. Manuskript, Konstanz 1971
Ders.: Soziale Mobilität: Strukturen und Prozesse der Statuszuweisung, Dissertation, Konstanz 1973
NOTHAAS, J.: Sozialer Aufstieg und Abstieg im deutschen Volk, in: Heft 17 der Beiträge zur Statistik Bayerns, hg. v. Bayerischen Statistischen Landesamt, München 1930
OECD: Development of Secondary Education, Trends and Implications, OECD, Paris 1969
ORTMANN, H.: Arbeiterfamilie und sozialer Aufstieg. Kritik einer bildungspolitischen Leitvorstellung, München 1971
OSIPOW, G. B.: The Class Character of the Theory of Social Mobility, hg. v. P. Hollander, New Jersey 1969, 135–137
OSSOWSKI, S.: Klassenstruktur im sozialen Bewußtsein, Neuwied am Rhein 1962
PARNES, H. S. u. a.: Career Thresholds, Vol. I., Ohio State University 1969
PARSONS, T.: Soziale Klassen und Klassenkampf im Lichte der neueren soziologischen Theorie, in: Beiträge zur soziologischen Theorie, hg. v. D. Rüschemeyer, Neuwied am Rhein 1964

PARSONS, T.: The Structure of Social Action, New York 1963
Ders.: Max Weber, in: Am. Soc. Rev., 30, (1965), 171–175
PERUCCI, R.: Education, Stratification and Mobility, in: Donald A. Hansen and Josef A. Gerstl (Hg.), On Education: Sociological Perspectives, New York 1967
PFAUTZ, W.; DUNCAN, O. D.: A Critical Evaluation of Warner's Work in Community Stratification, in: Am. Soc. Rev., (1950), 205–215
PICHT, G.: Die deutsche Bildungskatastrophe. Analyse und Dokumentation, München 1965
POPITZ, H.: Die Ungleichheit der Chancen im Zugang zur höheren Schulbildung, in: L. v. Friedeburg (Hg.), Jugend in der modernen Gesellschaft, Köln 1965, 393–402
Ders.: Zum Begriff der Klassengesellschaft, in: Hamburger Jahrbuch für Wirtschafts- und Gesellschaftspolitik, Bd. 3, 1958, 93–102
PORTER, J.: The Vertical Mosaic, Toronto 1965
PORTER, J.: The Future of Upward Mobility, in: Am. Soc. Rev., 33, (1968), 5–19
PREISER, E.: Die Marxsche Prognose über die Entwicklung des Kapitalismus, in: Politische Ökonomie im 20. Jahrhundert, München 1970, 44–47
Ders.: Das Wesen der Marxschen Krisentheorie, in: Politische Ökonomie im 20. Jahrhundert, München 1970, 47–76
PROSS, H.; BOETTICHER, K. W.: Manager im Kapitalismus. Untersuchung über leitende Angestellte im Großunternehmen, Frankfurt 1971
RAMM, T.: Die künftige Gesellschaftsordnung, in: Marxismusstudien, 2. Folge, hg. v. I. Fetscher, Tübingen 1957, 77–119
REIGROTZKI, E.: Soziale Verflechtungen in der Bundesrepublik, Tübingen 1956
REISS, A. J. (Hg.): Occupations and Social Status, New York 1961
REISSMAN, L.: Class in American Society, London 1960
Ders.: Social Stratification, in: Sociology. An Introduction, hg. v. N. J. Smelser, New York 1967, 206–268
Ders.: Artikel »Klasse«, in: Wörterbuch der Soziologie, hg. v. W. Bernsdorff, Stuttgart 1969, 540–546
Ders.: Artikel »Klassenbewußtsein«, in: Wörterbuch der Soziologie, hg. v. W. Bernsdorff, Stuttgart 1969, 546–550
Ders.: Artikel »Klassengesellschaft«, in: Wörterbuch der Soziologie, hg. v. W. Bernsdorff, Stuttgart 1969, 550–554
ROGOFF, N.: Social Stratification in France and the United States, in: Am. Journ. of Soc., 58, (1953), 347–357
Dies.: Recent Trends in Occupational Mobility, Glencoe 1953
Dies.: Recent Trends in Occupational Mobility, in: P. K. Hatt et al. (Hg.), Cities and Society, Glencoe 1957

ROGOFF, N.: On the Flow of Talent in Society, in: Acta Sociologica, 9, (1965), 152–174

ROGOFF-RAMSØY, N.: Changes in Rates and Forms of Mobility, in: Smelser/Lipset (Hg.), Social Structure and Mobility in Economic Development, Chicago 1966

ROSE, A. M.: Social Mobility and Social Values, in: Arch. Europ. de Soc., 5, (1964), 324–330

ROSNER-KORNHAUSER, R.: The Warner Approach to Social Stratification, in: Class, Status, and Power. A Reader in Social Stratification, hg. v. R. Bendix und S. M. Lipset, Glencoe III, 1953, 224–255

ROSSI, P. H.; ORNSTEIN, M. D.: Quantitative Studies in Intra-Generational-Mobility, John Hopkins University 1971, unveröffentl. Manuskript

Dies.: The Impact of Labor Market Entry Factors: Illustrations from the Hopkins Social Account Projekt., in: W. Müller und K. U. Mayer (Hg.): Social Stratification and Career Mobility. Social Science Information XI-5, (1972), 269–311

ROTH, G.; BENDIX, R.: Max Webers Einfluß auf die amerikanische Soziologie, in: KZSS, 11, (1959), 38–53

ROTH, G.: Das historische Verhältnis der Weberschen Soziologie zum Marxismus, in: KZSS, 20, (1968), 429–447

ROTH, H. (Hg.): Begabung und Lernen. Ergebnisse und Folgerungen neuer Forschungen, Stuttgart 1969

SALOMON, A.: German Sociology, in: Twentieth-Century Sociology, hg. v. G. Gurvitch und W. E. Moore, New York 1945, 586–614

SCHELSKY, H.: Die Bedeutung des Klassenbegriffes für die Analyse unserer Gesellschaft, in: Auf der Suche nach Wirklichkeit, Düsseldorf–Köln 1965, 352–382

SCHEUCH, E. K.; RÜSCHEMEYER, D.: Scaling Social Status in Western Germany, in: British Journ. of Sociology, 11, (1960), 151–168

SCHEUCH, E. K.; DAHEIM, H.: Sozialprestige und soziale Schichtung, in: Sonderheft 5 der KZSS, hg. v. D. V. Glass und R. König. 3. Aufl., Köln und Opladen 1968, 65–103

SCHUMPETER, A.: Kapitalismus, Sozialismus und Demokratie, Bern 1950

SEYFARTH, C.: Zur Logik der Leistungsgesellschaft, Dissertation, München 1968

SLOCUM, W.: Occupational Careers. A Sociological Perspective, Chicago 1966

SMELSER, N.; LIPSET, S. M.: Social Structure and Mobility in Economic Development, Chicago 1966

SMITH, A.: An Inquiry into the Nature and Chances of the Wealth of Nations, London 1776; dt. Ausgabe: Untersuchung über die Natur des Volkswohlstandes und die Ursachen des Nationalreichtums, 3. Aufl., Breslau/Leipzig 1810

SOMBART, W.; WEBER, M.; JAFFE, E. (Hg.): Archiv für Sozialwissenschaft und Sozialpolitik, 19. Band (der neuen Folge), Tübingen 1904

SOROKIN, P. A.: Social Mobility, New York 1927

Ders.: Social and Cultural Mobility, Illinois 1959

SPADY, W. G.: Educational Mobility and Access: Growth and Paradoxes, in: Am. Journ. of Sociology, 73, (1967/68), 273–286

SPRONDEL, W. M.: Elemente des Zuweisungsprozesses sozialer Positionen. Die Professionalisierung der Lehrer an höheren Schulen, Dissertation, München 1968

STACEY, B.: Intergenerational Mobility and Voting, in: Public Opinion Quarterly, 30, (1966), 133–139

STÄGLIN, R.: Verfahren zur statistischen Erfassung des sozialen Auf- und Abstiegs, in: Soziale Welt, 14, (1963), 311–337

STATISTISCHES JAHRBUCH: Statistisches Jahrbuch für die Bundesrepublik Deutschland 1954

Ders.: Statistisches Jahrbuch für die Bundesrepublik Deutschland 1966

Ders.: Statistisches Jahrbuch der Bundesrepublik 1970

STRACHEY, J.: The Coming Struggle for Power, New York 1933

SVALASTOGA, K.: Prestige, Class, and Mobility, Kopenhagen 1959

Ders.: Social Differentiation, New York 1965

Ders.: Social Mobility: The Western European Model, in: Acta Sociologica, 9, (1966), 175–182

Ders.,: Gedanken zu internationalen Vergleichen sozialer Mobilität, in: Sonderheft 5 der KZSS, hg. v. D. V. Glass und R. König, 3. Aufl., 1968, 284–302

TAUSSIG, F. W.; JOSLYN, C. S.: American Business Leaders: A Study in Social Origin and Social Stratification, New York 1932

TAYLOR, L.: Occupational Sociology, New York 1968

TÖNNIES, F.: Gemeinschaft und Gesellschaft, Grundbegriffe der reinen Soziologie, 8. verb. Auflage, Leipzig 1935

TUMIN, M. M.: Some Principles of Stratification: A Critical Analysis, in: Am. Soc. Rev., 18, (1953), 387–394

Ders.: Some Unapplauded Consequences of Social Mobility in Mass Society, in: Social Forces, 36, (1957), 32–37

TUMIN, M. M.; FELDMANN, A. S.: Theory and Measurement of Occupational Mobility, in: Am. Soc. Rev., 29, I, (1964), 16–23

TUMIN, M. M.: Readings on Social Stratification, Englewood Cliffs 1970

TURNER, R. H.: Modes of Social Ascent Through Education. Sponsored and Contest Mobility, in: Am. Soc. Rev., 25, (1960), 121–139

Ders.: The Social Context of Ambition: A Study of High School Seniors in Los Angeles, San Francisco 1964

Ders.: Upward Mobility and Class Values, in: Social Problems, 11, (1964), 259–371

TURNER, R. H.: Acceptance of Irregular Mobility in Britain and the United States, in: Sociometry, 29, (1966), 334–352

VEBLEN, T.: Theorie der feinen Leute. Eine ökonomische Untersuchung der Institutionen, Köln und Berlin o. J. (zuerst New York 1899)

WARNER, W. L.: American Class and Caste, in: Am. Journ. of Sociology, 42, (1936), 234–237

WARNER, W. L.; LUNT, P. S.: The Social Life of a Modern Community, New Haven 1941

Dies.: The Status System of a Modern Community, New Haven 1942

WARNER, W. L.; SROLE, L.: The Social System of American Ethnic Groups, New Haven 1945

WARNER, W. L.; LOW, J. O.: The Social System of a Modern Factory, New Haven 1947

WARNER, W. L.; HAVIGHURST, R. J.; LOEB, M. B.: Who Shall be Educated?, New York 1944

WARNER, W. L. u. a.: Democracy in Jonesville. A Study of Equality and Inequality, New York 1949

WARNER, W. L.: Structure of American Life, Edinburgh 1952

Ders.: American Life. Dream and Reality. Rev. Form of »Structure of American Life«. Second Impression, Chicago 1957

WARNER, W. L.; ABEGGLEN, J. D.: Big Business Leaders in America, New York 1955

Dies.: Occupational Mobility in American Business and Industry, 1928–1952, Minneapolis 1955

WARNER, W. L.: The Study of Social Stratification, in: J. B. Gittler, (Hg.), Review of Sociology, Analysis of a Decade, New York 1957, 221–258

Ders.: The Living and the Dead. A Study of the Symbolic Life of Americans, New Haven 1959

WARNER, W. L.; MEEKER, M.; EELLS, K.: Social Class in America. A Manual of Procedure for the Measurement of Social Status, New York 1960

WEBER, M.: Max Weber, Tübingen 1926

WEBER, M.: Gesammelte Aufsätze zur Religionssoziologie, 4. Aufl., Tübingen 1947

Ders.: Gesammelte Aufsätze zur Wissenschaftslehre, 2. Aufl., Tübingen 1951

Ders.: Die »Objektivität« sozialwissenschaftlicher und sozialpolitischer Erkenntnis, in: Methodologische Schriften, Studienausgabe, Frankfurt am Main 1968, 1–64

Ders.: Der Sinn der »Wertfreiheit« der soziologischen und ökonomischen Wissenschaften, in: Methodologische Schriften, Studienausgabe, Frankfurt am Main 1968, 229–277

Ders.: R. Stammlers Überwindung der materialistischen Geschichtsauffassung, in: Gesammelte Aufsätze zur Wissenschaftslehre, 2. Aufl., Tübingen 1951

WEBER, M.: Die protestantische Ethik und der Geist des Kapitalismus, in: Gesammelte Aufsätze zur Religionssoziologie, 1. Bd., Tübingen 1947

Ders.: Wirtschaft und Gesellschaft. Grundriß der verstehenden Soziologie, Köln–Berlin 1964, Studienausgabe

Ders.: Der Sozialismus. Rede zur allgemeinen Orientierung von österreichischen Offizieren in Wien 1918, in: Gesammelte Aufsätze zur Soziologie und Sozialpolitik, Tübingen 1924, 492–518

WEMA-INSTITUT: Soziale Voraussetzungen beruflicher Mobilität. WEMA-Institut für empirische Sozialforschung, Köln 1968

WESTOFF, C. F.; BRESSLER, M.; SAGI, P. C.: The Concept of Social Mobility. An Empirical Inquiry, in: Am. Soc. Rev., 25, (1960), 375–385

WHITE, H. C.: Cause and Effect in Social Mobility Tables, in: Behav. Sciences, 7, (1963), 14–27

WIEHN, E.: Soziale Ungleichheit und soziale Schichtung. Das Problem der sozialen Ungleichheit und die soziale Problematik funktionaler und nichtfunktionaler Schichtungserklärungen, Dissertation, Konstanz 1966

Ders.: Theorien der sozialen Schichtung, München 1968

WILSON, B.: Social Class and Equal Educational Opportunity, in: Harvard Educational Review, 38, (1968), 77–84

WOHL, R. R.: The Rags to Riches Story. An Episode of Secular Idealism, in: Class, Status and Power. Social Stratification in Comparative Perspective, hg. v. R. Bendix und S. M. Lipset, 2. Aufl., New York 1966, 501–506

YASUDA, S.: A Methodological Inquiry into Social Mobility, in: Am. Soc. Rev., 29, (1964), 16–23

ZAPF, W.: Wandlungen der deutschen Elite. Ein Zirkulationsmodell deutscher Führungsgruppen 1919–1961, 2. Aufl., München 1966

ZEITLIN, I. M.: Ideology and the Development of Social Theory, New Jersey 1968

ZWEIG, F.: The Theory of Social Classes, Kyklos, 11, (1958), 390–404

Liste der Schaubilder

Liste der Tabellen

Liste der verwendeten Abkürzungen

(Zeitschriften)

AJS	American Journal of Sociology
AES	Archieves Européennes de Sociologie
AS	Acta Sociologica
ASR	American Sociological Review
BJS	British Journal of Sociology
CS	Current Sociology
HR	Human Relations
KZSS	Kölner Zeitschrift für Soziologie und Sozialpsychologie
POQ	Public Opinion Quarterly
PSR	Pacific Sociological Review
S	Sociology
SF	Social Forces
SW	Soziale Welt
SP	Social Problems
SSR	Sociology and Social Research
WS	Wirtschaft und Statistik

Namen- und Sachregister

Studien-Bibliothek

Gordon W. Allport, **Die Natur des Vorurteils.** Herausgegeben und kommentiert von C. F. Graumann. Aus dem Amerikanischen von Hanna Graumann. 532 Seiten

Michael Argyle, **Soziale Interaktion.** Aus dem Englischen von Wolf R. Arlt. 480 Seiten

Raymond Aron, **Hauptströmungen des soziologischen Denkens.** Aus dem Französischen von Franz Becker. Erster Band 320 Seiten, zweiter Band 272 Seiten

Roger Bastide, **Soziologie der Geisteskrankheiten.** Aus dem Französischen von Gisela Zimmermann. 248 Seiten

Helmut Böhme, **Deutschlands Weg zur Großmacht.** Studien zum Verhältnis von Wirtschaft und Staat während der Reichsgründungszeit 1848–1881. 2. Auflage. 752 Seiten

Karl Dietrich Bracher, **Die deutsche Diktatur.** Entstehung, Struktur, Folgen des Nationalsozialismus. 4. Auflage. 596 Seiten

Francis L. Carsten, **Revolution in Mitteleuropa 1918–1919.** Aus dem Englischen vom Autor. 336 Seiten

Hansjürgen Daheim, **Der Beruf in der modernen Gesellschaft.** 2. Auflage. 328 Seiten

Maurice Dobb, **Entwicklung des Kapitalismus.** Vom Spätfeudalismus bis zur Gegenwart. Aus dem Englischen von Franz Becker. 2. Auflage. 400 Seiten

Merle Fainsod, **Wie Rußland regiert wird.** Aus dem Amerikanischen von Karl Römer. 748 Seiten

Klaus Foppa, **Lernen, Gedächtnis, Verhalten.** Ergebnisse und Probleme der Lernpsychologie. 8. Auflage. 468 Seiten

Siegfried Geiger, **Erkennen und Wählen.** Ein kybernetisches Modell. 244 Seiten

Wilma Grossmann, **Vorschulerziehung.** Historische Entwicklung und alternative Modelle. 272 Seiten

J. Hirshleifer, **Kapitaltheorie.** Aus dem Amerikanischen von Gisela Eekhoff. 320 Seiten

John A. Hobson, **Der Imperialismus.** Aus dem Englischen von Helmut Hirsch. 2. Auflage. 316 Seiten

Chalmers Johnson, **Revolutionstheorie.** Aus dem Amerikanischen von Karl Römer. 208 Seiten

V. L. Kahan, **Psychische Krankheit im Kindesalter.** Eine Studie über Heimbehandlung. Aus dem Englischen von Helma Drews. 248 Seiten

Das Interview. Formen, Technik, Auswertung. Praktische Sozialforschung 1. Herausgegeben von René König unter Mitarbeit von Dietrich Rüschemeyer und Erwin K. Scheuch. 8., ergänzte Auflage. 424 Seiten

Beobachtung und Experiment in der Sozialforschung. Praktische Sozialforschung 2. Herausgegeben von René König unter Mitarbeit von Peter R. Heintz und Erwin K. Scheuch. 8., ergänzte Auflage. 360 Seiten

René König, **Soziologische Orientierungen.** Vorträge und Aufsätze. 2. Auflage. 576 Seiten

René König, **Materialien zur Soziologie der Familie.** 368 Seiten

David S. Landes, **Der entfesselte Prometheus.** Technologischer Wandel und industrielle Entwicklung Westeuropas von 1750 bis zur Gegenwart. Aus dem Englischen von Franz Becker. 600 Seiten

Axel Leijonhufvud, **Über Keynes und den Keynesianismus.** Hrsg. und mit einem Vorwort von Gérard Gäfgen. Eine Studie zur monetären Theorie. Aus dem Amerikanischen von Barbara Propach. 384 Seiten

George Lichtheim, **Kurze Geschichte des Sozialismus.** Aus dem Englischen von Lilli F. Flechtheim und Victoria Wocker in Zusammenarbeit mit dem Autor. 244 Seiten

Richard G. Lipsey, **Einführung in die positive Ökonomie.** Aus dem Englischen von Gertrud Rittig. 2. Auflage. 928 Seiten

J. E. Meade, **Die stationäre Wirtschaft.** Aus dem Englischen von Willi Meyer. 236 Seiten

J. E. Orme, **Einführung in die klinische und abnormale Psychologie.** Herausgegeben, aus dem Englischen übersetzt und für den deutschen Sprachraum ergänzt von Heiko Deters. Ca. 240 Seiten

Helga Recker, **Mobilität in der »offenen« Gesellschaft.** Zur theoretischen Orientierung der vertikalen sozialen Mobilitätsforschung. 208 Seiten

Neil J. Smelser, **Theorie des kollektiven Verhaltens.** Aus dem Englischen von Marianne Gembardt unter Mitarbeit von Wolfgang Kaupen, Walter R. Heinz und Peter Schöber. 464 Seiten

Veit Valentin, **Geschichte der deutschen Revolution 1848–1849.** Erster Band 680 Seiten, zweiter Band 786 Seiten

M. D. Vernon, **Wahrnehmung und Erfahrung.** Aus dem Englischen von W. R. Arlt. 312 Seiten

John B. Watson, **Behaviorismus.** Aus dem Englischen von Lenelis Kruse. Vorwort von Carl Friedrich Graumann. 304 Seiten

Der deutsche Kommunismus. Dokumente 1916–1945. Hrsg. von Hermann Weber. 3., neubearbeitete Auflage. 464 Seiten

Hans-Ulrich Wehler, **Bismarck und der Imperialismus.** 3. Auflage. 528 Seiten

J. Wilczynski, **Das sozialistische Wirtschaftssystem.** Grundsätze der zentralen Planwirtschaft in der UdSSR und Osteuropa unter dem Neuen System. Aus dem Englischen von Gisela Eekhoff. 304 Seiten

Heinrich August Winkler, **Mittelstand, Demokratie und Nationalsozialismus.** Die politische Entwicklung von Handwerk und Kleinhandel in der Weimarer Republik. 308 Seiten

Karl A. Wittfogel, **Die Orientalische Despotie.** Eine vergleichende Untersuchung totaler Macht. 626 Seiten

Hans Zeisel, **Die Sprache der Zahlen.** Statistik und Wirklichkeit. Aus dem Amerikanischen von Kurt Galler und C. Lakaschus. 216 Seiten

Kiepenheuer & Witsch